CES
FEMMES
QUI AIMENT
TROP

La Collection Parcours est publiée sous la direction de Josette Stanké

Données de catalogage avant publication (Canada)

Norwood, Robin

  Ces femmes qui aiment trop : la radioscopie des amours excessives

  (Collection Parcours)
  Traduction de : Women Who Love Too Much.

  2-7604-0290-8

  1. Femmes — Psychologie. 2. Amour — Aspect psychologique.
3. Alcooliques — Relations familiales. I. Titre. II. Collection.

HQ1206.N6714 1986   155.6'33   C86-096378-0

ROBIN NORWOOD

CES
FEMMES
QUI AIMENT
TROP

La radioscopie
des amours excessives

COLLECTION PARCOURS
dirigée par Josette Stanké

Stanké

La permission de reproduire certaines citations contenues dans cet ouvrage a été accordée gracieusement par les personnes et les organisations suivantes auxquelles l'auteur tient à exprimer sa gratitude :

« Victim of Love » — Glenn Frey, Don Henley, Don Felder, J.D. Souther © 1976. Red Cloud Music, Class Country Music et Ice Age Music

« My Man » — Channing Pollock © 1920. (Nouvelle édition 1948, par Frances Salabert, CBS First Catalogue Inc.)

« The Last Song » — Barry Mann et Cynthia Weil © 1972. Screen Gems — EMI Music Inc.

« Good-Hearted Woman» — Waylon Jennings et Willie Nelson © 1971. Hall Clement Pub. (The Welk Music Group)

« The Bleeding Heart » — Marilyn French © 1979. Summit Books (Simon Schuster Inc.)

« She's My Rock » — S.K. Dobbins © 1972. Famous Music Corp. and Iron-sides Music

« Beauty and the Beast » — Les Contes de Perrault

« When Love is the Drug » — Station de radio KUOM, 1983

Illustration de la couverture : François Poirier
Photo : Georges Dutil
Maquette de la couverture : d'Anjou et Poirier inc.

ISBN 2-7604-0290-8

Dépôt légal : quatrième trimestre 1986

Ce livre est dédié aux programmes Anonymes en reconnaissance de la réhabilitation miraculeuse qu'ils offrent.

TABLE DES MATIÈRES

PRÉFACE

« Ce n'est pas en premier lieu pour éclairer un passé inchangeable qu'on a recours à la psychothérapie, mais parce qu'on n'est pas satisfait du présent et qu'on désire rendre meilleur son avenir. »

(Erik Erickson)

Il me fait grand plaisir de signer la préface de ce livre excellent que je recommande sans réserve, en tant que psychothérapeute et en tant que femme. Enfin un des rares livres populaires écrit intelligemment qui a pour but d'aider à reconnaître et à comprendre un fonctionnement psychologique malsain, celui des femmes qui aiment trop, et surtout à le changer... Le contenu de ce livre peut éclairer toute femme sur la façon dont elle vit ses relations amoureuses. Ainsi, toute femme, peu importe à quel point elle crée des relations saines avec les hommes, peut se reconnaître au moins un peu dans ce livre. Même à une femme qui n'aurait pas clairement cette habitude « d'aimer trop » (et mal), ce livre rappelle que nous sommes principalement responsables de la façon dont nous conduisons notre vie et surtout que « l'amour » se reconnaît au plaisir et au bonheur qu'il procure, non au tourment, à l'obsession et à la souffrance qu'il engendre...

En fait, *Ces femmes qui aiment trop* parle de l'obsession face aux relations dites amoureuses, de l'acharnement à vouloir changer l'autre pour qu'il devienne comme on le souhaite, et du prix à payer quant au refus d'assumer notre autonomie et notre solitude intrinsèque, au refus d'abandonner les rêves de notre enfance. Il s'adresse principalement aux femmes, car ce sont surtout elles qui s'en plaignent le plus et qu'elles sont de beaucoup en avance sur les hommes dans la recherche de l'auto-développement, de la conscience de soi et du désir de se remettre en question et d'améliorer les relations de couples : plus de femmes entreprennent une démarche thérapeutique et lisent des livres sur l'auto-développement, et d'ailleurs plus de livres de ce type s'adressent aux femmes... justement pour cette raison. Au cours des dernières décennies, nous, les femmes, avons fait beaucoup de chemin socialement, sexuellement et, à un degré un peu moindre, économiquement. Émotivement, cependant, nous avons encore un long chemin à parcourir... Ce livre peut nous aider à mûrir, car il contient beaucoup d'exemples pertinents illustrant comment et pourquoi se développent de telles relations, hélas trop fréquentes. Il s'adresse aussi aux hommes qui, souvent sans l'exprimer, vivent ce même type d'insatisfactions.

Autre aspect intéressant : il est possible de faire un lien entre ce livre et d'autres livres connexes, tels *Le Complexe de Cendrillon,* de Colette Dowling, dans lequel il est décrit que, comme Cendrillon, les femmes d'aujourd'hui attendent encore que quelque chose d'extérieur viennent transformer leurs vies. Ainsi, nous pouvons nous aventurer partout dans le monde, être autonomes financièrement, mais au fond de nous persiste un désir ardent d'être sauvées. Une profonde recherche de dépendance peut se déguiser dans la tendance à comprendre et à trop tolérer les faiblesses des hommes. Nous payons cher (beaucoup trop cher pour les femmes qui aiment trop) l'espoir que ces hommes sur lesquels nous investissons tant de temps et d'énergie se transformeront en des princes charmants amoureux et éternellement reconnaissants, et finiront par nous trouver « spéciales » entre toutes.

Un autre excellent livre avec lequel il est possible de faire un lien est *Les Enfants de Jocaste,* de Christine Olivier, qui définit *aimer* comme « la recherche consciente de ce qui nous a manqué et la retrouvaille inconsciente de ce que nous avons déjà connu ». Selon cette auteure, le fonctionnement émotif des femmes (et des hommes) a sa source principale dans l'Œdipe, où habituellement le père a disparu au bénéfice de la mère. Nous en sortons tous (hommes et femmes) très meurtris, portant la trace de notre mère et rêvant de notre père. Chez l'homme, cela prend la forme de ressentiment contre la femme. Chez la femme, cela prend l'allure d'une course effrénée au désir masculin, course qui la rend souvent esclave du regard de l'homme et méfiante vis-à-vis des autres femmes.

Dans ma pratique en tant que psychothérapeute, j'ai très souvent rencontré ce problème « d'aimer trop », typiquement chez les femmes âgées entre 25 et 40 ans. Habituellement, chez les femmes plus âgées, les insatisfactions persistent sous la forme de résignation, dépression et symptômes psychosomatiques. Ce livre s'adresse donc aux femmes amoureuses de tous âges, puisqu'elles peuvent y puiser une aide.

Pour réussir une relation, comment choisir notre partenaire ? Certainement pas seulement avec les sentiments et l'attirance, mais aussi et surtout en fonction de nos besoins : être heureuses, aimées, appréciées *maintenant !* pas éventuellement, ni plus tard, ni peut-être... Ce livre nous aide à savoir discerner entre un partenaire qui est sain et bon pour nous, et un autre qui est malsain et destructeur... Un partenaire malsain est celui qui ne changera pas avec le temps : par exemple, celui qui dès le début d'une relation n'est pas affectueux ou pas respectueux, ou vit un problème d'alcool ou de drogue sérieux. Un partenaire sain est celui qui pourrait évoluer vers ce que l'on souhaite vivre selon le processus naturel de développement d'une relation : par exemple, quelqu'un qui parle ouvertement de ses peurs et de ses conflits *et qui agit* pour les résoudre.

En thérapie, de couple ou individuelle, je suggère souvent un critère simple pour évaluer si une relation est acceptable : s'il y a au moins 50 % de moments positifs, heureux et satisfaisants ou au moins neutres, et moins de 50 % de moments malheureux, tendus et souffrants... Chez les femmes qui aiment trop, il y a un net déséquilibre entre les moments de satisfaction et ceux d'insatisfaction, ces derniers étant beaucoup trop nombreux.

Un des aspects les plus positifs de *Ces femmes qui aiment trop* est que ce livre est complet et qu'il peut suffire à lui seul à faire prendre conscience du problème de trop aimer et entreprendre un processus de changement. De plus, l'auteure de ce livre, Robin Norwood, favorise fortement les groupes de soutien. J'appuie cette recommandation. Il arrive, cependant, quelle soit insuffisante ; c'est alors que je recommande la psychothérapie. Actuellement, il y a peu de ressources gratuites et la pratique privée est la seule option. D'une façon générale, je favorise le contact des femmes pour aider les femmes, car il y a plus de probabilités de bien se faire comprendre. De même, je recommande des thérapeutes centrés non seulement sur la compréhension, mais aussi et surtout sur le changement.

Francesca Sicuro, D. Ph.
Psychologue

Chapitre premier

QUAND ON AIME UN HOMME
QUI NE NOUS AIME PAS

Victime de l'amour,
Ton cœur brisé
En a long à raconter.

Victime de l'amour,
C'est un rôle facile
Qui te va comme un gant.

...Tu as reconnu
Le personnage, n'est-ce pas ?
Déchirée entre la souffrance
Et le désir, tu cherches
En vain l'amour.

— Victime de l'amour*

Jill en était à sa première séance et ne semblait pas très convaincue. Elle était menue, avec ses boucles blondes et son air malicieux, et semblait très tendue. Elle s'était assise en face de moi et se tenait sur le bord de sa chaise. Elle était tout en rondeur : son visage, son corps un peu grassouillet et surtout ses yeux bleus qui examinaient les certificats et les diplômes affichés aux murs de mon bureau. Après m'avoir posé quelques questions au sujet de mes études universitaires et de ma licence de consultante, elle m'annonça fièrement qu'elle était inscrite à la faculté de droit.

Elle se tut quelques instants, puis son regard se posa sur ses mains fermées.

« Voici ce qui m'amène », dit-elle. Enhardie par ce premier élan verbal, elle se mit à parler rapidement.

---

* Dans sa version originale, ce poème s'intitule *Victim of Love*. (*N.d.T.*)

« Si je fais cela, c'est-à-dire si je consulte une thérapeute, c'est parce que je suis très malheureuse ; à cause des hommes, ou plutôt à cause de moi et des hommes. On dirait que j'ai le don de les faire fuir. Au début, ça va toujours bien ; ils s'intéressent à moi et me courent après. Mais quand ils me connaissent un peu mieux, tout s'écroule. » Cette confidence la faisait visiblement souffrir.

Elle leva les yeux vers moi et je vis qu'elle avait du mal à parler et à retenir ses larmes.

« J'aimerais tant savoir ce qui cloche dans mon comportement et si je peux y changer quelque chose. Je suis tenace et je suis prête à faire tous les efforts nécessaires pour y parvenir. » Elle parlait à nouveau plus rapidement.

« Si je pouvais seulement comprendre pourquoi ces choses-là m'arrivent. Je suis rendue au point où je ne veux plus sortir avec des hommes, tellement j'ai peur de souffrir. »

Elle secoua sa tête bouclée et continua sur un ton véhément : « Je ne veux pas en arriver là ; je me sens trop seule. Je prends mes études de droit très à cœur et je travaille en plus pour subvenir à mes besoins. J'ai donc un horaire très chargé. En fait, j'ai consacré tout mon temps, ces douze derniers mois, à me rendre au travail et à mes cours, à étudier et à dormir. La présence d'un homme me manque beaucoup. »

Sans s'interrompre, elle continua de raconter son histoire : « J'étais en visite chez des amis à San Diego, il y a deux mois ; ils m'ont emmenée danser, un soir. C'est là que j'ai fait la connaissance de Randy, un avocat. Nous nous sommes tout de suite bien entendus. Nous avons parlé d'un tas de choses. Enfin, c'était surtout moi qui parlais, mais il semblait « aimer » ça. C'était sensationnel de trouver un homme qui s'intéressait aux mêmes choses que moi. »

Puis elle fronça les sourcils et me dit : « D'après les questions qu'il me posait, j'avais l'air de lui plaire beaucoup. — Mariée ? — Non, divorcée depuis deux ans. — Vivant seule en appartement ?, etc. »

J'imaginais l'impétuosité de Jill lorsqu'elle se lança dans un tête-à-tête animé avec Randy ce soir-là, malgé la musique assourdissante. Et l'empressement qu'elle mit à l'accueillir, une semaine plus tard, quand il fit un détour de cent soixante kilomètres pour aller la voir, à l'occasion d'un voyage d'affaires à Los Angeles. Après le souper, elle lui avait suggéré d'attendre au lendemain pour rentrer chez lui, prétextant que la route était longue. Elle lui proposa de passer la nuit chez elle et il avait accepté. Ils devinrent amants cette nuit-là.

« C'était formidable. » dit-elle. « Je l'ai traité aux petits oignons et il s'est laissé faire ; j'ai même repassé sa chemise, le lendemain matin. J'adore m'occuper d'un homme. On s'entendait à merveille. » Elle eut un sourire triste. Je devinais, à la suite de son récit, que Jill était tombée follement amoureuse de Randy.

Il n'était pas sitôt rentré à son appartement de San Diego que le téléphone sonnait déjà : c'était Jill. Elle s'était inquiétée à cause du long trajet en automobile, et elle était contente de savoir qu'il était bien arrivé. Elle crut déceler dans la voix de Randy un peu d'agacement. Elle s'excusa de l'avoir importuné et raccrocha. Elle ressentit soudain un profond malaise. Une fois de plus, elle se rendait compte qu'elle aimait beaucoup plus qu'elle n'était aimée.

« Un jour, Randy m'a dit que si je le harcelais trop il disparaîtrait. J'étais terrifiée. Comment pouvais-je l'aimer et le laisser tranquille en même temps ? C'était impossible et cela m'affolait d'autant plus. Et plus je m'affolais, plus je lui courais après. »

Jill en était rendue à téléphoner à Randy presque chaque soir. Bien qu'ils soient censés s'appeler à tour de rôle, Randy négligeait souvent de téléphoner quand c'était son tour. Elle attendait anxieusement son appel et, comme il se faisait tard et qu'elle ne pouvait plus patienter davantage, c'est elle qui téléphonait. Leurs conversations traînaient en longueur et n'avaient rien de particulièrement stimulant.

« Il commençait par dire qu'il avait oublié. Alors je lui demandais comment il pouvait oublier, puisque je n'oubliais jamais, moi. Ensuite nous parlions de lui et de la peur qu'il avait de trop s'attacher à moi. Il me répétait qu'il ne savait pas ce qu'il attendait de la vie, et j'essayais de dissiper ses doutes et de l'aider à voir clair. » Et voilà que Jill entreprit de le psychanalyser pour qu'il s'attache davantage à elle.

Elle ne pouvait pas supporter l'idée qu'il ne veuille pas d'elle. Elle croyait au contraire qu'il avait besoin d'elle.

Par deux fois, elle prit l'avion et alla passer le week-end avec lui, à San Diego. Lors de sa deuxième visite, il l'ignora complètement et passa son temps devant son téléviseur à boire de la bière. Ce fut une des pires journées que Jill ait jamais vécues.

Je lui demandai si Randy buvait beaucoup. Ma question parut la surprendre.

« Non, pas vraiment. » me dit-elle. « En réalité, je n'en sais rien ; je n'y ai jamais songé. Il buvait le soir où je l'ai rencontré, mais c'était normal, puisque nous étions dans un bar. Par la suite, pendant que nous bavardions au téléphone, j'entendais des glaçons remuer dans un verre ; je le taquinais en lui disant qu'il buvait en solitaire. Maintenant que j'y réfléchis, c'est vrai que je ne l'ai jamais vu sans un verre à la main. Mais cela n'a rien d'anormal, n'est-ce pas ? »

Elle réfléchit un instant, puis elle dit : « Au téléphone, il lui arrivait parfois de parler d'une façon vraiment bizarre pour un avocat. Il semblait confus, distrait, et ses propos étaient décousus. Mais je n'aurais jamais cru que c'était à cause de l'alcool, et je ne cherchais pas à comprendre. »

Elle me regarda avec tristesse et me dit : « C'est peut-être à cause de moi qu'il buvait trop ; parce que je l'ennuyais et qu'il n'avait pas envie d'être avec moi. » Elle poursuivit sur un ton angoissé : « Mon mari non plus ne supportait pas ma présence ; ça sautait aux yeux. » Elle continua avec effort, les yeux pleins de larmes : « Même mon père m'évitait ! Pourquoi agissaient-ils ainsi envers moi ? Qu'est-ce qui ne va pas chez moi ? »

Dès l'instant où Jill s'apercevait que ça ne tournait pas rond entre elle et quelqu'un qui lui était cher, non seulement cherchait-elle à résoudre le conflit, mais elle était prête à en assumer tous les torts. Donc, si Randy, son mari et son père ne l'aimaient pas, c'était sûrement parce qu'elle avait fait ceci ou n'avait pas fait cela.

Ses valeurs, ses sentiments, son comportement, son vécu, tout chez Jill était symptomatique de ce type de femme pour qui l'amour et la souffrance vont forcément de pair. Elle présentait tous les signes qu'ont en commun les femmes qui aiment trop, peu importe qu'elles aient une liaison longue et ardue avec un seul homme, ou un tas d'aventures avec beaucoup d'hommes. Trop aimer, ce n'est pas tomber amoureuse trop souvent, multiplier le nombre de vos amants, ou éprouver un amour authentique et profond. En fait, c'est quand vous devenez obsédée par un homme et que cette obsession s'empare de vos émotions, vous dicte votre comportement et va jusqu'à mettre en danger votre santé et votre bien-être, et que malgré tout vous êtes incapable de rompre. Trop aimer, c'est mesurer la profondeur de votre amour à l'intensité de votre douleur.

Peut-être qu'en parcourant ce livre vous vous reconnaissez en Jill ou en d'autres femmes dont vous connaissez l'histoire, et vous vous demandez si vous ne seriez pas une de ces femmes qui aiment trop. Cependant, bien que vous éprouviez le même genre de difficultés que ces femmes à l'égard des hommes, vous hésitez devant les « mots » qui servent à définir les expériences traumatisantes qu'elles ont vécues.

Nous avons toutes de fortes réactions émotionnelles en présence de mots comme « alcoolisme », « inceste », « violence », « usage de drogues », et nous ne sommes pas toujours prêtes à scruter avec réalisme notre propre passé, de peur que ces « mots » s'appliquent à nous ou à ceux que nous aimons. Cette incapacité d'appeler les choses par leur nom nous empêche souvent, hélas, de rechercher de l'aide. Mais il se peut aussi que ces redoutables mots ne s'appliquent pas dans votre cas et que les problèmes que vous avez connus dans votre enfance soient de nature plus subtile. C'était peut-être votre père qui, bien qu'il subvînt adéquatement aux nécessités matérielles du foyer, n'en détestait pas moins les femmes et s'en méfiait ; vous ne pouviez donc pas acquérir l'estime de vous-même, parce qu'il était incapable de vous aimer. Ou c'était peut-être votre mère qui, jalouse de vous, vous traitait en rivale dans l'intimité, mais devant les autres, elle se vantait en vous exhibant ; et cela vous obligeait à toujours faire de votre mieux pour gagner son approbation, même si vous craigniez que vos succès provoquent son hostilité.

Il est impossible de traiter dans un seul livre les mille et un maux qui peuvent perturber l'équilibre des familles ; pour parler de tout cela, il faudrait traiter le sujet autrement et en plusieurs volumes. Il importe toutefois de savoir que les familles perturbées ont toutes un point commun : elles sont incapables de discuter de leurs problèmes fondamentaux. Elles peuvent, bien sûr, discuter d'autres problèmes, parfois même jusqu'à l'excès, justement parce que ces problèmes masquent les véritables causes de leur malaise. Ce qui détermine le degré de perturbation dans le fonctionnement d'une famille et dans le comportement de ses membres, c'est le degré d'enfouissement (plutôt que la gravité) de ces « causes » qui empêchent d'affronter les problèmes.

Dans une famille perturbée, chaque membre joue un rôle pré-établi, rigide, et la communication familiale est restreinte parce qu'elle est limitée très étroitement à ces rôles respectifs. De ce fait, les membres n'osent pas parler ouvertement de leurs expériences, ni exprimer pleinement leurs sentiments, leurs manques, leurs besoins et leurs émotions ; chacun s'en tient au rôle qui lui est assigné et qui s'imbrique aux rôles tenus par les autres. Ce principe des rôles se retrouve normalement dans toutes les familles. Il faut cependant, afin de préserver le sain équilibre de la famille, que les membres et leurs rôles se transforment et s'adaptent au fur et à mesure que les circonstances changent. Par exemple, les soins maternels qui sont prodigués à un bébé d'un an ne conviennent absolument plus à un adolescent ; la mère doit donc adapter son rôle à la réalité. Dans les familles perturbées, on refuse de tenir compte des aspects parfois vitaux de cette réalité, et chacun continue à jouer rigoureusement son rôle.

Lorsque personne ne peut parler de ce qui affecte chacun des membres individuellement ou la famille prise dans son ensemble — parce que les discussions de ce genre sont interdites implicitement (on change de sujet) ou explicitement (« On ne parle pas de ces choses ! ») —, on apprend à ne pas se fier à ses propres perceptions ou sensations. Parce que notre famille refuse d'admettre notre réalité, nous nous habituons à la renier nous-mêmes. Et cela handicape sérieusement notre capacité de forger les outils vitaux dont nous avons besoin pour affronter la vie et ses contingences et pour entretenir des rapports avec autrui. C'est ce handicap que l'on retrouve toujours chez les femmes qui aiment trop. Nous devenons incapables de discerner si quelque chose ou quelqu'un ne nous convient pas. Contrairement à ceux qui ont l'habitude de discerner la nature dangereuse, embarrassante ou malsaine de certaines personnes ou de certaines situations, nous sommes incapables de faire ce discernement avec réalisme ou en songeant à nous protéger. Nous ne nous fions pas à nos sentiments ou nous renonçons à nous laisser guider par eux. Nous nous laissons attirer par les dangers, les intrigues, les drames et les défis que les autres éviteraient, ces autres qui viennent d'un milieu familial sain et mieux équilibré. Et cette attirance aggrave encore davantage notre mal, car la plupart de ces choses qui nous attirent sont la répétition de ce que nous avons vécu en grandissant. Et nous voilà de nouveau l'âme en détresse.

Ce n'est pas le hasard qui fait qu'une femme devienne « une femme qui aime trop ». Le fait de grandir dans notre société et dans une famille perturbée contribue à générer des attitudes prévisibles. Les caractéristiques suivantes s'appliquent aux femmes qui aiment trop, des femmes comme Jill et peut-être aussi comme vous :

1. Il est typique que vous veniez d'une famille perturbée dans laquelle vos besoins affectifs n'ont pas été satisfaits.

2. Ayant manqué de soins dans votre enfance, vous essayez de combler ce vide de façon indirecte, en devenant dispensatrice de soins, spécialement à l'égard d'hommes qui semblent connaître une certaine détresse.

3. N'ayant pas réussi à changer vos parents pour en faire les chaleureux et affectueux dispensateurs de soins dont vous aviez tant besoin, vous vous sentez tout naturellement attirée par un type d'homme que vous connaissez bien : l'homme affectivement inaccessible que vous allez essayer de changer grâce à votre amour.

4. Terrifiée à l'idée d'être abandonnée, vous ferez n'importe quoi pour éviter la rupture d'une relation.

5. Rien n'est trop difficile, ni trop cher, ni trop préoccupant, du moment que cela « aide » l'homme auquel vous êtes attachée.

6. Comme vous êtes habituée à manquer d'amour dans vos rapports avec les autres, vous êtes prête à attendre, à espérer, et vous vous appliquez encore davantage à plaire.

7. Vous êtes prête à prendre sur vous beaucoup plus que la moitié de la responsabilité, de la culpabilité et du blâme dans vos rapports avec autrui.

8. L'estime que vous avez de vous-même est très basse. Vous avez la profonde conviction que vous ne méritez pas d'être heureuse ; au contraire, vous croyez que vous devez vous efforcer de gagner le droit de jouir de la vie.

9. Vous avez désespérément besoin d'exercer un contrôle sur vos hommes et sur vos relations, parce que vous avez manqué de sécurité dans votre enfance. Vous déguisez vos efforts de contrôle en vous rendant serviable.

10. Dans une relation de couple, vous êtes davantage portée à rêver à un scénario idéal qu'à vivre la situation avec réalisme.

11. Vous avez une dépendance à l'égard des hommes et de la souffrance de type affectif.

12. Vous êtes peut-être disposée psychologiquement, souvent aussi biochimiquement, à vous adonner aux drogues, à l'alcool ou à certains aliments, en particulier ceux qui sont sucrés.

13. En vous laissant attirer par des gens à problèmes qui ont besoin d'aide, ou en étant aux prises avec des situations chaotiques, incertaines et affectivement douloureuses, vous évitez de prendre vos responsabilités vis-à-vis de vous-même.

14. Vous traversez peut-être des périodes dépressives et vous essayez de les retarder en vous abandonnant à l'euphorie d'une relation instable.

15. Vous n'êtes pas attirée par des hommes qui sont bons, stables, fiables et qui s'intéressent à vous. Ces « hommes gentils », vous les trouvez ennuyeux.

Jill répondait à presque toutes ces caractéristiques, à un degré plus ou moins élevé. C'est autant à cause de ces caractéristiques qu'à cause des confidences qu'elle me fit au sujet de Randy que j'ai pu déduire que ce dernier avait peut-être un problème relié à l'alcoolisme. Les femmes qui ont ce genre de disposition affective sont attirées constamment par des hommes qui, pour une raison ou pour une autre, ne sont pas disponibles affectivement. La dépendance favorise l'inaccessibilité affective.

Dès le début, Jill était disposée à prendre la plus grande part de l'initiative pour entreprendre une relation et la rendre viable. Comme bien d'autres femmes qui aiment trop, elle était, sans aucun doute, une personne très responsable et habituée à de hautes performances dans divers aspects de sa vie, mais malgré tout cela elle avait une faible estime d'elle-même. La réalisation de ses ambitions aux plans académique et professionnel ne suffisait pas à compenser les échecs personnels qu'elle endurait dans ses relations amoureuses. Chacun des appels téléphoniques que Randy oubliait de faire était un coup porté à la fragile estime qu'elle avait d'elle-même ; elle travaillait héroïquement à réparer le dégât causé, en essayant de lui faire dire qu'il se souciait d'elle. Sa volonté d'accepter tout le blâme à la suite d'une liaison brisée est caractéristique, tout autant que son incapacité à juger avec réalisme de la situation et à se protéger en rompant les liens lorsque le manque de réciprocité devient évident.

Dans une relation amoureuse, les femmes qui aiment trop négligent leur intégrité personnelle. Elles consacrent leurs énergies à tenter de changer le comportement et les senti-ments de leur partenaire à leur égard, au moyen de manœuvres désespérées (par exemple, Jill faisait des appels interurbains onéreux et se rendait à San Diego en avion même si elle avait un budget extrêmement serré). Les « séances de thérapie » interurbaines qu'elle poursuivait avec Randy étaient davantage une tentative d'en faire l'homme dont elle avait besoin qu'un effort pour l'aider à découvrir qui il était. En réalité, Randy ne tenait pas à savoir qui il était, car s'il y avait été intéressé il aurait lui-même fait la plus grande part du travail dans ce sens, plutôt que d'assister passivement aux efforts que Jill déployait pour qu'il s'analyse. Elle faisait ces efforts parce qu'elle n'avait qu'un seul autre choix : le voir tel qu'il était et l'accepter ainsi — un homme qui ne se souciait ni d'elle et de ses sentiments, ni de leur liaison.

Revenons à ma séance avec Jill pour essayer de mieux comprendre ce qui l'a amenée à mon bureau ce jour-là.

Elle parlait maintenant de son père : « C'était un homme tellement têtu. Je m'étais juré qu'un jour j'aurais le dernier mot dans une de nos discussions. » Après un moment de réflexion, elle ajouta : « Mais je n'ai jamais réussi à le faire, ce qui explique probablement pourquoi je me suis lancée dans des études de droit. J'adore argumenter et gagner une cause. »

Elle eut un large sourire à cette pensée, puis elle redevint sérieuse. « Savez-vous ce que j'ai fait, un jour ? » dit-elle. « Je l'ai obligé à me dire qu'il m'aimait et à m'embrasser. » Elle s'efforçait de raconter la chose comme une anecdote amusante de ses jeunes années, mais son air enjoué ne trompait pas. On devinait la détresse d'une jeune fille vulnérable.

« Jamais il ne l'aurait fait si je ne l'avais pas forcé. Et pourtant, il m'aimait. Seulement il n'arrivait pas à le montrer. Il n'a plus jamais été capable de le redire. Je suis contente de l'y avoir forcé, parce qu'autrement il ne me l'aurait jamais dit. J'avais attendu cela pendant des années et des années. J'avais dix-huit ans quand je lui ai dit : « tu vas me dire que tu m'aimes », et je n'ai pas bougé jusqu'à ce qu'il me l'ait dit. Ensuite je lui ai demandé de m'embrasser, bien qu'en réalité ce soit moi qui l'ait embrassé la première. Il m'a simplement serrée à son tour et m'a tapoté un peu l'épaule, mais cela ne fait rien. J'avais réellement besoin qu'il me donne ce témoignage. »

Les larmes montèrent à nouveau à ses yeux et coulèrent cette fois sur ses joues rondes. « Pourquoi était-ce si dur pour lui ? » continua-t-elle. « Il me semble que c'est tout à fait naturel de pouvoir dire à sa fille qu'on l'aime. » Elle regarda ses mains et dit : « Je me suis donné beaucoup de mal. C'est pour cela que je discutais avec tant de véhémence et que je me disputais toujours avec lui. Je pensais qu'il serait fier de moi, si j'arrivais à gagner, et qu'il devrait bien admettre que j'étais capable. Je crois qu'en recherchant son approbation j'attendais qu'il me donne son affection, ce dont j'avais besoin plus que toute autre chose au monde... »

En continuant de parler avec Jill, il devint clair que dans sa famille on attribuait son rejet par son père au fait que celui-ci aurait voulu un garçon plutôt qu'une fille. Expliquer ainsi sa froideur envers son enfant était un peu simpliste ; mais c'était, pour tout le monde y compris Jill, plus facile que de confronter la vérité. Après une période prolongée de thérapie, Jill parvint à admettre que son père n'avait jamais eu de liens d'affection avec personne et qu'en fait il n'avait jamais été capable d'exprimer des sentiments chaleureux d'amour ou d'approbation envers qui que ce soit dans son entourage personnel. Il y avait toujours eu des « raisons » pour expliquer son refus, telles que des querelles et des divergences d'opinion, ou des situations irréversibles comme le fait que Jill soit une fille. Chacun des membres de la famille préférait se contenter de ces raisons plutôt que d'essayer de savoir pourquoi il était distant avec eux.

Jill, en effet, trouvait plus facile de se culpabiliser que d'admettre l'incapacité d'aimer de son père. Tant qu'il y allait de sa faute à elle, elle gardait l'espoir qu'elle parviendrait un jour à se changer suffisamment pour l'encourager, lui aussi, à changer.

Ce qui suit est valable pour nous toutes. Lorsque survient un événement qui nous éprouve émotivement, pour ne pas souffrir et pour avoir la situation bien en main, nous en assumons la faute. Ce mécanisme déclenche un sentiment de culpabilité chez les femmes qui aiment trop. En nous accrochant à l'espoir de trouver ce qui ne va pas, afin d'y apporter les corrections nécessaires, nous contrôlons la situation et évitons de souffrir.

Ce processus s'avéra très manifeste chez Jill, lors d'une séance pendant laquelle elle raconta son mariage. Étant inexorablement attirée par quelqu'un avec qui elle pourrait recréer l'atmosphère de privation affective qu'elle avait connue en grandissant aux côtés de son père, son mariage lui fournissait l'occasion de reconquérir l'affection qui lui avait été refusée.

Pendant que Jill racontait comment elle avait fait connaissance avec son mari, je me souvins d'un proverbe qu'un collègue thérapeute m'avait cité : *les gens affamés sont de mauvais acheteurs*. Désespérément affamée d'amour et d'approbation d'une part, accoutumée d'autre part à être rejetée, mais à son insu, Jill était prédestinée à rencontrer Paul.

Elle poursuivit : « Nous nous sommes rencontrés dans un bar. Je venais de laver mon linge dans un lavoir public et je suis entrée quelques minutes dans un petit bistrot minable. Paul, qui jouait au billard, m'a demandé si je voulais jouer. J'ai dit oui, et c'est ainsi que tout a commencé. Il m'a demandé si je voulais sortir avec lui. Je lui ai répondu non, que je ne sortais pas avec des hommes que je rencontrais dans des bars. Plus tard, il m'a raccompagnée au lavoir tout en continuant de causer. J'ai fini par lui donner mon numéro de téléphone et nous sommes sortis ensemble le lendemain soir.

« Vous n'en croiriez pas vos oreilles si je vous disais que nous avons commencé à vivre ensemble deux semaines plus tard, et pourtant c'est vrai. Il n'avait pas d'endroit où habiter, et moi je devais quitter mon appartement ; alors nous avons pris un logement ensemble. Cette expérience ne s'est pas avérée particulièrement intéressante, que ce soit du côté sexe, compagnie ou autre. Mais au bout d'un an, parce que ma mère s'inquiétait de ma conduite, nous nous sommes mariés. » Jill hocha la tête.

Malgré un début si peu prometteur, Jill devint vite obsédée. En grandissant, elle s'était habituée à toujours corriger ce qui n'allait pas et, naturellement, elle conserva cette façon de penser et d'agir lorsqu'elle se maria.

« Je me suis donné beaucoup de mal. » dit-elle. « C'est que je l'aimais vraiment et que j'étais bien décidée à ce qu'il m'aime en retour. J'allais devenir l'épouse parfaite. Je cuisinais et je nettoyais la maison comme une enragée ; j'arrivais même à suivre des cours. Lui, souvent ne travaillait pas. Il traînait à la maison ou disparaissait pendant plusieurs jours. J'étais alors torturée par l'attente et le doute. Mais j'appris vite à ne pas poser de questions au sujet de ses absences, parce que... » Elle hésita et remua sur son siège. « J'ai du mal à accepter ce que je vais vous dire. J'étais si sûre qu'en persévérant tout finirait par bien aller ; mais certains jours, quand il rentrait d'une escapade, je me fâchais, et alors il me frappait. »

Le mariage de Jill se brisa quand son mari trouva une autre femme, au cours d'une de ses absences prolongées. Pourtant, bien que la situation soit devenue intolérable, Jill fut bouleversée par le départ de Paul.

« Je savais, même sans la connaître, que cette femme était tout ce que je n'étais pas. Je comprenais même pourquoi Paul m'avait quittée. J'avais l'impression que je n'avais rien à donner, pas plus à lui qu'à d'autres. Je ne lui en voulais pas de m'avoir quittée ; après tout, je n'étais pas capable de me supporter moi-même. »

Dans le cas de Jill, une bonne partie de mon travail consistait à l'aider à comprendre le processus du malaise qui l'affectait depuis si longtemps, à savoir sa dépendance à des relations perdues d'avance avec des hommes qui ne sont pas disponibles sur le plan affectif, des hommes inaccessibles. Le genre de dépendance qui afflige Jill dans ses relations est comparable à celui que provoque un usage abusif de drogues. Dans chacune des liaisons de Jill, il y avait un sommet initial, une sensation d'euphorie et d'extase ; elle croyait avoir enfin trouvé ce qui allait combler ses besoins les plus profonds : amour, sollicitude et sécurité affective. En croyant cela, Jill dépendait de plus en plus de son partenaire et des rapports de couple pour se sentir bien. Puis, tout comme un drogué qui doit augmenter sa dose parce que les effets diminuent, elle était obligée de s'accrocher plus étroitement à la relation qu'elle vivait, parce qu'elle en tirait moins de satisfaction et de contentement. En essayant de faire revivre ce qui avait été une fois si merveilleux, si prometteur, Jill harcelait son homme d'assiduités ; il lui fallait une plus grande présence, plus de réconfort et plus d'affection, parce qu'elle en recevait de moins en moins. Plus la situation s'aggravait, plus il devenait difficile pour elle de renoncer, tant son besoin était grand. Elle ne pouvait pas laisser tomber.

Jill avait vingt-neuf ans lorsqu'elle vint me voir la première fois. Son père était décédé sept ans auparavant, mais il restait l'homme le plus important dans sa vie. C'était, dans un certain sens, le seul homme de sa vie, car lorsqu'elle avait une relation avec un autre homme vers lequel elle était attirée, c'était vraiment avec son père qu'elle entrait en relation, ce père dont elle essayait d'obtenir l'affection et qui ne pouvait pas la lui donner parce qu'il avait lui-même ses barrières.

Si nous avons vécu notre enfance dans des conditions difficiles, nous allons inconsciemment chercher à recréer ces conditions tout au long de notre vie, dans l'effort de nous en rendre maîtres.

Mettons-nous un instant à la place de Jill et supposons que l'un de nos parents, malgré notre amour et notre besoin de lui, n'ait pas répondu à nos attentes d'enfant. Il nous arrivera alors souvent, à l'âge adulte, de nous rapprocher d'une ou de plusieurs personnes semblables à ce parent, et cela parce que nous tenons à continuer la lutte depuis longtemps engagée et que nous comptons la gagner, c'est-à-dire arriver à nous faire aimer. Jill agissait exactement selon ce processus, en se laissant séduire par des hommes qui lui étaient incompatibles.

Vous souvenez-vous de cette histoire drôle, à propos d'un bonhomme myope qui avait perdu ses clefs un soir, dans la rue, et qui les cherchait sous un réverbère ? Quelqu'un qui passait par là et qui voulait l'aider à chercher lui demanda : « Êtes-vous bien sûr de les avoir perdues ici ? » L'autre répondit : « Non, mais c'est plus facile de chercher ici, parce qu'il y a de la lumière. »

Tout comme cet homme, Jill cherchait ce qui manquait dans sa vie. Elle ne regardait pas où il y avait un espoir de le trouver, mais où c'était le plus facile de chercher.

Nous allons explorer tout au long de ce livre ce que « trop aimer » veut dire, pourquoi nous le faisons et où nous avons appris à le faire ; nous apprendrons aussi comment transformer notre façon d'aimer en un mode plus sain d'interaction. Revoyons une à une les caractéristiques des femmes qui aiment trop.

1. Il est typique que vous veniez d'une famille perturbée dans laquelle vos besoins affectifs n'ont pas été satisfaits.

Il sera peut-être plus facile d'analyser cette caractéristique en commençant par la deuxième partie : « dans laquelle vos besoins affectifs n'ont pas été satisfaits ». Les besoins affectifs dont il est ici question ne sont pas seulement vos besoins d'amour et d'affection. Quoique cet aspect soit important, il y en a un autre plus critique, à savoir le fait que votre perception et vos sensations restaient ignorées ou rejetées au lieu d'être acceptées et encouragées. Voici un exemple : Les parents se disputent. L'enfant a peur. Elle demande à sa mère : « Pourquoi es-tu fâchée contre papa ? » Celle-ci répond : « Je ne suis pas fâchée. » ; pourtant, elle est visiblement irritée et préoccupée. Confuse et ayant encore plus peur qu'avant, l'enfant dit : « Je t'ai entendue crier ! » La mère en colère répond : « Je t'ai dit que je n'étais pas fâchée, mais je vais le devenir si tu continues d'insister ! » L'enfant confuse éprouve alors de la peur et de la colère ; elle se sent coupable. Sa mère a laissé supposer qu'elle a une fausse perception des choses ; mais alors, d'où proviennent donc ses sensations de peur ? L'enfant est amenée à faire un choix : est-ce qu'elle a raison ou est-ce que sa mère lui a menti délibérément ; est-ce que son ouïe, sa vue et ses sensations font défaut ? Elle choisira souvent la confusion et ignorera les messages perceptifs qu'elle reçoit afin de ne pas subir le désagrément de les voir démentis. Cela handicape sa capacité de se fier à elle-même et à ses facultés perceptives, autant à cet âge-là que plus tard, lorsqu'elle sera adulte et surtout lorsqu'elle aura des relations de couple.

L'enfant peut aussi être privée d'affection. Lorsque les parents se disputent ou qu'ils sont aux prises avec des conflits de nature différente, il arrive qu'ils manquent de temps et qu'ils s'occupent moins de leurs enfants. Cette situation crée chez les enfants un besoin d'amour et les rend perplexes ; ils se demandent si c'est une situation normale, acceptable ou imméritée ?

Venons-en maintenant à la première partie de la caractéristique n° 1 : « vous venez d'une famille perturbée ». Les familles perturbées sont celles dans lesquelles on trouve au moins une des conditions suivantes :

— abus d'alcool ou de drogues (prescrites ou illicites), ou les deux ;

— comportement compulsif, soit dans l'alimentation, le travail, le nettoyage, le jeu, les dépenses, la diète, l'exercice, ou autre chose ; ces activités contraintes (ou compulsives) signifient des comportements de dépendance ainsi que des processus pathologiques progressifs ; entre autres effets négatifs, ceux-ci gênent et empêchent une saine harmonie et l'intimité dans une famille ;

— épouse ou enfants battus, ou les deux ;

— comportement sexuel incorrect d'un des parents envers un enfant, allant de la séduction à l'inceste ;

— disputes et tensions continuelles ;

— périodes prolongées durant lesquelles les parents refusent de se parler ;

— parents qui ont des attitudes ou des valeurs opposées, ou qui ont des comportements conflictuels, afin d'attirer la préférence de leurs enfants ;

— parents qui sont en compétition entre eux ou avec leurs enfants ;

— un des parents qui est incapable d'interaction avec les autres membres de la famille ; il les évite et les rend responsables de cette situation ;

— une rigidité extrême au sujet de l'argent, de la religion, du travail, de l'emploi du temps, des démonstrations d'affection, du sexe, de la télévision, du ménage, des sports, de la politique, etc. ; ce genre d'obsession décourage le contact et l'intimité, parce que l'importance est mise non pas sur les rapports de relation, mais sur les règles de conduite.

Si l'un des parents manifeste de tels comportements ou obsessions, cela est nuisible pour l'enfant. Si les deux parents sont impliqués dans ces processus malsains, les résultats sont encore plus dommageables. Il arrive souvent que les parents aient des comportements pathologiques complémentaires. Par exemple, un alcoolique et une boulimique se marient ; chacun lutte alors pour que l'autre se débarrasse de sa dépendance. Il arrive aussi que les parents établissent entre eux un équilibre malsain. Par exemple, lorsqu'une mère possessive et envahissante est mariée à un père colérique et inaccessible, chacun d'eux perpétue avec ses enfants les rapports qui leur sont nuisibles, son comportement et ses attitudes étant renforcés.

Il y a beaucoup de types de familles perturbées. Celles-ci peuvent être de styles différents, mais elles produisent toutes, de façon identique, l'effet suivant sur les enfants qui y grandissent : ces enfants sont, jusqu'à une certaine limite, incapables de ressentir quoi que ce soit et d'entretenir des rapports avec autrui.

2. Ayant manqué de soins dans votre enfance, vous essayez de combler ce vide de façon indirecte, en devenant dispensatrice de soins, spécialement à l'égard d'hommes qui semblent connaître une certaine détresse.

Songez à la façon dont les enfants, surtout les petites filles, se conduisent lorsqu'ils sont privés de l'amour et des soins auxquels ils aspirent et dont ils ont besoin. Alors qu'un petit garçon peut se mettre en colère et adopter un comportement destructif et agressif, une petite fille portera plutôt son attention sur sa poupée préférée. Elle va la bercer et la rassurer et, en quelque sorte, s'y identifier ; c'est de cette façon, par des moyens indirects, qu'elle tentera d'obtenir l'attention qui lui manque. Les femmes qui aiment trop agissent comme des petites filles, mais elles sont peut-être un peu plus subtiles. En général, nous sommes soucieuses d'aider, et cela se retrouve à presque tous les niveaux de notre vie. Il y a, dans les services d'aide sociale, un nombre bien au-dessus de la moyenne de professionnelles qui viennent de familles perturbées (spécialement de familles alcooliques, comme j'ai pu l'observer) et qui travaillent comme infirmières, conseillères, thérapeutes ou travailleuses sociales. Nous sommes attirées par les personnes en détresse ; nous partageons avec compassion leur mal que nous essayons de soigner afin de soulager le nôtre. Et il est facile de comprendre pourquoi ce sont les hommes qui semblent avoir besoin d'aide qui nous attirent le plus, quand on sait qu'à la base de notre attirance il y a notre propre désir d'être aimées et aidées.

Pour qu'un homme nous attire, il n'est pas nécessaire qu'il soit pauvre ou malade. Il est peut-être incapable d'entretenir des relations avec les autres, ou peut-être qu'il est froid et peu affectueux, têtu ou égoïste, maussade ou mélancolique... Il est peut-être un peu extravagant et irresponsable, ou incapable de tenir une promesse ou d'être fidèle. Ou peut-être qu'il nous dit qu'il n'a jamais pu aimer personne. Nous réagirons à différents types de besoins selon la nature de nos antécédents, et nous réagirons avec la conviction que cet homme a besoin de notre aide, de notre compassion et de notre sagesse pour améliorer son sort.

3. N'ayant pas réussi à changer vos parents pour en faire les chaleureux et affectueux dispensateurs de soins dont vous aviez tant besoin, vous vous sentez tout naturellement attirée par un type d'homme que vous connaissez bien : l'homme affectivement inaccessible que vous allez essayer de changer grâce à votre amour.

Peut-être que votre conflit n'était relié qu'à un seul de vos parents, ou peut-être qu'il impliquait les deux à la fois. Mais quelle que fut la nature du conflit que vous avez vécu pendant votre enfance, vous essayez encore maintenant de le résoudre.

Il devient plus apparent, maintenant, que quelque chose de très négatif et de malsain se passe. Tout irait bien si nous mettions notre sympathie, notre compassion et notre compréhension dans nos rapports avec des hommes normaux, des hommes avec qui nous pourrions espérer voir nos besoins satisfaits. Mais nous ne sommes pas attirées par de tels hommes ; ils nous semblent ennuyeux. Nous sommes plutôt attirées par des hommes qui réveillent en nous la lutte que nous devions mener avec nos parents, lorsque nous essayions d'être suffisamment gentilles, affectueuses, estimables, obligeantes et intelligentes pour mériter l'amour, l'attention et l'approbation de ceux qui étaient bien incapables de satisfaire nos besoins parce qu'ils avaient leurs propres difficultés et leurs préoccupations. Nous agissons maintenant comme si l'amour, l'attention et l'approbation ne sont valables que lorsque nous réussissons à les obtenir d'un homme qui, lui non plus, n'est pas capable de nous les donner à cause de ses propres ennuis et préoccupations.

4. Terrifiée à l'idée d'être abandonnée, vous ferez n'importe quoi pour éviter la rupture d'une relation.

« Abandon » est un mot pénible. Il évoque le délaissement, même la mort, parce que nous craignons de ne pas pouvoir survivre par nous-mêmes. Il y a deux types d'abandon : l'abandon véritable et l'abandon affectif. Toute femme qui aime trop a connu au moins l'abandon affectif profond, avec toute la terreur et le vide qu'il implique. Lorsque, adultes, nous sommes abandonnées par un homme qui représente de façon si évidente ceux qui nous ont abandonnées en premier, nous revivons toute cette terreur. Naturellement, nous ferions n'importe quoi pour éviter de repasser par là. Voyons, à ce sujet, la particularité n° 5.

5. Rien n'est trop difficile, ni trop cher, ni trop préoccupant, du moment que cela « aide » l'homme auquel vous êtes attachée.

En offrant cette aide à notre homme, nous espérons qu'il deviendra tel que nous le voulons et tel que nous avons besoin qu'il soit ; nous gagnerions ainsi cette lutte et obtiendrions enfin ce que nous avons souhaité pendant si longtemps.

Ainsi, même au risque de nous imposer des privations, nous ferons n'importe quoi pour aider l'homme qui nous tient à cœur. Voici certaines des choses que nous pourrions faire pour l'aider :
— lui acheter des vêtements pour lui donner une meilleure image de lui-même ;
— lui trouver un thérapeute et le supplier d'aller le voir ;
— lui payer des passe-temps chers pour l'aider à mieux occuper son temps ;

— s'imposer des déménagements pleins de désagréments, parce qu'« il n'est pas heureux où il est » ;

— lui donner la moitié de nos biens et même tout ce que nous possédons, afin qu'il ne se sente pas inférieur à nous ;

— lui procurer un chez-soi pour le sécuriser ;

— le laisser abuser de nous émotivement, parce qu'« il n'a jamais eu la chance de s'exprimer » ;

— lui trouver un emploi.

Ce n'est qu'une liste partielle des moyens que nous utilisons en vue d'aider. Nous mettons rarement en doute le bien-fondé de ce que nous faisons pour notre partenaire. En fait, nous consacrons beaucoup de temps et d'énergie à élaborer de nouvelles tentatives qui pourraient avoir plus de succès.

6. Comme vous êtes habituée à manquer d'amour dans vos rapports avec les autres, vous êtes prête à attendre, à espérer, et vous vous appliquez encore davantage à plaire.

Si une personne différente de nous se mettait à notre place, elle ne manquerait pas de dire : « C'est insupportable. Je ne vais pas endurer cela plus longtemps. » Mais nous prenons pour acquis que si cela ne fonctionne pas et que nous ne sommes pas heureuses, c'est que nous n'avons pas encore fait suffisamment. Nous prenons chaque petite nuance de comportement comme une indication possible que notre partenaire est en train de changer enfin. Nous vivons dans l'espoir que ce sera différent demain. C'est plus facile d'attendre qu'il change, lui, que de faire des changements en nous et dans notre propre vie.

7. Vous êtes prête à prendre sur vous beaucoup plus que la moitié de la responsabilité, de la culpabilité et du blâme dans vos rapports avec autrui.

Il n'est pas rare que nous ayons eu, dans nos familles perturbées, des parents irresponsables, puérils et faibles. Nous avons grandi vite et sommes devenues de pseudo-adultes bien avant d'avoir pu assumer les responsabilités de ce rôle. Mais nous étions enchantées du pouvoir qui nous était ainsi conféré par notre famille et par les autres. Maintenant que nous sommes adultes, nous croyons que c'est de nous que dépend l'harmonie dans nos rapports avec les autres, et il nous arrive souvent d'avoir des partenaires irresponsables et accusateurs qui ne font que renforcer en nous cette croyance. Nous sommes des expertes de la responsabilité.

8. L'estime que vous avez de vous-même est très basse. Vous avez la profonde conviction que vous ne méritez pas d'être heureuse ; au contraire, vous croyez que vous devez vous efforcer de gagner le droit de jouir de la vie.

Si nos parents trouvent que nous ne sommes pas dignes de leur affection et de leur sollicitude, comment pouvons-nous croire que nous sommes des êtres raisonnables et bons ? Il y a peu de femmes, parmi nous qui aimons trop, qui éprouvent dans leur for intérieur la conviction qu'elles ont le droit d'aimer et d'être aimées simplement du fait qu'elles existent. Au lieu de cela, nous croyons que nous avons des torts et des défauts graves et que nous devons les compenser par des bonnes actions. Nous nous sentons coupables de ces fautes et nous sommes hantées à l'idée qu'on nous devine. Nous travaillons très fort à essayer de paraître bonnes, parce nous ne croyons pas que nous le sommes.

9. Vous avez désespérément besoin d'exercer un contrôle sur vos hommes et sur vos relations, parce que vous avez manqué de sécurité dans votre enfance. Vous déguisez vos efforts de contrôle en vous rendant serviable.

Lorsqu'elle vit dans une famille particulièrement perturbée, soit par l'alcoolisme, la violence ou l'inceste, l'enfant va inévitablement s'affoler devant la perte de contrôle des autres. Les gens qui sont responsables de son bien-être ne sont pas disponibles, parce qu'ils sont trop atteints. En fait, cette famille est une source de menace et de danger, et non la source de sécurité et de protection qu'elle devrait être. Étant donné la nature très accablante et traumatisante de ce type d'expérience, celles d'entre nous qui en ont souffert vont essayer de renverser la situation. En étant fortes et disponibles pour les autres, nous nous protégeons de la panique que nous éprouvons lorsque nous sommes à la merci d'une autre personne. Nous avons besoin d'être avec des gens que nous pouvons aider, afin de nous sentir en sécurité et d'avoir le contrôle de la situation.

10. Dans une relation de couple, vous êtes davantage portée à rêver à un scénario idéal qu'à vivre la situation avec réalisme.

Lorsque nous aimons trop, nous vivons dans un monde irréel ; l'homme avec lequel nous vivons et qui nous rend si malheureuses et si insatisfaites devient, dans notre imagination, un autre homme, l'homme idéal que nous aiderons à se réaliser. Comme nous ignorons ce qu'est le bonheur dans une relation de couple, et parce que nous n'avons pas l'habitude de voir nos besoins affectifs comblés par quelqu'un que nous aimons, ce monde irréel est ce qui se rapproche le plus du bonheur auquel nous aspirons.

Si nous avions un homme qui fut déjà tel que nous le désirions, pourquoi aurait-il besoin de nous ? Et nous, que ferions-nous de notre talent (notre compulsion) de dispensatrice d'aide ? Une part importante de notre identité serait en chômage. C'est pourquoi nous choisissons un homme qui n'est pas ce que nous voulons — et nous continuons de rêver.

11. Vous avez une dépendance à l'égard des hommes et de la souffrance de type affectif.

Voici ce qu'écrit Stanton Peele, l'auteur de *Love and Addiction* : « L'expérience d'une dépendance consiste à étourdir la conscience d'une personne et à la libérer de son anxiété et de sa douleur, tout comme le ferait un analgésique. Il n'y a peut-être rien de mieux pour étourdir notre conscience qu'une relation amoureuse d'un certain type. Une relation de dépendance est caractérisée par le désir de la présence rassurante d'une autre personne... Le deuxième signe réside dans le fait que la personne devient distraite et qu'elle néglige d'autres aspects de sa vie. »

Nous nous servons de notre obsession des hommes que nous aimons pour échapper à notre mal, à notre vide, à notre peur et à notre colère. Nous nous servons de nos relations de couple comme de drogues qui nous aideraient à échapper aux sensations que nous ressentirions normalement. Si nos rapports avec notre homme sont douloureux, nous pourrons nous étourdir d'autant plus. Une relation vraiment pénible produit sur nous les mêmes effets que l'absorption d'une drogue très puissante. Si nous ne pouvons pas nous tourner vers un homme, nous nous replions sur nous-mêmes et nous avons souvent les symptômes physiques et émotionnels qui accompagnent la désintoxication, c'est-à-dire nausée, sueurs, frissons, tremblements, nervosité, pensées obsédantes, dépression, insomnie, panique et crises d'angoisse. Pour essayer d'échapper à ces symptômes, nous retournons à notre dernier partenaire ou nous en cherchons désespérément un nouveau.

12. Vous êtes peut-être disposée psychologiquement, souvent aussi biochimiquement, à vous adonner aux drogues, à l'alcool ou à certains aliments, en particulier ceux qui sont sucrés.

Ceci s'applique particulièrement à un grand nombre de femmes qui aiment trop et qui ont eu des parents toxicomanes. Toutes les femmes qui aiment trop ont des antécédents traumatisants qui peuvent les conduire à l'abus d'allucinogènes afin d'échapper à leurs sensations. Mais les enfants de parents toxicomanes ont également tendance à hériter une prédisposition génétique à développer leurs propres dépendances.

C'est peut-être dû au fait que le sucre raffiné est presque identique à l'alcool éthylique, dans sa structure moléculaire, que bien des filles d'alcooliques développent une dépendance au sucre et deviennent boulimiques. Le sucre raffiné n'est pas un aliment ; c'est une drogue. Il n'a aucune valeur alimentaire et ne contient que des calories vides. Il peut altérer la chimie du cerveau de façon dramatique et il représente, pour beaucoup de gens, une substance à forte dépendance.

13. En vous laissant attirer par des gens à problèmes qui ont besoin d'aide, ou en étant aux prises avec des situations chaotiques, incertaines et affectivement douloureuses, vous évitez de prendre vos responsabilités vis-à-vis de vous-même.

Alors que nous avons beaucoup d'intuition à l'égard des sentiments et des besoins des autres, nous ne sommes pas conscientes de nos propres sensations et nous sommes incapables de prendre des décisions efficaces pour résoudre certains problèmes importants de notre existence. Il arrive souvent que nous ne sachions pas qui nous sommes réellement, et le fait que nous soyons empêtrées dans toutes sortes de situations dramatiques nous empêche de réfléchir posément et de voir clair.

Rien de tout cela ne signifie nécessairement que nous sommes incapables d'émotions. Nous sommes capables de pleurer, de crier, de sangloter et de gémir ; mais nous ne sommes pas capables d'utiliser nos émotions de façon constructive pour faire des choix nécessaires et essentiels à notre existence.

14. Vous traversez peut-être des périodes dépressives et vous essayez de les retarder en vous abandonnant à l'euphorie d'une relation instable.

Voici un exemple : Une de mes clientes, qui avait un passé dépressif et qui était mariée à un alcoolique, comparait chaque jour vécu avec lui à un nouvel accident de voiture. Les hauts et les bas vertigineux, les surprises, les manœuvres, l'imprévisibilité et l'instabilité de leurs rapports constituaient un choc cumulatif quotidien pour son système nerveux. Si vous avez déjà eu un accident de voiture et que vous n'avez pas été blessée gravement, vous avez peut-être ressenti, dans la journée qui a suivi, une sensation de bien-être due au fait que votre corps a subi un choc extrême et que le taux d'adrénaline dans votre sang a soudainement beaucoup augmenté. C'est en effet l'adrénaline qui est la cause de cette sensation agréable. Si vous êtes en période dépressive, vous rechercherez inconsciemment des situations stimulantes du genre de l'accident de voiture (ou du mariage avec un alcoolique) de telle sorte que vous serez trop excitée pour vous sentir abattue.

La dépression, l'alcoolisme et les troubles alimentaires ont beaucoup de points en commun et semblent reliés génétiquement. La plupart des personnes atteintes d'anorexie que j'ai suivies avaient deux parents alcooliques, et beaucoup de mes clientes sujettes à la dépression en avaient au moins un. Partant de là, si vous venez d'une famille alcoolique, il y a deux raisons pour que vous souffriez de dépression : votre passé et votre héritage génétique. N'est-ce pas ironique de penser que vous pourriez être attirée tout particulièrement par un alcoolique ?

15. Vous n'êtes pas attirée par des hommes qui sont bons, stables, fiables et qui s'intéressent à vous. Ces « hommes gentils », vous les trouvez ennuyeux.

Nous trouvons que l'homme instable est passionnant, que celui qui n'est pas fiable est stimulant, que l'imprévisible est sentimental, que celui qui manque de sérieux est charmant et que celui qui est d'humeur changeante est mystérieux.

L'homme colérique a besoin de notre compréhension ; le malheureux, de notre réconfort ; l'inadapté, de nos encouragements et le froid, de notre chaleur. Mais nous ne pouvons pas redresser un homme au comportement normal, ni souffrir celui qui est gentil et affectueux avec nous. Malheureusement, il semble que si nous sommes empêchées de trop aimer un homme nous ne pouvons pas l'aimer du tout.

Dans les chapitres qui suivent, les femmes dont vous allez faire la connaissance vont vous raconter comment elles ont trop aimé. Leur histoire, tout comme celle de Jill, vous aidera peut-être à mieux comprendre certaines de vos attitudes de vie. Vous voudrez peut-être alors utiliser les moyens qui sont donnés à la fin de ce livre, des moyens qui transformeront vos attitudes en un nouveau mode de vie harmonieux fait d'épanouissement, d'amour et de joie. Voilà ce que je vous souhaite !

Chapitre II

SATISFACTION SEXUELLE ET
RELATIONS VOUÉES À L'ÉCHEC

> *Oh comme je l'aime mon homme — il ne*
> *pourra jamais savoir*
> *Toute ma vie n'est que désespoir — mais*
> *cela ne me fait rien*
> *Quand il me prend dans ses bras le*
> *monde est radieux...*
>
> *— Mon homme**

La jeune femme qui était assise en face de moi était plongée dans le désespoir. Sa jolie frimousse portait encore les marques jaunes et vertes des blessures graves qu'elle avait subies lorsqu'elle avait conduit délibérément sa voiture par-dessus la falaise.

« C'était dans les journaux », me dit-elle lentement, avec difficulté ; « tous les détails de l'accident, avec les photos de la voiture suspendue au-dessus du vide... ; mais il ne m'a même pas téléphoné. » Elle éleva légèrement la voix et montra un peu de colère avant de retomber dans le désespoir.

Trudi, qui était presque morte par amour, aborda alors le problème qui l'obsédait et qui rendait inexplicable et presque intolérable le fait que son amant l'ait abandonnée : « C'est incompréhensible ; nous nous entendions parfaitement sur le plan sexuel, ce qui nous procurait à tous les deux un plaisir extraordinaire et une intimité merveilleuse ; mais à part le sexe il n'y avait absolument rien d'autre. Comment expliquer que nous nous accordions bien sexuellement et pas autre-

---

* Dans sa version originale, ce poème s'intitule *My Man*. (*N.d.T.*).

ment ? » Elle se mit à pleurer et redevint en un instant la très jeune enfant que la vie avait meurtrie. « Je pensais qu'il allait m'aimer si je me donnais à lui. Je lui ai tout donné, tout ce que j'avais à donner. » Elle se pencha en avant en se tenant l'estomac et en se balançant. « Oh, comme j'ai mal de penser que je faisais tout cela pour rien. » dit-elle.

Repliée sur elle-même, Trudi sanglota longtemps, perdue dans l'univers qui avait un jour abrité son rêve d'amour désormais évanoui.

Quand elle fut de nouveau capable de parler, elle poursuivit son récit sur le même ton plaintif : « Tout ce qui m'intéressait, c'était de rendre Jim heureux et de le garder. Je ne demandais rien sinon qu'il passe du temps auprès de moi. »

Pendant que Trudi essuyait ses larmes, je me souvins de ce qu'elle m'avait dit au sujet de sa famille et je lui demandai doucement : « Est-ce que ce n'est pas aussi cela que votre mère demandait à votre père... qu'il passe du temps auprès d'elle ? »

Elle se redressa brusquement sur sa chaise et me dit : « Oh, mon Dieu ! Vous avez raison ! On dirait même que je parle comme ma mère, la personne à qui je voulais le moins ressembler, celle qui menaçait toujours de se suicider pour obtenir ce qu'elle voulait. Oh, mon Dieu ! » Puis elle me regarda, le visage couvert de larmes, et ajouta faiblement : « C'est vraiment affreux. »

Elle s'arrêta, et j'enchaînai : « Il arrive souvent que nous fassions les mêmes choses que nos parents (le fils, comme son père, et la fille, comme sa mère), les mêmes actions que nous nous étions bien promis de ne jamais, jamais faire. C'est parce que nous avons appris à être ce que nous sommes en imitant leurs actions et en éprouvant les mêmes sensations qu'eux. »

« Mais je n'ai pas essayé de me tuer pour ravoir Jim ! » protesta Jill. « C'est simplement que je ne pouvais pas supporter de me sentir si mal, inutile et indésirable. » Elle se tut de nouveau quelques instants, puis continua : « C'est peut-être comme cela que ma mère se sentait, elle aussi. J'imagine que c'est comme cela que l'on finit par devenir quand on essaie de garder près de soi quelqu'un qui a des choses plus importantes que cela à faire. »

Trudi avait bel et bien essayé de garder Jim auprès d'elle et, comme appât, elle avait utilisé le sexe.

Lors d'une des séances qui suivirent, alors que la douleur de Trudi s'était atténuée, la question sexe revint sur le tapis. « J'ai toujours été sexuellement très réceptive », dit-elle d'un air à la fois satisfait et coupable, « à tel point que lorsque j'allais à l'école secondaire je me croyais nymphomane.

« Ma seule préoccupation était de savoir quand je serais de nouveau avec mon ami pour faire l'amour. Je me débrouillais toujours pour trouver un endroit où nous serions seuls tous les deux. On dit toujours que ce sont les garçons qui veulent faire l'amour ; dans notre cas, c'était moi qui insistais le plus. Je me donnais beaucoup plus de mal que lui pour provoquer les occasions de nous ébattre. »

Trudi avait seize ans quand elle et son ami d'école secondaire sont « allés jusqu'au bout », comme elle disait. Son ami était un joueur de football qui prenait son entraînement très au sérieux. Il croyait que s'il faisait trop souvent l'amour avec Trudi ses prouesses sur le terrain allaient diminuer. S'il prétextait ne pas pouvoir veiller trop tard la veille d'une partie, elle s'arrangeait pour faire la gardienne d'enfant pendant l'après-midi ; et elle profitait de la situation pour le séduire sur le divan du salon pendant que le bébé dormait dans la chambre à côté. Cependant, malgré les prodiges d'ingéniosité qu'elle déployait pour transformer la passion sportive de son ami en une passion amoureuse, celui-ci partit pour une université lointaine, grâce à une bourse d'études du football qu'il obtint.

Après avoir pleuré pendant des nuits entières et s'être reproché de ne pas avoir été capable de faire en sorte que Jim la préfère à ses ambitions sportives, Trudi était prête à recommencer.

C'était l'été où elle avait terminé ses études secondaires. Elle s'apprêtait à entrer au collège, mais elle demeurait encore avec sa famille, une famille qui peu à peu se désagrégeait. Après des années de menaces, la mère de Trudi avait finalement entamé des procédures de divorce. Elle avait retenu les services d'un avocat reconnu pour ne pas avoir peur de recourir à des tactiques sordides. Le mariage des parents de Trudi avait été un long combat d'opposition ; d'un côté, il y avait le mari et sa compulsion pour le travail ; de l'autre côté, il y avait l'épouse et ses fervents efforts — parfois violents et souvent destructeurs — pour forcer le mari à passer davantage de temps auprès d'elle et de leurs deux enfants, Trudi et sa sœur aînée Beth. Les rares moments que le père de Trudi passait à la maison étaient si courts que son épouse avait pris l'habitude de les appeler ironiquement des escales techniques avant la reprise de la course.

Trudi se souvenait : « C'était comme une arène de combat. Les visites que mon père nous rendaient dégénéraient toujours en de terribles et interminables disputes : maman criait et l'accusait de ne pas nous aimer ; papa répliquait que c'était justement à cause de nous qu'il travaillait si fort et si longuement. Il semble que chaque visite ait donné lieu à une querelle entre les deux. Cela se terminait habituellement quand mon père partait en claquant la porte et en criant : « Ce n'est pas étonnant que je ne veuille jamais rentrer à la maison ! » Parfois, soit parce que maman s'était assez lamentée, soit qu'elle avait à nouveau menacé papa de divorce, ou qu'elle avait dû aller à l'hôpital parce qu'elle avait avalé trop de pilules, papa rentrait plus tôt à la maison pendant quelque temps et passait davantage de temps parmi nous. Alors maman se mettait à cuisiner de merveilleux plats, sûrement pour le récompenser d'être avec sa famille. » Trudi fronça les sourcils. « Puis trois ou quatre soirs après, il était de nouveau en retard, et le téléphone sonnait : « Ah, je vois. Ah, vraiment ? » disait maman sur un ton froid. Et elle ne tardait pas à crier des obscénités au bout du fil avant de raccrocher brusquement. Alors Beth et moi nous retrouvions toutes les deux bien habillées, parce que papa était attendu pour le souper ; nous avions probablement mis la table soigneusement, avec des bougies et des fleurs, comme maman nous avait appris à le faire quand papa était attendu à la maison. Et maman, qui était dans la cuisine, se mettait à marcher furieusement, à hurler et à frapper sur les casseroles, traitant papa de noms épouvantables. Puis elle se calmait, reprenait son air glacé et nous annonçait que nous allions devoir manger seules, c'est-à-dire sans papa. Cela était pire que les cris. Elle nous servait et s'asseyait à table sans nous regarder. Son silence nous rendait très nerveuses, Beth et moi. Nous n'osions ni parler ni ne pas manger. Nous restions là, à table, pour essayer d'apaiser maman, mais nous ne pouvions rien faire pour elle. Après de tels repas, je me réveillais au milieu de la nuit avec de terribles nausées et des vomissements. » Trudi secoua la tête stoïquement. « Cela ne facilitait certainement pas la bonne digestion. »

« Ni l'apprentissage d'une interaction saine », ajoutai-je, car c'était dans ces conditions-là que Trudi avait appris le peu qu'elle savait sur la façon d'entretenir des rapports avec quelqu'un dont elle était amoureuse.

« Comment vous sentiez-vous quand cela arrivait ? » lui demandai-je.

Trudi réfléchit un moment, puis répondit en hochant la tête pour bien marquer la pertinence de sa réponse. « Quand cela arrivait, j'avais peur, mais je me sentais surtout seule. Personne ne s'occupait de moi ni me demandait ce que je ressentais ou faisais. Ma sœur était si réservée que nous parlions peu ensemble. Lorsqu'elle n'était pas à ses leçons de musique, elle disparaissait dans sa chambre. Je crois qu'elle jouait de la flûte surtout pour ne pas entendre les disputes et pour ne gêner personne. J'appris, moi aussi, à ne pas faire de vagues. Je me tenais tranquille et je prétendais ne pas entendre mes parents se quereller ; en fait, je gardais toutes mes pensées pour moi seule. Je travaillais de mon mieux à l'école. J'avais parfois l'impression que c'était la seule façon d'amener mon père à s'intéresser à moi. « Fais-moi voir ton bulletin. » me disait-il, et nous en parlions pendant un petit moment. Il admirait tout ce qui était succès ; c'était donc pour lui que je m'appliquais. »

Trudi était pensive. Elle se frotta le front et poursuivit : « Il y avait aussi autre chose : de la tristesse. Je crois que j'étais toujours triste, mais jamais je ne l'ai dit à personne. Si quelqu'un m'avait demandé : « Que ressens-tu, à l'intérieur ? », j'aurais répondu que je me sentais bien, tout à fait bien. Même si je m'étais rendu compte de ma tristesse, j'aurais été incapable d'en expliquer la cause. Comment justifier une telle chose ? Je ne souffrais pas. Rien d'important ne manquait à ma vie. Je veux dire par là que jamais nous n'avons manqué d'un repas ni de quoi que ce soit. » Trudi n'était pas encore à même de mesurer le sérieux de son isolation émotionnelle dans sa famille. Elle avait souffert d'un manque de sollicitude et d'attention, son père ayant été virtuellement inaccessible, et sa mère, totalement absorbée par son ressentiment et sa frustration à l'égard de son mari. Cette réalité avait fait de Trudi et de sa sœur des affamées affectives.

Dans des conditions idéales, Trudi aurait pu grandir en apprenant à partager son cœur et ses pensées d'enfant avec ses parents, et ceux-ci lui auraient prodigué en retour affection et sollicitude. Mais ses parents n'étaient pas disponibles pour recevoir ce qu'elle avait à leur donner ; ils étaient trop préoccupés à se mesurer l'un à l'autre. Alors, devenue adulte, elle a porté à d'autres son don d'amour (sous forme de sexe). Hélas, ceux vers qui elle dirigea sa générosité s'avérèrent aussi inaccessibles et aussi peu disposés que ses parents. Mais qu'aurait-elle pu faire d'autre ? Son comportement correspondait à un état d'esprit qui résultait du manque d'affection et de sollicitude dont elle avait souffert durant son enfance.

Pendant ce temps, les parents de Trudi avaient transporté leur combat dans une nouvelle arène, la cour des divorces. Sa sœur profita de la situation et fila en douce avec son professeur de musique ; mais ses parents, tout à leur bataille, ne se préoccupèrent guère du fait que leur fille aînée se fût enfuie au-delà des frontières de l'État avec un homme deux fois plus âgé qu'elle et qui arrivait à peine à subvenir à ses propres besoins. De son côté, Trudi, elle aussi en quête d'amour, draguait frénétiquement des hommes et couchait avec la plupart d'entre eux. Elle était persuadée que sa mère était responsable de leurs difficultés familiales et que c'était elle qui avait éloigné son père, par ses criailleries et ses menaces. Aussi se jura-t-elle qu'elle ne deviendrait jamais comme sa mère, exigeante et toujours en colère ; au contraire, elle gagnerait son homme par l'affection, la bienveillance et le don d'elle-même. C'est d'ailleurs ce qu'elle avait essayé de faire déjà avec le joueur de football, avec qui elle avait été si affectueuse et à qui elle s'était donnée, mais cette première tentative avait échoué. Elle avait alors conclu non pas que sa méthode d'approche était mauvaise ou que l'objet de sa méthode d'approche était un mauvais choix, mais qu'elle n'avait pas donné assez. Ainsi, elle poursuivait ses essais et continuait de donner ; mais malgré ses efforts, les hommes qu'elle fréquentait disparaissaient de sa vie les uns après les autres.

Le semestre d'automne était engagé lorsque Trudi rencontra un homme marié, à l'un des cours qu'elle suivait au collège de la ville. Jim était policier ; il venait au collège étudier la théorie d'application de la loi, histoire d'augmenter ses chances de promotion. Il avait trente ans, deux enfants et une épouse enceinte. En prenant ensemble le café, un après-midi, il raconta à Trudi qu'il s'était marié très jeune et qu'il n'était pas heureux en ménage. Il l'avertit, sur un ton paternel, de ne pas tomber dans ce genre de piège en se mariant trop jeune et en se laissant ainsi coincer par de lourdes responsabilités. Trudi fut flattée de la confidence qu'il venait de lui faire à propos d'une chose aussi personnelle que son désenchantement marital. Jim avait l'air gentil et lui semblait vulnérable, un peu seul et incompris. Il lui dit combien cela lui avait fait du bien de parler et qu'en réalité jamais auparavant il ne s'était confié de cette façon à quelqu'un. Il lui demanda si elle voulait le revoir. Trudi accepta spontanément, car bien que leur conversation eût été à sens unique (Jim surtout avait parlé), elle y avait expérimenté un échange de confidences comme jamais elle n'en avait connu dans son cadre familial. Cette conversation lui avait permis de goûter au genre d'égards dont elle avait tant besoin. Trudi et Jim reprirent leur conversation deux jours plus tard et se baladèrent cette fois dans les collines au-dessus du campus ; il l'embrassa à la fin de leur promenade. Une semaine plus tard, ils prirent l'habitude de se retrouver dans l'appartement d'un policier en service, trois après-midi sur les cinq que Trudi passait normalement à l'école. Toute l'existence de Trudi se mit alors à graviter autour des heures défendues qu'ils passaient ensemble. Elle refusait de voir à quel point sa liaison avec Jim l'affectait. Elle manquait des cours et, pour la première fois de sa vie, elle eut des notes insuffisantes. Elle mentait à ses amies au sujet de ses activités, puis elle les évita systématiquement pour ne pas devoir continuer à leur mentir. Elle abandonna presque toutes ses activités sociales, n'ayant d'autre souci que d'être avec Jim ou de penser à lui quand il leur était impossible de se voir. Elle voulait être disponible en tout temps, au cas où il trouverait soudainement une heure de plus à passer avec elle.

En retour, Jim était très attentionné lorsqu'il était avec Trudi ; il la complimentait beaucoup. Il s'arrangeait pour lui dire exactement ce qu'elle avait besoin d'entendre — comme elle était merveilleuse, spéciale, adorable, combien elle le rendait plus heureux qu'il ne l'avait jamais été. Ces belles paroles incitaient Trudi à faire encore plus pour le charmer et lui plaire. Pour commencer, elle acheta de la ravissante lingerie qu'elle portait pour lui seulement, puis du parfum et des huiles qu'il lui recommanda de ne pas utiliser, de peur qu'ils ne laissent des traces de fragrance et que son épouse s'interroge. Elle ne se laissa pas décourager et se mit à étudier l'art de faire l'amour ; et c'est sur Jim qu'elle essayait sa science nouvellement acquise. Elle était stimulée par l'extase qu'elle lui procurait. Elle ne connaissait pas d'aphrodisiaque plus efficace que celui de parvenir à exciter cet homme. Elle réagissait intensément au pouvoir de séduction qu'elle avait sur lui. Ce n'était pas tant de sa propre sexualité qu'elle jouissait, mais plutôt des sensations valorisantes qu'il lui inspirait en la désirant. Étant plus à l'écoute de la sexualité de Jim que de la sienne, elle se sentait d'autant plus valorisée qu'elle se savait désirée. Et le temps qu'il dérobait à son autre vie pour être auprès d'elle lui procurait cette estime d'elle-même dont elle était si affamée. Quand elle n'était pas avec lui, elle songeait à de nouveaux moyens pour lui plaire. Ses amies finirent par ne plus l'inviter à se joindre à elles, et son existence se résuma à une seule obsession : rendre Jim plus heureux qu'il ne l'avait jamais été. Elle éprouvait un sentiment de victoire à chacune de leurs rencontres, victoire sur l'attitude désabusée de Jim vis-à-vis de la vie et sur son inaptitude à connaître l'épanouissement affectif et sexuel. Qu'elle puisse le rendre heureux la rendait heureuse, elle. Enfin son don d'amour servait dans la vie de quelqu'un. C'était ce qu'elle avait toujours voulu. Elle n'était pas comme sa mère, qui chassait son mari avec ses exigences. Au lieu de cela, elle créait une relation faite entièrement d'amour et d'abnégation. Elle était fière de se montrer si peu exigeante à l'endroit de Jim.

« Je m'ennuyais beaucoup quand je n'étais pas avec lui, et cela arrivait très souvent. Je ne le voyais que deux heures à la fois, trois jours par semaine, et il ne m'appelait jamais entre nos rendez-vous. Il avait des cours les lundis, les mercredis et les vendredis et nous nous voyions après. Nous passions ce temps à faire l'amour. Dès que nous étions seuls, nous nous jetions l'un sur l'autre. C'était si intense, si excitant, que nous pouvions difficilement croire que d'autres gens puissent avoir des relations sexuelles aussi extraordinaires que les nôtres. Ensuite, comme toujours, il fallait se dire au revoir. Toutes les autres heures de la semaine que je ne passais pas avec lui étaient vides. Je passais la plus grande partie de ce temps-là à m'apprêter pour le moment de nos ébats. Je lavais mes cheveux avec un shampooing spécial, je faisais mes ongles et je me laissais simplement aller, en pensant à lui. Je préférais ne pas penser à son épouse et sa famille. J'avais la conviction qu'il avait été entraîné malgré lui dans ce mariage avant d'avoir été assez âgé pour savoir ce qu'il voulait. Le fait qu'il n'avait aucune intention de quitter sa famille et de fuir ses obligations le grandissait davantage à mes yeux. »

Trudi aurait pu ajouter : « et cela me permettait de me sentir plus à mon aise quand j'étais avec lui ». Elle était incapable de rapports intimes soutenus, de sorte que le mariage et la famille de Jim constituaient pour elle un tampon providentiel, tout comme l'avait été la réticence du joueur de football. Nous ne sommes à l'aise que dans certains types de rapports auxquels nous sommes habitués, et Jim apportait le manque d'engagement et la distance que les parents de Trudi avaient montrés dans leurs rapports avec elle.

Le second semestre touchait à sa fin et l'été arrivait. Trudi demanda à Jim ce qu'il adviendrait d'eux lorsque les cours seraient terminés et qu'ils n'auraient plus cette excuse commode pour se voir. Il fit d'abord une grimace et répondit évasivement : « Je n'en sais rien. Je vais penser à quelque chose. » La grimace de Jim la déconcerta. Tout ce qui la reliait à lui, c'était le bonheur qu'elle pouvait lui apporter. S'il n'était pas heureux, tout était fini. Il ne fallait surtout pas qu'elle le fasse grimacer.

Les classes étaient terminées et Jim n'avait encore pensé à aucune solution. « Je vais te téléphoner. » lui dit-il. Elle attendit son appel, mais en vain. Un ami de son père lui offrit un emploi pour l'été, à son hôtel de villégiature. Plusieurs de ses amies y avaient été engagées et elles l'encouragèrent à se joindre à elles, lui promettant que ce serait amusant de travailler tout l'été au bord d'un lac. Elle refusa cette offre, craignant de rater l'appel de Jim. Bien que pendant trois semaines elle ne quittât presque jamais la maison, elle n'eut pas d'appel.

Par un après-midi très chaud de la mi-juillet, Trudi était en ville ; elle faisait des courses distraitement. Elle sortait d'une boutique climatisée, les yeux éblouis par le soleil, lorsqu'elle aperçut Jim — bronzé, souriant et tenant par la main une femme qui ne pouvait être que son épouse. Il y avait avec eux deux jeunes enfants, un garçonnet et une fillette, et un bébé que Jim portait en bandoulière sur sa poitrine. Les yeux de Trudi croisèrent ceux de Jim. Il la regarda un bref instant, puis détourna son regard ; il passa près d'elle et s'éloigna avec sa famille, son épouse, sa vie.

Elle réussit tant bien que mal à retrouver sa voiture, malgré la douleur qu'elle ressentait à la poitrine et qui l'empêchait de respirer. Le terrain de stationnement était brûlant, mais elle resta là, assise, sanglotant et respirant avec difficulté. Puis, bien après le coucher du soleil, elle mit sa voiture en marche et se dirigea lentement dans la pénombre, en direction du campus et des collines où elle et Jim avaient marché et s'étaient embrassés pour la première fois. Elle arriva à un endroit où la route faisait un virage brusque juste avant une descente très abrupte ; au lieu de tourner et de suivre la route, elle dirigea sa voiture droit devant elle.

Cela tient du miracle qu'elle soit sortie plus ou moins indemne de cet accident. Elle était cependant très déçue. Couchée sur son lit d'hôpital, elle se jura de recommencer à la première occasion. Elle séjourna quelque temps dans l'aile psychiatrique de l'hôpital, reçut des sédatifs et passa l'entrevue réglementaire avec un psychiatre. Ses parents lui rendaient visite séparément, en prenant soin de s'éviter dans les couloirs de l'hôpital. Pendant que son père la sermonnait en lui disant combien la vie valait d'être vécue, Trudi comptait le nombre de fois qu'il regardait sa montre. Après ses visites, il avait l'habitude de conclure, sans conviction : « Maintenant, tu sais que ta mère et moi t'aimons, ma chérie. Promets-moi de ne plus recommencer. » Trudi promettait en bonne fille obéissante qu'elle était et esquissait un faible sourire ; mais elle éprouvait une pénible sensation de solitude parce qu'elle savait qu'elle mentait à son père à propos d'une chose si importante. Les visites de son père étaient suivies de celles de sa mère ; celle-ci allait et venait dans la chambre et demandait avec insistance : « Comment as-tu pu te faire ça ? Comment as-tu pu nous faire ça ? Pourquoi ne m'as-tu pas dit que quelque chose n'allait pas ? Au fait, que se passe-t-il ? Est-ce à cause de ton père et de moi ? » Sa mère s'asseyait ensuite et lui faisait un récit détaillé sur la façon dont se déroulait son divorce ; voilà qui était fait pour la rassurer. Trudi avait des maux d'estomac pendant la nuit qui suivait les visites de ses parents.

La veille de son départ de l'hôpital, une infirmière vint s'asseoir à son chevet et lui posa des questions, gentiment mais avec compétence. Trudi déballa toute son histoire. L'infirmière lui dit alors : « Je sais que vous allez essayer une nouvelle fois. Et pourquoi pas ? Ce soir, rien n'est différent d'il y a une semaine. Mais avant de recommencer, j'aimerais que vous alliez voir quelqu'un. » Et l'infirmière, qui était une de mes anciennes clientes, la dirigea vers moi.

C'est ainsi que Trudi et moi commençames à travailler ensemble, travailler à la guérir de son besoin de donner plus d'amour qu'elle n'en recevait, de donner et de donner encore, alors qu'il y avait déjà tant de vide en elle. Elle eut quelques autres hommes dans sa vie, qui lui permirent de comprendre comment elle se servait de la sexualité dans ses relations. L'un d'eux était professeur à l'université où elle était maintenant inscrite. C'était un bourreau de travail du calibre de son père. Trudi commença par faire des efforts intenses pour l'éloigner de son travail et l'amener dans ses bras amoureux. Cette fois-ci, cependant, elle ressentit avec acuité la frustration de ne pas réussir à le changer, et elle l'abandonna au bout de cinq mois. Au début, elle avait été stimulée par le défi à relever. Chaque fois qu'elle « gagnait » son attention pendant une soirée, elle se sentait valorisée ; toutefois, elle comprit qu'elle devenait de plus en plus dépendante de lui émotivement, alors qu'il lui donnait de moins en moins. Lors d'une séance qui suivit, elle me raconta ceci : « Hier soir, j'étais avec David et je pleurais ; je lui disais l'importance qu'il avait dans ma vie. Il commença par me donner sa réponse habituelle, c'est-à-dire qu'il fallait que je comprenne qu'il avait de grandes responsabilités professionnelles. Eh bien, j'ai tout simplement cessé de l'écouter. J'avais déjà entendu tout cela. Je me rappelais nettement avoir déjà joué cette scène auparavant, avec mon ami joueur de football ; je m'offrais à David de la même façon que je m'étais offerte à lui. »

Elle sourit tristement et ajouta : « Vous n'avez pas idée du mal que je me suis donné pour gagner l'attention des hommes. J'ôtais mes vêtements et je leur chuchotais des mots doux à l'oreille ; j'utilisais tous les trucs de séduction que je connaissais. Encore maintenant, j'essaie d'attirer l'attention de quelqu'un qui ne s'intéresse pas beaucoup à moi. Je crois que ma plus grande jouissance, lorsque nous faisons l'amour, vient de ce que j'ai été capable de l'exciter suffisamment pour le distraire des autres choses qu'il aurait aimé faire. Cela me peine de l'admettre, mais j'ai toujours trouvé très stimulant de pouvoir amener David ou Jim à s'occuper de moi. J'imagine qu'étant fondamentalement frustrée par chacune de mes relations je trouve beaucoup de soulagement dans la sexualité. Elle semble faire disparaître tous les obstacles et nous réunit intimement pendant quelques instants. J'ai toujours ardemment désiré cette intimité. Mais j'en ai assez de me jeter dans les bras de David. C'est dégradant. »

Malgré cela, David était loin d'être le dernier des hommes impossibles dans la vie de Trudi. Sa liaison suivante fut avec un jeune agent de change qui s'adonnait au triathlon de compétition. Elle entra à son tour en compétition, avec autant d'âpreté que lui, mais elle le fit pour gagner son attention ; elle essaya de l'éloigner de son rigoureux entraînement en lui offrant son corps. Plus souvent qu'autrement, il était si fatigué ou si peu intéressé qu'il n'arrivait pas à avoir une érection ; ou si elle se présentait, il ne parvenait pas à la garder.

Un jour, dans mon bureau, alors que Trudi me décrivait comment ils avaient échoué dans leur dernière tentative de faire l'amour, elle se mit brusquement à rire. « Quand j'y pense, c'était trop drôle ! Personne ne s'est jamais entêté autant que moi à faire l'amour avec quelqu'un qui n'y tenait pas. » Puis elle ajouta sur un ton ferme : « Il faut que j'arrête de faire cela. Je vais cesser de chercher. Il semble que je sois toujours attirée par des hommes qui n'ont rien à me donner et qui ne veulent même pas accepter ce que j'ai à leur offrir. »

Cette révélation marqua un tournant dans la vie de Trudi. Grâce à la thérapie qu'elle suivait, elle était plus apte à se prendre en estime ; elle était à même de discerner si une relation était improductive plutôt que de conclure qu'elle-même n'était pas digne d'être aimée et qu'elle devait s'efforcer de faire davantage. La forte impulsion à utiliser sa sexualité pour établir des rapports avec un partenaire réticent ou impossible diminua considérablement, si bien que lorsqu'elle laissa la thérapie, deux ans plus tard, elle fréquentait occasionnellement plusieurs jeunes gens à la fois et ne couchait avec aucun.

« C'est si différent de sortir avec quelqu'un et d'être capable de me faire une opinion : me plaît-il ? est-ce que je m'amuse bien avec lui ? est il gentil ?, etc. Je n'avais jamais pensé à cela, avant. Je m'appliquais tellement à plaire à celui avec qui j'étais ; je voulais tellement être sûre qu'il me trouvait à son goût, gentille. Savez-vous qu'après un rendez-vous je ne songeais même pas à savoir si j'avais envie de le revoir ? Je me souciais bien trop de savoir si je lui avais plu assez pour qu'il me donne un autre rendez-vous. C'était le monde à l'envers ! »

Quand Trudi décida d'arrêter la thérapie, son monde n'était plus à l'envers. Elle était capable de deviner si une relation était du genre impossible. Même quand elle ressentait un soudain engouement pour un candidat hésitant, elle se calmait vite en évaluant posément à la fois l'homme, les circonstances et les possibilités. Elle ne voulait plus souffrir ni être rejetée. Elle voulait un partenaire à part entière et n'accepterait rien d'autre. Mais il n'en restait pas moins que Trudi ignorait ce que pouvait lui réserver la vie lorsque souffrance et rejet étaient remplacés par leur contraire : bien-être et engagement. Elle n'avait jamais connu la profonde intimité qui accompagne une relation de couple du type de celle qu'elle recherchait maintenant. Bien que par le passé elle ait aspiré à l'intimité avec un partenaire, elle n'eut jamais à œuvrer dans ce climat. Sa tendance à rejeter les hommes n'était pas accidentelle. En effet, Trudi avait un seuil de tolérance très bas lorsqu'il s'agissait d'intimité. Il n'y en avait pas eu dans sa famille pendant qu'elle grandissait ; elle n'avait connu que des batailles et des trêves, chaque trêve étant plus ou moins le prélude à la prochaine bataille. Il y avait eu aussi de la souffrance et de la tension, parfois un soulagement, mais jamais un échange de confidences, une intimité ou de l'amour véritable. En réaction aux manipulations de sa mère, Trudi avait adopté une formule qui consistait à faire don de soi sans rien demander en retour. Lorsque, grâce à la thérapie, elle cessa d'être une martyre du renoncement, elle savait exactement ce qu'il ne fallait pas faire, ce qui représentait déjà une nette amélioration. Mais elle n'était pas encore sortie de l'auberge...

La prochaine tâche de Trudi consistait à prendre l'habitude de fréquenter des hommes gentils, même s'ils lui paraissaient ennuyeux. L'ennui, c'est la sensation qu'éprouvent les femmes qui aiment trop lorsqu'elles se trouvent avec un homme « gentil » : il n'y a pas de feu d'artifice, il ne se passe rien d'extraordinaire. Lorsqu'il n'y a pas de passion entre eux, elles se sentent nerveuses, irritables et bizarres ; elles sont dans cet état désagréable qu'on nomme généralement « l'ennui ». Trudi ne savait que faire en présence d'un homme plein d'attention et d'intérêt envers elle. Comme toutes les femmes qui aiment trop, elle devait se confronter à un défi pour jouir de la compagnie d'un homme. S'il n'y avait pas à manœuvrer et à manipuler dans une relation avec un homme, elle était mal à l'aise. Et parce qu'elle vivait de passion, de souffrance, de lutte, de victoire ou de défaite, une interrelation dénuée de ces ingrédients stimulants lui paraissait ennuyeuse, voire décevante. C'est ironique qu'elle ait été plus attirée par des hommes insensibles, affectivement distants et inaccessibles que par des hommes calmes, fiables, joviaux et stables.

Une femme qui aime trop est habituée à ces traits et comportements négatifs ; elle les préfère à leur contrepartie positive. Il lui faudra beaucoup d'efforts et de persévérance pour changer d'attitude. Autrement dit, si Trudi n'apprend pas à se sentir à l'aise en présence d'un homme qui a pour elle un intérêt sincère, jamais elle ne sera capable de vivre une relation de couple épanouie.

Avant sa guérison, une femme qui aime trop exhibe généralement les caractéristiques suivantes en rapport avec ses sensations et son attitude sexuelle dans ses relations de couple :

— elle se pose la question « M'aime-t-il beaucoup ? ou « A-t-il besoin de moi ? » et non « Est-ce que je l'aime beaucoup ? »

— ses relations sexuelles avec lui sont presque exclusivement motivées par « Qu'est-ce que je peux faire pour qu'il m'aime ou qu'il ait besoin de moi davantage ? »

— le besoin qu'elle éprouve de se donner sexuellement à ceux qu'elle sent dans le besoin lui inspire parfois un sentiment gênant de promiscuité ; cependant, son comportement est avant tout dicté par le plaisir de son partenaire plutôt que par le sien ;

— son corps est un des outils qu'elle utilise pour manipuler ou changer son partenaire ;

— elle est souvent stimulée par une manipulation réciproque ; elle se fait séduisante pour arriver à ses fins ; elle est heureuse quand elle réussit, et dépitée dans le cas contraire ; quand elle n'obtient pas ce qu'elle veut, elle redouble probablement d'efforts ;

— elle confond anxiété, peur et souffrance avec amour et excitation sexuelle ; elle croit qu'aimer et avoir l'estomac noué vont de pair ;

— elle tire son plaisir du plaisir de son partenaire ; elle est incapable de jouir pour elle-même ; en fait, elle se méfie de ses propres sensations ;

— elle devient nerveuse quand elle ne peut pas relever le défi d'une relation boiteuse ; elle n'a pas d'attirance sexuelle pour un homme avec qui elle n'a pas à lutter ; elle le trouve ennuyeux ;

— elle choisit souvent un homme qui a moins d'expérience sexuelle qu'elle, afin de pouvoir contrôler la situation ;

— elle recherche l'intimité physique, mais en même temps elle a peur de se sentir envahie ou craint d'être débordée par ses propres besoins ; elle ne peut donc goûter à cette intimité que si elle conserve une distance émotive, distance qui est générée et maintenue grâce à un état de tension dans la relation ; si son partenaire cherche à partager avec elle une intimité à la fois émotive et sexuelle, elle s'affole, se sauve ou le chasse.

Revenons au dilemme poignant dans lequel Trudi se débattait lors de ses premières séances de thérapie : « C'est incompréhensible », disait-elle, « nous nous entendions parfaitement sur le plan sexuel, ce qui nous procurait à tous les deux un plaisir extraordinaire et une intimité merveilleuse ; mais à part le sexe il n'y avait absolument rien d'autre. » Il faut se demander pourquoi les femmes qui aiment trop font souvent face à ce dilemme, c'est-à-dire à une satisfaction sexuelle et à des relations vouées à l'échec. Beaucoup d'entre nous se sont laissé dire que la satisfaction sexuelle signifiait l'amour « véritable » et qu'en conséquence la sexualité ne pouvait ni être goûtée ni s'épanouir si les rapports d'un couple n'étaient pas harmonieux. C'est tout à fait faux dans le cas des femmes qui aiment trop. En raison des diverses forces qui opèrent à chaque niveau de nos interactions avec les hommes, y compris au niveau sexuel, il arrive souvent qu'une relation vouée à l'échec contribue à rendre l'échange sexuel excitant, passionnant et irrésistible.

Il n'est pas toujours facile d'expliquer à la famille et aux amis comment quelqu'un qui n'a rien de remarquable ou qui n'est pas particulièrement sympathique peut malgré tout provoquer en nous une anticipation exaltée et une intensité de désir telles que nous n'en avons jamais connu, même quand il s'agissait d'une personne plus intéressante et plus valable. Il est difficile d'expliquer cet enchantement que nous ressentons lorsque nous rêvons de faire s'épanouir chez notre amoureux mille qualités merveilleuses — amour, sollicitude, attention, intégrité et noblesse —, toutes des qualités qui n'attendent pour s'épanouir que la chaleur de notre amour. Les femmes qui aiment trop se disent souvent que l'homme à qui elles sont attachées n'a jamais été véritablement aimé auparavant, ni par ses parents, ni par son épouse, ni par ses amies. Nous voyons en lui un homme meurtri et nous sommes disposées à compenser pour tout ce qui a fait défaut dans sa vie jusque-là. C'est un peu le conte de Blanche-Neige, avec les rôles sexuels renversés : dans l'histoire, l'héroïne endormie, sous l'effet d'un sortilège, attend d'être réveillée par le baiser de son prince charmant ; mais dans ce cas-ci, c'est nous qui voulons briser le sortilège pour libérer notre héros de ce qui nous semble être un mauvais sort. Son inaccessibilité émotive, sa colère, sa dépression, sa cruauté, son indifférence, sa violence, son manque d'intégrité ou encore sa dépendance sont pour nous autant de preuves qu'il a manqué d'amour. Nous sommes décidées à le sauver grâce à notre amour que nous opposons à ses fautes, à ses échecs et même à sa pathologie.

Le sexe est un de nos moyens privilégiés. Chaque fois que nous avons des relations sexuelles avec notre partenaire, nous espérons l'aider à changer. Par chacun de nos baisers, chacune de nos caresses, nous voulons lui dire qu'il est quelqu'un de spécial et plein de mérite, que nous l'admirons et le chérissons beaucoup. Nous croyons que lorsqu'il sera convaincu de notre amour le sortilège cessera et que son véritable « moi » apparaîtra ; il sera alors tout ce que nous voulons et avons besoin qu'il soit.

En somme, le sexe peut être agréable quand de telles circonstances l'exigent. Nous consacrons beaucoup d'énergie pour qu'il soit efficace, pour en faire une jouissance. Et quand nous obtenons une réaction, aussi minime soit-elle, nous sommes encouragées à faire encore plus, à aimer davantage, à être plus « convaincantes ». D'autres facteurs interviennent également. Par exemple, bien que l'on ne croit pas que la sexualité puisse s'épanouir dans une relation malheureuse, il faut se rappeler que l'orgasme sexuel est une décharge de tension physique et émotive. Tandis que certaines femmes évitent le contact sexuel avec leur partenaire lorsqu'il y a entre eux de l'animosité ou de la tension, d'autres trouvent l'interaction sexuelle très efficace pour apaiser cette tension, à tout le moins temporairement. Pour une femme qui vit une relation malheureuse avec un partenaire mal assorti, l'acte sexuel peut représenter le seul aspect gratifiant de leur relation et le seul moyen d'entretenir des rapports de couple.

En fait, le degré de relaxation que lui procure le sexe est directement relié au degré de malaise qu'elle éprouve dans cette relation, et cela est facile à comprendre. Beaucoup de couples connaissent la jouissance sexuelle après une dispute, qu'il s'agisse de couples normaux ou autres. À la suite d'une querelle, il y a deux éléments qui contribuent tout particulièrement à l'intensité et à l'extase de l'acte sexuel : le premier est le relâchement de tension (dont il a été question plus haut) ; le second est une volonté de « réussir » l'acte qui peut raffermir l'union du couple menacée sous le coup de la querelle. Le fait que le couple connaisse une telle jouissance sexuelle semble confirmer la santé et la validité du couple dans son ensemble : « Voyez comme nous sommes unis, comme nous sommes amoureux l'un de l'autre, comme nous sommes capables de nous rendre heureux mutuellement. Nous allons vraiment bien ensemble. »

L'acte sexuel, lorsqu'il produit une jouissance physique intense, peut engendrer des liens très puissants entre deux êtres, particulièrement pour nous, les femmes qui aimons trop. L'intensité des rapports difficiles que nous avons avec un homme peut contribuer à intensifier notre jouissance sexuelle et, conséquemment, à renforcer notre attachement à lui. Le contraire est également vrai. Lorsque notre interraction avec un homme ne pose pas de défi, la sexualité manquera peut-être de flamme et de passion. Étant donné que nous ne sommes pas dans un état d'excitation continu et parce que la sexualité ne sert pas à relever un défi, nous trouvons qu'une relation moins difficile et plus reposante est plutôt terne. En comparant le style passionné de nos rapports favoris avec cette relation terne, nous sommes portées à croire que le « véritable amour » se trouve dans la tension, l'affrontement, les chagrins et le drame.

Cela nous amène à parler de la nature de l'amour véritable. L'amour semble très difficile à définir. Je prétends que cette difficulté provient du fait que notre culture essaie de combiner dans une seule définition deux aspects de l'amour qui sont diamétralement opposés et qui semblent même s'exclure mutuellement. Il s'ensuit que tous les efforts que nous faisons pour comprendre l'amour aboutissent à la confusion et à la frustration. Nous renonçons alors à le définir, en disant qu'il est trop personnel, trop mystérieux et trop énigmatique pour que nous arrivions à le saisir.

Les Grecs étaient plus futés que nous le sommes. Ils utilisaient deux mots différents, *eros* et *agape*, pour faire la distinction entre ces deux types d'expérience très différents que nous appelons « amour ». *Eros* désigne l'amour passionnel, et *agape* la relation stable, engagée et dénuée de passion, qui existe entre deux êtres profondément attachés l'un à l'autre.

Le contraste entre *eros* et *agape* apparaît lorsque nous essayons de retrouver la présence de ces deux types d'amour dans une seule et même relation de couple, et c'est ce contraste qui explique notre confusion. C'est également lui qui nous permet de comprendre pourquoi *eros* et *agape* ont chacun leurs adeptes qui prétendent que leur façon d'aimer est la seule véritable. En fait, *eros* et *agape* ont chacun leur beauté, leur vérité et leur valeur ; mais il leur manque quelque chose de précieux que seulement l'autre peut offrir. Voyons la version que chacun donne de l'amour.

Eros : Le véritable amour est un désir brûlant et désespéré de la personne aimée qui est perçue comme un être différent, mystérieux et insaisissable. La profondeur de l'amour se mesure à l'intensité de l'obsession pour l'objet de notre amour. Il y a tant d'énergie consacrée à revivre les rencontres passées et à imaginer celles à venir qu'il ne reste pas suffisamment de temps et d'attention pour d'autres intérêts ou activités. Il y a évidemment d'énormes obstacles à surmonter, qui ajoutent un élément de souffrance au véritable amour. La volonté d'endurer la souffrance et les difficultés dans une relation est une autre mesure de l'intensité amoureuse. Le véritable amour s'accompagne de sensations d'excitation, d'extase, de drame, d'anxiété, de tension, de mystère et de désir.

Agape : Le véritable amour est une association de deux êtres attachés l'un à l'autre dans un engagement profond et qui ont en commun beaucoup de valeurs fondamentales, d'intérêts et d'objectifs ; ils s'accommodent de leurs particularités respectives. La profondeur de leurs sentiments se mesure à la confiance et au respect mutuels. Leur relation permet à chacun de s'exprimer, de créer et de produire davantage. Ils tirent beaucoup de joie de leurs expériences passées, présentes ou futures. Chacun voit l'autre comme l'ami le plus cher ou l'amie la plus chère. L'intensité amoureuse se mesure aussi à la volonté de chacun de se remettre en question afin de permettre à la relation de se développer et d'atteindre une intimité toujours plus grande. Le véritable amour s'accompagne de sensations de sérénité, de sécurité, de dévouement, de compréhension, de camaraderie, de soutien mutuel et de bien-être.

L'amour passionnel — *eros* — est celui qu'éprouve habituellement une femme qui aime trop pour son homme inaccessible. C'est cette inaccessibilité qui suscite justement une si grande passion, celle-ci se nourrissant d'affrontements, d'obstacles et d'attentes irréalistes. Passion veut littéralement dire « souffrance » ; cela explique sans doute pourquoi la souffrance est souvent aussi grande que la passion est intense. Le bonheur tranquille et stable d'une relation n'est pas comparable à l'intensité exaltante d'un amour passionnel, de sorte que si la femme parvenait à obtenir de son amoureux ce qu'elle désire ardemment, la souffrance cesserait et la passion serait bientôt consumée. Alors, la femme penserait peut-être qu'elle a cessé d'être amoureuse, puisque la douleur aigre-douce aurait disparu.

La société dans laquelle nous vivons, ainsi que les médias qui saturent notre conscience, entretiennent la confusion entre ces deux interprétations de l'amour. On nous promet, de mille et une façons, qu'une relation passionnelle — *eros* — nous procurera bonheur et plénitude — *agape*. En fait, on nous laisse espérer des liens durables pour autant que la passion initiale soit suffisamment intense. Toutes les relations avortées qui ont commencé par une passion violente sont autant de preuves que ce raisonnement est faux. La frustration, la souffrance et le désir ne contribuent aucunement à la stabilité, à la continuité et à la richesse d'une relation ; toutefois, ils interviennent de manière importante dans une relation passionnelle.

Dans un couple, il est nécessaire que l'homme et la femme aient en commun des intérêts, des valeurs, des objectifs, ainsi que la capacité de vivre une intimité profonde et soutenue, s'ils veulent que leur enchantement érotique du début se métamorphose en un dévouement affectueux et réciproque qui résistera au temps. Cependant, il n'est pas rare, dans une relation passionnelle pleine de cette frénésie, de cette souffrance et de cette frustration propres à un amour neuf, que les amoureux aient la désagréable sensation de manquer de quelque chose de très important. Ce quelque chose, c'est un engagement, c'est-à-dire le moyen de dominer ce climat émotionnel chaotique en y apportant un sentiment de sécurité. S'ils surmontent les obstacles qui les éloignent et s'ils s'engagent dans une relation sérieuse, les deux partenaires en arrivent éventuellement à se demander ce qui est advenu de la passion. Ils éprouvent, l'un envers l'autre, un sentiment de sécurité, de chaleur et de bonté, mais ils se sentent en même temps lésés parce qu'ils n'ont plus la passion enflammée du désir.

La peur est le prix que nous payons pour la passion ; c'est elle qui à la fois entretient l'amour passionnel et le détruit. Et l'ennui est le prix que nous payons pour une relation stable ; mais la sécurité qui assure une telle relation peut aussi la rendre rigide et terne.

Si l'on veut que l'excitation et l'esprit de défi subsistent dans une relation devenant stable, il faut que celle-ci soit fondée non pas sur la frustration et le désir, mais sur l'exploration de ce que D. H. Lawrence appelle « les mystères joyeux » entre l'homme et la femme qui se sont engagés l'un envers l'autre. Selon Lawrence, cette exploration sera menée surtout par l'un des partenaires, car il est bon que la confiance et l'honnêteté d'*agape* puissent se combiner avec le courage et la vulnérabilité de la passion pour parvenir à l'intimité véritable. Un jour, j'ai entendu un ancien alcoolique résumer cela de façon merveilleuse : « Du temps où je buvais, je couchais avec beaucoup de femmes et j'éprouvais, à peu de chose près, la même sensation chaque fois ; depuis que j'ai cessé de boire, je ne couche qu'avec ma femme et c'est une sensation nouvelle chaque fois. »

Apprendre à connaître et être compris, et non à séduire et se laisser séduire, voilà une source de plaisir et d'enthousiasme trop rarement appréciée. Comme la plupart des gens qui se sont engagés dans une relation stable, nous nous contentons du prévisible, du bien-être et de la compagnie, parce que nous avons peur d'explorer les affinités mystérieuses que nous partageons en tant que couple, parce que nous craignons de montrer notre « moi » le plus intime. Et pourtant, c'est à cause de cette peur de l'inconnu en nous et entre nous que nous nous privons d'un don auquel nous permet d'accéder notre engagement mutuel — l'intimité véritable.

Pour les femmes qui aiment trop, le développement de l'intimité véritable avec un partenaire n'est possible que si elles sont guéries. Plus loin dans ce livre nous retrouverons Trudi lorsqu'elle fera face au défi qui nous attend toutes, celui de la guérison.

Chapitre III

**SI JE SOUFFRE POUR TOI,
M'AIMERAS-TU ?**

> *Chéri, chéri, je t'en supplie, ne me quitte
> pas.
> Je crois bien que j'adore être au plus
> bas.*
>
> — *Le dernier blues**

Je dus me pencher par-dessus plusieurs toiles posées par terre pour lire dans son cadre le poème qui était accroché au milieu du mur de la salle de séjour de cet appartement encombré. Passé, fané, se détachant sur un paysage désuet, le poème disait :

> Maman chérie
>
> Maman, maman chérie
> Quand je pense à toi
> Je veux être toute beauté,
> Toute vérité.
> Toute valeur
> Noblesse ou grandeur
> M'est venue de toi, maman,
> De ta main qui me guide.

Lisa, peintre aux moyens très modestes, dont l'appartement tenait lieu de studio, désigna de la main ce poème en riant entre ses dents.

« Plutôt cucul, non ? De la guimauve ! » dit-elle. Mais ce qu'elle dit ensuite trahissait ses vrais sentiments :

---

* Dans sa version originale, ce poème s'intitule *The Last Blues Song*. (N.d.T.)

« Une de mes amies déménageait et allait le jeter ; je l'ai sauvé. Elle l'avait décroché dans un bazar, histoire de rigoler. Mais, dans le fond, ce n'est pas si faux que ça, hein ? » Elle se remit à rire et dit, presque douloureusement : « Aimer ma mère m'a attiré beaucoup d'ennuis avec les hommes. »

Puis elle se tut, songeuse. Grande brune aux cheveux droits et longs, les yeux verts, Lisa était une beauté. Elle me fit signe de m'asseoir sur un matelas recouvert d'une courtepointe, disposé dans un coin de la pièce relativement dégagé, et m'offrit une tasse de thé. Tandis qu'il infusait, elle garda le silence.

J'avais connu Lisa par l'entremise d'une amie commune qui m'avait confié, par bribes, son histoire. Elle avait grandi dans une famille affligée par l'alcoolisme ; c'était donc une coalcoolique. On appelle ainsi toute personne dont le mode de relation avec autrui a été négativement affecté par des relations antérieures d'intimité avec une personne victime de l'alcoolisme. Que l'alcoolique en question ait été l'un des deux parents, le conjoint, un enfant ou un ami, la relation suscite en général certains sentiments et comportements chez le coalcoolique : une opinion très médiocre de lui-même, le besoin d'être indispensable, le vif désir de changer et de dominer autrui et une aspiration à la souffrance. À vrai dire, tous les traits caractéristiques des femmes qui aiment trop se retrouvent généralement chez les filles et les épouses d'alcooliques et autres intoxiqués.

Je savais déjà combien une enfance vouée à l'entretien et à la protection d'une mère alcoolique avait affecté les relations ultérieures de Lisa avec les hommes. Je m'armai de patience, et Lisa devint bientôt plus explicite.

Elle était la deuxième de trois enfants, entre une sœur aînée, à laquelle ses parents devaient leur mariage précipité, et un frère cadet, impromptu lui aussi, né huit ans après Lisa, à une époque où sa mère buvait encore.

Lisa était le fruit de l'unique grossesse désirée par sa mère.

« J'étais convaincue », dit-elle, « que ma mère était parfaite, sans doute parce qu'il me fallait absolument la tenir pour telle. Je l'avais créée à l'image de la mère que je désirais, pour me dire alors que je serais exactement sa réplique. Dans

quelle illusion je vivais ! » Lisa secoua la tête et poursuivit :
« Comme je suis née à l'époque où mes parents étaient le plus
épris l'un de l'autre, j'étais sa favorite. Elle pouvait bien affirmer qu'elle nous aimait tous autant, je savais qu'avec moi
c'était autre chose. Nous trouvions la moindre occasion d'être
ensemble. Dans mes premières années, il est vrai qu'elle s'est
occupée de moi ; mais après, nos rôles ont changé et c'est moi
qui ai commencé à prendre soin d'elle.

« La plupart du temps, mon père était odieux. Il la
rudoyait et flambait tout l'argent de la maison au jeu. Il occupait un poste d'ingénieur et faisait un bon salaire ; néanmoins
nous manquions de tout et passions notre temps à déménager.

« Vous savez, ce petit poème décrit bien plus ce qu'étaient
mes désirs d'alors que la réalité. Je commence à m'en rendre
compte, enfin. Toute ma vie, j'ai voulu que ma mère soit cette
personne dont parle le poème, mais le plus souvent elle fut
bien incapable d'approcher cette mère idéale, parce qu'elle
était soûle. D'aussi loin que je me rappelle, je lui ai ouvert
grand mon cœur, je me suis dévouée pour elle et je lui ai
donné toute mon énergie, dans l'espoir que je recevrais d'elle,
en retour, de quoi satisfaire mes besoins, le salaire de ma
générosité. » Lisa fit une pause ; ses yeux s'assombrirent.
« C'est ce que j'apprends en thérapie ; parfois, cela fait très
mal de regarder la vérité en face et de trouver autre chose
que l'idéal que j'avais toujours cru pouvoir réaliser.

« Ma mère et moi étions vraiment proches, mais très tôt
— si tôt que je n'arrive pas à me rappeler quand cela a
commencé — je me suis mise à me conduire comme si c'était
moi la mère et elle la fille. Je me faisais du souci pour elle.
J'essayais de la protéger contre mon père. J'avais de petites
attentions pour lui réchauffer le cœur. Je faisais tout mon
possible pour la rendre heureuse, parce qu'elle était tout ce
que j'avais. Je savais que je comptais à ses yeux, parce que
souvent elle me disait de venir m'asseoir près d'elle, et nous
restions un bon moment comme ça, ensemble, pelotonnées
l'une contre l'autre sans dire grand-chose, simplement accro-
chées l'une à l'autre. Aujourd'hui, quand j'y repense, je
m'aperçois que j'ai toujours eu peur d'elle, que j'ai toujours
vécu dans la hantise d'une catastrophe quelconque — quelque
chose que j'aurais pu éviter si seulement j'avais fait plus atten-

tion. Ce n'est pas gai de vivre ainsi quand on est jeune, mais je n'ai pas connu autre chose. Et qu'est-ce que cela a eu pour conséquence ! Arrivée à l'adolescence, je passai des périodes de dépression. »

Lisa rit faiblement et dit : « Le plus pénible, c'est que quand j'étais dans une de ces périodes, je ne pouvais pas faire grand-chose pour ma mère. Vous savez, j'étais très consciencieuse... et je craignais tant de la laisser seule, même pour très peu de temps. La seule façon que je trouvai de me détacher d'elle fut de m'accrocher à quelqu'un d'autre. »

Elle apporta le thé sur un plateau laqué rouge et noir et le déposa par terre, à nos pieds. Puis elle continua à se raconter.

« À dix-neuf ans, j'eus l'occasion d'aller au Mexique avec deux copines. C'était la première fois que je m'éloignais de ma mère. Je devais être partie trois semaines. Au cours de la deuxième semaine, j'ai rencontré un Mexicain superbe qui parlait un anglais impeccable ; il était galant et attentionné. La semaine suivante, chaque jour il me faisait une demande en mariage. Il disait qu'il m'aimait, qu'il ne pouvait plus se passer de moi, maintenant qu'il m'avait trouvée. Il avait probablement trouvé l'argument clef à employer avec moi ; il me dit qu'il avait « besoin » de moi, et c'est exactement ce que je voulais entendre. Par ailleurs, je crois que d'une certaine façon je me rendais compte qu'il me fallait m'éloigner de ma mère. Chez moi, c'était si triste ; c'était sombre et lugubre. Et cet homme me promettait monts et merveilles. Il était instruit et sa famille était riche. Il ne faisait apparemment rien dans la vie, mais je me disais qu'avec tout cet argent il n'avait sans doute pas besoin de travailler. L'idée qu'il disposait de tant d'argent et que malgré cela il estimait avoir besoin de moi pour être heureux me remplissait d'un sentiment d'importance ; je me sentais valorisée.

J'ai téléphoné à ma mère et lui ai dressé un portrait enthousiaste de mon Mexicain. « Je suis certaine que ta décision est une sage décision. » me dit-elle. Eh bien, elle avait mal jugé. J'ai commis une grave erreur en épousant cet homme.

« Vous savez, je n'avais aucune notion de ce qu'étaient mes sentiments. Je ne savais pas si j'aimais cet homme ou si c'était bien lui que je voulais. Je ne savais qu'une chose : enfin quelqu'un me disait qu'il m'aimait. J'étais comme une oie blanche ; je ne savais presque rien des hommes, j'en avais fréquenté bien peu. J'avais passé, en fait, beaucoup de temps à m'occuper de la maison. Je ressentais un si grand vide en moi... et voilà que cet homme m'offrait le monde sur un plateau, me disait qu'il m'aimait. Pendant si longtemps, j'avais été celle qui donnait de l'amour ; maintenant, ç'allait être mon tour d'en recevoir. Cela se présentait juste à temps. Je savais, en effet, que j'étais presque complètement vidée, que je n'avais plus rien à donner.

Notre mariage fut précipité et ses parents ne furent pas prévenus. Cette situation me paraît absurde aujourd'hui, mais à l'époque je voyais là comme une preuve de la grandeur de son amour pour moi — il montrait qu'il était prêt à défier ses parents pour être avec moi. Je croyais alors que ce mariage était pour lui une forme de rébellion suffisamment grande pour que ses parents se mettent en colère sans aller, toutefois, jusqu'à le rejeter. Je vois les choses autrement aujourd'hui. Après tout, il devait garder les secrets de son identité et de son comportement sexuel : une épouse faisait de lui un être plus « normal » que ne le faisait le célibat. C'est, je suppose, ce qu'il croyait lorsqu'il disait avoir besoin de moi. Et j'étais, bien sûr, une candidate idéale : étant américaine, je serais toujours, dans sa culture, suspecte, en porte à faux. Toute autre femme, surtout de sa classe, qui aurait découvert ce que je voyais, l'aurait tôt ou tard révélé à quelqu'un, et cette nouvelle aurait vite fait le tour de la ville. Mais moi, à qui aurais-je parlé ? Quelqu'un m'adressait-il seulement la parole ? Et qui m'aurait crue ?

« Je ne crois pas qu'il y ait eu calcul délibéré de sa part, pas plus qu'il n'y en avait dans mes raisons de l'épouser. Nous étions tout simplement bien assortis et nous tenions cela, au début, pour de l'amour.

« Bon, voilà pour la noce. Vous ne devinerez jamais ce qui se passa ensuite. Il nous fallut aller dans son foyer cohabiter avec ces gens que nous n'avions même pas informés de notre mariage ! Oh, ce fut très pénible. Ils me prirent en grippe dès mon arrivée. Il m'a semblé alors que leurs rapports étaient tendus depuis un bon bout de temps. De plus, je ne savais pas un mot d'espagnol. Toute la famille connaissait bien l'anglais, mais refusait de le parler. Je fus donc exclue, rejetée et terriblement effrayée. La plupart du temps, mon mari me laissait seule le soir, dans notre chambre ; je finis par me résoudre à me coucher, qu'il rentrât ou non. Je savais déjà comment souffrir ; je l'avais appris dans ma famille. Je croyais que c'était le prix normal à payer pour être avec quelqu'un qui vous aime.

« Il rentrait souvent soûl et amoureux. C'était abominable. Je sentais le parfum d'autres femmes sur lui.

« Une nuit, un bruit me sortit brusquement de mon profond sommeil. Je vis mon mari, soûl, qui s'admirait dans la glace, affublé de ma chemise de nuit. Étonnée, je lui demandai ce qu'il fabriquait. Il fit une petite moue coquine et me répondit : « Tu ne me trouves pas mignon ? » C'est alors que je m'aperçus qu'il portait du rouge à lèvres.

« Il y eut comme un déclic en moi. Je compris soudain que je devais quitter cet endroit. Certes, jusque-là j'avais été malheureuse, mais je m'en attribuais la faute. Je me disais que je pouvais lui donner plus d'amour, lui faire désirer ma compagnie, obtenir que ses parents reconnaissent mon existence et se découvrent même de l'affection pour moi. J'étais disposée à faire des efforts supplémentaires, comme je l'avais fait pour ma mère. Mais cette fois-ci c'était différent. C'était dingue.

« N'ayant pas d'argent ni le moyen d'en trouver, je lui annonçai le lendemain que je raconterais tout à ses parents s'il ne m'emmenait pas à San Diego. Je lui mentis, lui affirmant que j'avais téléphoné à ma mère, qu'elle m'attendait et que s'il m'emmenait là-bas je le laisserais tranquille.

« Je ne sais pas où j'ai puisé mon courage ; je m'attendais à ce qu'il me tue, mais mon stratagème a marché. Il avait si peur que ses parents sachent la vérité. Sans dire un mot, il m'a conduite jusqu'à la frontière ; il a payé mon passage en autocar jusqu'à San Diego et m'a donné une quinzaine de dollars. Là-bas, j'ai vécu quelque temps chez une amie. J'ai fini par trouver un emploi, puis j'ai partagé un appartement avec trois personnes ; ce fut le début d'une vie plutôt agitée.

« J'étais rendue au point où je n'avais pas le moindre sentiment personnel. J'étais complètement anesthésiée. Mais j'avais conservé d'immenses réserves de compassion ; elles me créèrent des tas d'ennuis. Je reçus beaucoup d'hommes chez moi au cours des trois ou quatre années suivantes, parce que j'avais pitié d'eux. J'ai eu de la chance que les choses n'aient pas tourné plus mal. La plupart de ces hommes étaient toxicomanes ou alcooliques. J'avais fait leur connaissance dans des coquetels ou dans des bars ; encore une fois, c'étaient des hommes qui semblaient avoir besoin de ma compréhension, de mon aide, ce qui produisait un effet magnétique sur moi. »

L'attirance que ressentait Lisa pour ce type d'hommes trouvait tout naturellement son explication dans l'histoire de ses relations avec sa mère. De l'amour Lisa ne connaissait que le fait d'être l'objet d'un besoin. En effet, quand un homme semblait avoir besoin d'elle, elle croyait que c'était de l'amour qu'il lui offrait. Il n'avait pas à se montrer bon, généreux, attentionné. Le seul fait qu'il ait besoin d'elle réveillait en elle des sentiments qui lui étaient bien familiers ; elle était aussitôt prête à s'occuper de lui.

Elle poursuivit son histoire : « Ma vie allait à vau-l'eau, et aussi celle de ma mère. Il serait difficile de dire laquelle de nous deux était le plus mal en point. Je venais d'avoir vingt-quatre ans quand ma mère a cessé de boire. Elle a pris les grands moyens. D'elle-même, seule dans son salon, elle appela les Alcooliques Anonymes à l'aide. Deux personnes vinrent la voir et l'emmenèrent, cet après-midi-là, à une réunion. Elle n'a pas touché à une goutte d'alcool depuis. »

L'évocation du courage de sa mère amena un sourire sur les lèvres de Lisa.

« La situation avait dû devenir intolérable. » dit-elle. « Ma mère était bien trop fière pour appeler qui que ce soit : elle devait être au désespoir. Grâce à Dieu, je n'ai pas eu à assister à cette scène. Je me serais probablement donné tellement de mal pour la remonter qu'elle n'aurait jamais reçu l'aide qu'il lui fallait pour s'en sortir.

« J'avais neuf ans quand ma mère s'est vraiment mise à boire. En rentrant de l'école, je la trouvais affalée sur le divan, inconsciente, une bouteille à son côté. Ma sœur aînée se mettait en colère contre moi. Elle me disait que je faisais l'autruche parce que je refusais d'admettre la gravité de la situation ; c'est que j'aimais trop ma mère pour me permettre de remarquer ses fautes.

« Nous étions, elle et moi, si proches l'une de l'autre. Aussi, quand le mariage de mes parents a commencé à tourner au vinaigre, j'ai voulu faire tout pour elle. Son bonheur était mon unique souci. Je crus devoir compenser tout le mal que lui faisait mon père, et la seule façon que je connaissais, c'était de faire le bien. Pour y arriver, j'employais tous les moyens que je connaissais : je lui offrais mon aide pour la moindre tâche ; je faisais la cuisine et le ménage de ma propre initiative ; je m'appliquais à ne pas tenir compte de mes propres besoins.

« Mais c'était peine perdue. Je vois maintenant que j'affrontais deux forces d'une puissance incroyable : la débâcle du mariage de mes parents et l'alcoolisme grandissant de ma mère. Je n'avais aucune chance d'y apporter un remède, mais cela ne m'a pas empêchée d'essayer — et de m'en prendre à moi-même quand j'ai échoué.

« Son infortune m'était si douloureuse, voyez-vous. Et je savais que dans certains domaines je pouvais faire davantage. Dans mes travaux scolaires, par exemple. Je ne brillais pas, bien sûr, parce que j'avais des tas d'obligations à la maison. Je devais essayer de m'occuper de mon frère, préparer les repas, puis, par-dessus tout cela, me trouver un emploi pour faire vivre la famille. Il me restait juste assez d'énergie pour briller en classe une fois par an. Je m'y préparais minutieusement pour bien montrer à mes professeurs que je n'étais pas idiote. Mais le reste du temps, je passais de justesse. Ils disaient que je ne faisais pas suffisamment d'efforts pour réussir. Ah ! Ils ne savaient pas quel mal je me donnais pour éviter le désastre à la maison. Mais mes bulletins scolaires n'étaient pas bons, et mon père glapissait et ma mère fondait en larmes. Je me reprochais alors de ne pas être parfaite et je redoublais d'efforts pour mieux réussir. »

Dans un foyer frappé d'un si grave dysfonctionnement, aux difficultés apparemment insurmontables, la famille va s'attarder à d'autres problèmes plus simples qui promettent quelques chances de solution. Les résultats scolaires de Lisa devinrent donc la préoccupation de tous, Lisa incluse. La famille voulait croire que c'était la correction de ce problème qui lui rendrait l'harmonie.

Lisa avait lourd à porter. Tout en assumant les responsabilités qui revenaient à sa mère, elle s'appliquait à régler les problèmes de ses parents ; en plus de cela, on la rendait responsable de la situation. Du fait de la disproportion de sa tâche et malgré l'héroïsme de ses efforts, elle ne connut jamais le succès. L'opinion qu'elle se faisait d'elle-même en souffrit, bien sûr, terriblement.

« Un jour, dit-elle, j'ai téléphoné à ma meilleure amie et je lui ai dit : « Il faut absolument que je te parle. Lis un bouquin pendant ce temps, si tu veux. Tu n'es pas obligée de m'écouter. J'ai juste besoin de quelqu'un à l'autre bout du fil. » Je ne croyais même pas valoir qu'on écoute mes problèmes ! Mais, bien sûr, elle les a écoutés. Son père était un alcoolique en voie de guérison, qui fréquentait les Alcooliques Anonymes. Elle allait à Alateen et je crois, rien qu'à la façon dont elle m'écoutait, qu'elle m'a fait bénéficier de leur programme. Il m'était si pénible de reconnaître que les choses allaient de travers, sinon pour en attribuer la faute à mon père. Je le haïssais vraiment. »

Pendant quelques instants, Lisa et moi avons bu notre thé en silence. Elle se livrait à l'amère et muette souffrance de ses souvenirs. Puis elle se ressaisit et dit : « Mon père nous abandonna quand j'avais seize ans. Ma sœur ne vivait plus à la maison. Âgée de trois ans de plus que moi, dès qu'elle atteignit sa dix-neuvième année, elle se trouva un emploi régulier et partit. Restaient ma mère, mon frère et moi. Je crois que je commençais à flancher sous le poids du désir que j'avais d'assurer le bonheur et la sécurité de ma mère et l'éducation de mon frère. J'allai donc au Mexique, m'y mariai, rentrai aux États-Unis, divorçai et fis la vie avec une ribambelle d'hommes pendant des années.

« C'est environ cinq mois après que ma mère se fut jointe aux Alcooliques Anonymes que j'ai fait la connaissance de Gary. La première journée que j'ai passée avec lui, il était « gelé ». Nous avons fait un tour en voiture avec ma copine, qui le connaissait ; il fumait un joint. Il m'a plu et je lui ai plu aussi. Chacun à sa façon, nous l'avons dit à notre copine. Il n'a pas fallu longtemps pour qu'il me téléphone et vienne me voir. Je lui ai demandé de poser pour moi et j'ai fait des esquisses de lui, juste pour rire. Puis je me rappelle m'être sentie complètement éprise de lui. Je n'avais jamais rien ressenti d'aussi fort pour un homme.

« Il était encore givré et parlait lentement — vous savez, cette façon de parler qu'ont les gens qui ont fumé de l'herbe. J'ai dû m'arrêter de dessiner tellement mes mains tremblaient. J'ai redressé mon bloc et l'ai appuyé sur mes genoux pour qu'il ne me voit pas trembler comme ça.

« À présent, je me rends compte que cette réaction tenait au fait qu'il parlait exactement comme le faisait ma mère lorsqu'elle avait bu toute la journée : ces mêmes pauses qui durent, ces mots soigneusement choisis qui prennent des allures emphatiques. Toute l'affection et l'amour que j'éprouvais pour ma mère se composaient avec l'attirance physique que suscitait en moi ce bel homme. Mais, à l'époque, j'ignorais complètement pourquoi je réagissais de cette façon-là ; alors, bien sûr, j'ai appelé cela de l'amour. »

L'attirance et l'engouement de Lisa pour Gary si peu de temps après que sa mère eut arrêté de boire n'étaient pas une simple coïncidence. Le lien qui unissait ces deux femmes n'avait jamais été rompu. Même si de grandes distances les séparaient, la responsabilité primordiale, l'affection la plus chère de Lisa avaient toujours été sa mère. Lorsque Lisa comprit que sa mère changeait, qu'elle échappait à l'alcoolisme sans son aide, sa réaction fut de craindre de ne plus être indispensable. Elle noua sans tarder des liens avec un autre intoxiqué. Après son mariage, ses relations avec les hommes avaient été faciles, jusqu'à ce que sa mère eut retrouvé la sobriété. Elle « tomba amoureuse » d'un drogué dès que sa mère s'en fut remise aux Alcooliques Anonymes. Lisa avait besoin d'établir une relation avec un véritable drogué pour se sentir « normale ».

Puis elle me décrivit les six années de liaison qui suivirent. Gary se mit en ménage avec elle presque tout de suite et ne lui cacha pas, au cours des deux premières semaines, qu'entre la drogue et le loyer, sa priorité allait à la drogue. Lisa, pourtant, était convaincue qu'il changerait, qu'il apprécierait à sa juste valeur leur relation et qu'il voudrait la préserver. Elle croyait qu'elle réussirait à obtenir de lui un amour identique à celui qu'elle lui donnait.

Gary travaillait rarement et lorsque cela arrivait, fidèle à sa parole, il dépensait son salaire en marijuana et en haschisch de première qualité. Lisa fuma avec lui, au début, mais quand elle s'aperçut que cela nuisait à sa capacité de gagner sa vie, elle arrêta. Elle était, en effet, responsable matériellement du ménage et prenait cette responsabilité au sérieux. Chaque fois qu'elle pensait lui dire de prendre la porte — quand il lui avait une fois de plus pris de l'argent dans son sac, ou qu'il y avait un party à leur appartement lorsqu'elle rentrait du travail épuisée, ou qu'il n'était pas rentré de la nuit — il achetait un plein sac de provisions, préparait le souper pour elle ou encore lui disait qu'il avait trouvé de la cocaïne spécialement pour eux ; et toute sa détermination s'effondrait : après tout il l'aimait, se disait-elle.

Ce qu'il lui racontait de son enfance lui faisait verser des larmes de pitié pour lui, et elle était convaincue que si elle l'aimait assez elle pourrait dissiper ses souffrances passées. Elle estimait qu'elle ne devait pas lui tenir rigueur de sa conduite, étant donné tous les torts qu'il avait subis enfant. Elle oubliait, pour une bonne part, les avanies de son passé en s'intéressant à celles qu'il avait endurées, pour essayer d'y remédier.

Un jour, comme elle refusait carrément de lui remettre le chèque que son père lui avait envoyé pour son anniversaire, il plongea un couteau dans tous les tableaux de l'appartement.

Lisa poursuivit son récit : « J'étais si confuse que je me suis dit que c'était ma faute, que je n'aurais pas dû le contrarier à ce point. Je continuais de me blâmer pour tout, d'essayer de réparer l'irréparable.

« Le lendemain, un samedi, Gary est sorti un bout de temps et j'ai réparé les dégâts en sanglotant ; j'ai jeté trois années de peinture. Je regardais la télé pour me distraire : une femme que son mari avait battue était interviewée. On ne pouvait pas voir son visage, mais elle décrivait ce qu'avait été sa vie, des incidents à la limite du tolérable. À un moment donné, elle a dit : « Ça ne me paraissait pas si grave que ça, parce que j'arrivais malgré tout à supporter la situation. »

Lisa secoua lentement la tête et dit : « C'était exactement ce que je faisais : j'endurais cette situation impossible parce que j'arrivais encore à la supporter. Quand j'ai entendu les propos de cette femme, j'ai dit, à pleine voix : « Mais tu mérites quelque chose de mieux que le pire que tu peux supporter ! »

Puis, tout à coup, j'ai entendu mes paroles et j'ai éclaté en sanglots ; je me rendais compte que je le méritais, moi aussi, que je méritais mieux que la douleur et la frustration, que l'épuisement et le chaos. Devant chaque tableau lacéré, je me suis dit : « C'est fini, je ne vais plus vivre comme ça. »

Quand Gary rentra, ses affaires, bien pliées, l'attendaient devant la porte principale. Lisa avait fait venir sa meilleure amie, accompagnée de son mari ; ce sont eux qui lui donnèrent le courage de dire à Gary de disparaître. Elle m'expliqua comment cela s'était passé par la suite.

« Une scène fut évitée grâce à la présence de mes amis ; il fit demi-tour. Plus tard, il m'appela et me menaça, mais je suis restée de marbre ; alors, au bout de quelque temps, il s'est fatigué et a cessé de me harceler.

« Il faut que vous compreniez, toutefois, que je n'ai pas fait cela toute seule — je veux dire ne pas réagir. Lorsque je me suis calmée, cet après-midi-là, j'ai téléphoné à ma mère et je lui ai raconté toute l'histoire. Elle m'a conseillé d'aller aux réunions du Al-Anon, réunions réservées aux enfants adultes d'alcooliques. C'est uniquement parce que je souffrais le martyre que je l'ai écoutée. »

Al-Anon, tout comme Alateen, est une association de parents et d'amis d'alcooliques, qui se rencontrent pour s'aider à se libérer de leur obsession vis-à-vis des alcooliques qui se trouvent dans leur vie. Ces réunions s'adressent aux fils et aux filles adultes d'alcooliques qui désirent échapper aux conséquences d'une enfance affectée indirectement par ce fléau. Ces conséquences comptent la plupart des traits qui caractérisent l'excès d'amour.

« C'est alors seulement que j'ai commencé à voir clair en moi. » dit Lisa. « Gary était pour moi ce que l'alcool avait été pour ma mère : il était une drogue dont je ne pouvais me passer. Jusqu'au jour où je lui ai intimé de partir, j'avais toujours été terrifiée à l'idée qu'il puisse me quitter ; alors je faisais tout pour lui plaire. Je faisais tout ce que j'avais fait lorsque j'étais enfant — travail, vertu, abnégation, prise en charge des responsabilités d'autrui.

« Comme le sacrifice avait été ma seconde nature, sans l'aide d'autrui et sans une bonne dose de souffrance, je n'aurais jamais su qui j'étais. »

Le profond attachement de Lisa pour sa mère et le noble sacrifice de ses propres besoins et désirs que lui imposait ce lien la préparèrent à des amours chargées de souffrance plutôt qu'à une vie épanouie. Lorsqu'elle était enfant, elle avait pris une résolution solennelle : corriger toutes les déviations de l'existence de sa mère par la puissance de son amour et de son altruisme. Cette décision, très vite passée dans l'inconscient, avait façonné sa conduite. Tout à fait novice dans l'art et la manière d'assurer son bien-être, mais experte dans la promotion du bien d'autrui, elle nouait les relations qui offraient une occasion de plus d'ordonner la vie d'autrui par la force de l'amour. Fatalement, l'échec de ses efforts à obtenir de l'amour ne faisait qu'accroître son acharnement.

Gary, avec sa narcomanie, son immaturité et sa cruauté, combinait en lui les pires traits du père et de la mère de Lisa, ce qui, paradoxalement, expliquait l'attirance que Lisa éprouvait pour lui. Si la relation que nous avons eue avec nos parents était une saine relation affective où s'exprimait l'amour, l'intérêt et l'approbation, lorsque nous sommes adultes, nous nous sentons à l'aise avec les gens qui engendrent un sentiment comparable de sécurité, de chaleur humaine et de dignité personnelle. De plus, nous aurons généralement tendance à éviter les gens qui, par leurs critiques et leurs manipulations, nous amoindrissent à nos propres yeux. Nous ressentirons de l'aversion pour leur conduite.

Toutefois, si nos parents nous ont traitées de façon hostile, critique, cruelle, manipulatrice, autoritaire, servile, ou de toute autre façon semblable, voilà ce qui nous semblera « correct » quand nous rencontrerons quelqu'un chez qui se manifestent — même très subtilement — des traces de ces attitudes et de ces comportements. Nous nous sentirons bien avec les gens qui suscitent en nous d'anciens types de relation malsaine, et peut-être contraints, mal à l'aise, avec des gens plus gentils, plus doux, plus sains. Ou encore, nous serons tout simplement ennuyées par des personnes plus saines, parce qu'il n'y a pas de défi de les rendre heureuses ou de gagner leur affection ou leur appui. L'ennui cache souvent un sentiment diffus ou aigu de malaise, que les femmes trop aimantes ressentent lorsqu'elles sont privées de leurs rôles coutumiers : aider, espérer, mieux veiller au bien d'autrui qu'au sien propre. Nous trouvons, chez la majorité des enfants d'alcooliques et les rejetons des autres types de foyers affligés de dysfonctions, une fascination à l'endroit des fauteurs de troubles et un goût déraisonnable pour les sensations fortes, surtout les mauvaises. Si notre vie a toujours été désordonnée et pleine de drames, et si, comme c'est souvent le cas, nous avons dû bâillonner maints sentiments dans notre jeunesse, il nous faut traverser de très mauvaises passes pour ressentir quoi que ce soit. Nous avons donc besoin de nous sentir transportées par l'incertitude, la douleur, la déception et le combat pour sentir que nous sommes en vie.

Lisa conclut son récit : « La paix, la tranquillité de mon existence après le départ de Gary me fit grimper les murs. Je dus me faire violence pour ne pas l'appeler et recommencer à vivre avec lui. Mais je finis par m'accoutumer à une existence plus normale.

« Je ne sors avec personne pour le moment. Je sais que je suis encore trop perturbée pour nouer une relation valable avec un homme. Je retomberais sur un Gary. Alors, pour la première fois, plutôt que de chercher à changer quelqu'un d'autre, je m'occupe de moi. »

Lisa, dans sa relation avec Gary, tout comme sa mère avec l'alcool, vivait un processus maladif, une compulsion destructrice sur laquelle elle n'exerçait pas de contrôle par elle-même. À l'instar de sa mère qui s'était intoxiquée à l'alcool sans pouvoir s'en sortir par elle-même, Lisa s'était intoxiquée de Gary. Je ne fais pas cette analogie, ni n'emploie le mot « intoxication » sans raison, lorsque je compare la situation de ces deux femmes. La mère de Lisa s'était accrochée à une drogue, l'alcool, pour éviter de subir l'angoisse et le désespoir associées à sa situation dans la vie. Plus elle s'en remettait à l'alcool pour échapper à la douleur, plus l'action de la drogue sur son système nerveux suscitait les sentiments mêmes qu'elle cherchait à éviter. Au bout du compte, plutôt que de diminuer, sa douleur s'accrut. Par conséquent, elle se mit à boire davantage, jusqu'à en devenir intoxiquée.

Lisa aussi cherchait à fuir l'angoisse et le désespoir. Elle vivait une profonde dépression dont les racines remontaient à sa triste enfance. Cette dépression latente est commune aux enfants issus des foyers souffrant de graves dysfonctions ; la façon qu'ils ont d'y faire face ou, le plus souvent, de l'éviter dépend du sexe de chacun et de ses dispositions, ainsi que des rôles tenus dans sa famille pendant son enfance. Parvenues à l'adolescence, bien des jeunes femmes, comme Lisa, tiennent leur dépression en échec grâce à leurs excès d'amour. En se lançant dans des relations chaotiques mais stimulantes et distrayantes avec des hommes perturbés, elles sont trop excitées pour glisser dans cette dépression qui les menace juste sous le niveau de la conscience.

Ainsi, le partenaire cruel, indifférent, malhonnête, difficile pour tout dire, devient-il pour ces femmes comme une drogue, un moyen d'échapper à leurs sentiments — tout comme l'alcool et d'autres psychotropes ouvrent aux drogués une voie temporaire de fuite, dont ils n'osent pas s'éloigner. Et, comme dans le cas de l'alcool et des drogues, ces relations incontrôlables fournissent la distraction voulue, mais y ajoutent aussi leur propre cortège de douleurs. Tout comme l'alcoolisme ne cesse de grandir, la dépendance qu'éprouvent ces femmes vis-à-vis de leurs relations atteint un point d'intoxication. L'absence de relation — c'est-à-dire la solitude — peut être moins bien vécue que les affres qu'induit la relation, parce que, dans la solitude, aux douloureux émois du passé se combinent ceux du présent.

Ces deux manies sont donc comparables et égales entre elles par la difficulté qu'on trouve à les surmonter. La manie qu'inspire à une femme son partenaire, ou une série de partenaires peu convenables, doit peut-être sa genèse à divers problèmes familiaux. Il est à souligner que les enfants adultes d'alcooliques sont moins à plaindre que ceux qui viennent d'autres milieux affligés de dysfonctions, parce que, du moins dans les grandes villes, les groupes Al-Anon les épaulent dans la résolution des problèmes que leur posent l'opinion qu'ils se font d'eux-mêmes et de leurs relations.

La guérison des relations compulsives impose l'intervention d'un groupe de soutien approprié pour que le cercle vicieux soit rompu et pour que l'on apprenne à puiser sa valeur et son bien-être à des sources autres qu'un homme impuissant à stimuler ces sentiments. La clef de la guérison se trouve dans la recherche d'une vie saine, satisfaisante et sereine et dans le fait qu'il ne faut compter pour son bonheur sur personne d'autre que soi-même.

Hélas, chez les personnes empêtrées dans des relations compulsives ou prises dans la toile d'araignée de l'intoxication chimique, la conviction de pouvoir s'en sortir par elles-mêmes les empêche souvent d'appeler à l'aide ; par le fait même, toute possibilité de guérison est nulle.

C'est parce qu'ils croient pouvoir s'en sortir par eux-mêmes que tant de gens aux prises avec ces compulsions doivent toucher le fond pour connaître un début de guérison. Avant de pouvoir admettre qu'elle avait besoin de secours pour se sortir de sa dépendance de la souffrance, il a fallu à Lisa que sa vie devienne tout à fait insoutenable.

La situation dans laquelle elle se trouva souffrit aussi du fait que les tourments de l'amour et les relations passionnelles sont exaltés dans notre culture.

De la chansonnette à l'opéra, de la littérature classique aux petits romans d'Harlequin, du téléroman quotidien aux films et aux pièces loués par la critique, nous sommes exposés à d'innombrables exemples de relations infantiles et décevantes dont les artistes font le battage. Ces modèles sécrétés par notre civilisation nous disent et nous répètent que la profondeur de l'amour se mesure à la grandeur des douleurs qu'il provoque et que ceux qui souffrent vraiment aiment aussi vraiment. Quand un chanteur ulule sa plainte de ne pouvoir cesser d'aimer malgré la douleur que cela lui cause, il y a en nous une sorte d'acquiescement, probablement dû au fait de la répétition constante de ce point de vue. Nous admettons que la souffrance soit une composante naturelle de l'amour et que notre disposition à souffrir au nom de l'amour soit un élément positif et non négatif.

Très rares sont les modèles de relations d'égalité saines, matures, honnêtes, exemptes de ruse et d'abus, pour deux raisons sans doute : d'abord, pour être tout à fait honnête, de telles relations, dans la vie réelle, sont assez rares. Ensuite, du fait que les émotions partagées dans les relations saines sont, le plus souvent, bien plus subtiles que les stridences des relations épineuses, leurs ressources romanesques sont généralement ignorées des littérateurs, des auteurs dramatiques et des compositeurs. Cette lèpre des émotions, nous la devons, pour beaucoup peut-être, à ce que nous ne voyons ni ne connaissons rien d'autre.

Cette pénurie d'exemples d'amours adultes et de liaisons saines dans les médias m'a, pendant des années, fait caresser l'idée de prendre en main, pour une journée, les scénarios de tous les grands téléromans. Dans mes épisodes, tous les personnages communiqueraient dans l'affection, l'honnêteté et la confiance. Il n'y aurait ni mensonges, ni secrets, ni manipulations et aucune aspiration au rôle de victime d'autrui ou à celui de bourreau. Bien au contraire, pendant toute une journée les téléspectateurs verraient des gens faire l'effort de nouer entre eux de saines relations articulées sur un champ de communication véritable.

Ce type de relation offrirait non seulement un contraste brutal avec le style habituel de ces émissions, mais illustrerait aussi, par l'extrême contraste qu'il présenterait, combien nous sommes saturés d'images de l'exploitation, de la manipulation, du sarcasme, de l'appétit de vengeance, de la séduction captatrice, des jeux de la jalousie, du mensonge, de la menace, de la contrainte, etc. — tous des obstacles à des relations saines. Quand vous songerez à ce qu'un seul épisode mettant en scène des schèmes de communication honnêtes et des amours matures apporterait à la qualité de ces sagas permanentes, songez aussi à ce qu'une telle réforme de nos modes de communication mettrait dans nos vies.

Il y a un contexte à chaque situation. Prenons notre façon d'aimer, par exemple. Il nous faut prendre conscience des graves déficiences de la conception que notre société se fait de l'amour et résister à l'immaturité stérile et clinquante des relations dont elle fait le battage. Il nous faut délibérément adopter des façons plus ouvertes et plus sérieuses d'entrer en relation avec autrui que celles que semblent endosser nos médias et, aux éclats de la passion, préférer les profondeurs de l'intimité.

Chapitre IV

LE BESOIN D'ÊTRE NÉCESSAIRE À AUTRUI

Elle a bon cœur, cette femme
Qui aime ce bel ingrat ;
Elle l'aime malgré ses bassesses
Qu'elle ne comprend absolument pas.

— *La femme au bon cœur**

« Je ne sais pas comment elle réussit à tout faire. Je perdrais la tête si je devais supporter tout cela.

— Tu sais, je ne l'ai jamais entendue se plaindre !

— Mais pourquoi tolère-t-elle cette situation ?

— Qu'est-ce qu'elle lui trouve, à cet homme, de toute façon ? Elle s'en sortirait beaucoup mieux toute seule. »

On est tenté de dire ce genre de choses d'une femme qui aime trop, lorsqu'on observe les efforts généreux qu'elle fait pour tirer le meilleur parti possible d'une situation apparemment navrante. Pour expliquer le mystère de son attachement et de son dévouement, il suffit, le plus souvent, d'interroger son enfance. La plupart d'entre nous persévérons dans les rôles que nous avons adoptés dans nos familles. Pour bon nombre d'entre nous qui aimons trop, ces rôles ont souvent signifié la négation de nos besoins personnels pendant que nous essayions de répondre aux besoins d'autres membres de la famille. Peut-être en a-t-il été ainsi parce que les circonstances nous ont imposé de grandir trop vite, d'assumer prématurément des responsabilités d'adultes, étant donné qu'un de nos parents était physiquement ou mentalement incapable d'assumer ses responsabilités. Ou peut-être parce

---

* Dans sa version originale, ce poème s'intitule *Good-Hearted Wowan*. (*N.d.T.*)

qu'un des deux parents étant décédé ou divorcé nous avons tenté de prendre sa place pour aider nos frères, nos sœurs et le parent restant. Peut-être avons-nous tenu le rôle de la mère à la maison tandis que notre propre mère travaillait pour faire vivre la famille. Ou peut-être encore avions-nous nos parents, mais, parce que l'un était frustré, en colère ou malheureux et que l'autre restait indifférent, nous nous sommes retrouvées dans le rôle de confidentes, même si nous n'étions pas émotivement préparées à entendre certains détails de leurs rapports conjugaux. Malgré cela, nous les avons écoutés parce que nous craignions les conséquences pour le (ou la) partenaire en détresse et aussi parce que nous avions peur de perdre l'amour de ce parent. Aussi n'assurions-nous pas notre protection, pas plus que ne le faisaient nos parents, parce qu'il leur fallait nous tenir pour plus fortes que nous l'étions en réalité. Même si nous étions trop immatures pour assumer ces responsabilités d'adultes, nous avons fini par assurer la protection de nos parents. Nous avons appris trop jeunes et trop bien à nous occuper de tous sauf de nous-mêmes. Les besoins d'amour, d'attention, d'affection et de sécurité que nous ressentions restaient insatisfaits et nous nous croyions plus capables, moins peureuses, plus sérieuses et moins dépendantes que nous ne l'étions en fait.

Ayant appris très tôt à nier nos propres besoins affectifs, nous avions, avec l'âge, cherché d'autres occasions de nous livrer à ce en quoi nous excellions : la satisfaction des besoins et des exigences d'autrui et l'ignorance de nos peurs, de nos souffrances et de nos besoins. Nous avons fait semblant si longtemps d'être adultes, à trop en faire et à demander trop peu, qu'il est désormais trop tard pour que nous changions de rôles. Nous continuons donc de secourir les autres dans l'espoir de dissiper nos peurs et de recevoir, en échange, de l'amour.

Le cas de Mélanie illustre bien à quel point le fait d'assumer certaines responsabilités trop tôt — ici, le remplacement d'un parent absent — peut faire naître la compulsion de materner.

Le jour où j'ai fait la connaissance de Mélanie, juste après avoir présenté un exposé à un groupe d'élèves infirmières, j'ai tout de suite remarqué son visage, véritable étude de contrastes. Son petit nez retroussé éclaboussé de taches de rousseur et les fossettes de ses joues laiteuses lui donnaient un charme espiègle. Cette fraîcheur jurait pourtant avec les sombres cernes sous ses yeux gris clair. Sous sa capuche ondoyante de cheveux châtain foncé, elle ressemblait à un lutin fatigué.

Elle avait attendu dans son coin pendant que je m'entretenais avec chacune des six élèves infirmières qui étaient restées dans la classe à la fin du cours. Comme c'était souvent le cas lorsque je traitais de ce fléau des familles qu'est l'alcoolisme, plusieurs élèves voulaient aborder, après l'exposé, des questions trop privées pour faire l'objet d'un échange public.

Lorsque la dernière de ses camarades fut sortie, Mélanie, après un moment de silence, s'est présentée ; elle me serra la main, plutôt énergiquement pour une personne aussi fragile et délicate qu'elle.

Elle avait si longtemps patienté pour me parler que, malgré son air assuré, je me suis dit que mon exposé de la matinée avait touché au cœur de ses sentiments. Pour lui permettre de s'exprimer tout à fait librement, je lui ai proposé de traverser le campus avec moi. Pendant que je ramassais mes affaires et que nous quittions la salle de conférence, elle m'a tenu des propos de bonne compagnie ; mais dès que nous sommes arrivées dehors, en cette grise journée de novembre, elle a pris un air songeur.

Nous avons emprunté un sentier désert le long duquel le seul bruit que nous entendions était le craquement des feuilles tombées des sycomores, fragiles sous nos pas.

Mélanie a ralenti le pas pour effleurer du bout des doigts quelques fleurs chiffonnées aux pétales étoilés et relevés, comme des astéries au pâle envers desséchés.

Au bout d'un moment, elle m'a confié d'une voix douce : « Ma mère n'était pas une alcoolique ; toutefois, d'après la description que vous avez faite ce matin de la façon dont cette maladie affecte une famille, elle aurait pu tout aussi bien l'être. C'était une malade mentale — vraiment dingue — et elle en est morte à la longue. Elle avait de graves dépressions nerveuses et faisait de fréquents séjours à l'hôpital, qui parfois duraient. Les médicaments qu'on lui faisait prendre pour la « guérir » ne faisaient qu'aggraver son état. Au lieu d'avoir la folie allègre, elle eut la folie funèbre. Mais aussi givrée qu'elle fût par ces drogues, elle finit par réussir une de ses tentatives de suicide. Nous ne la laissions, pour ainsi dire, jamais à elle-même, mais ce jour-là, pour quelques moments, nous avons tous vaqué à nos affaires en même temps. Elle s'est pendue dans le garage. C'est mon père qui l'a trouvée. »

Elle fit un bref hochement de tête, dissipant ainsi les sombres souvenirs qui lui revenaient en tête, et poursuivit : « Vous avez dit bien des choses qui m'ont atteinte, ce matin ; entre autres choses, vous avez affirmé que les enfants de parents alcooliques ou les personnes issues d'autres foyers affligés de dysfonctions, comme le nôtre, optent souvent pour des compagnons alcooliques ou narcomanes, et ce n'est pas vrai dans le cas de Sean. La boisson et la drogue, grâce à Dieu, ne l'intéressent pas beaucoup. Mais nous avons d'autres problèmes ! » Détournant les yeux, elle redressa la tête. Puis elle se remit à parler.

« D'habitude, j'ai la situation bien en main... » — en disant cela, elle baissa la tête — « ...mais je commence à fatiguer. » Ensuite elle me regarda droit dans les yeux, sourit, puis en haussant les épaules ajouta : « Mes réserves de nourriture, de temps et d'argent s'épuisent. Voilà ! » Elle lança ces paroles sur le ton de la plaisanterie, comme une bonne blague dont on attend qu'elle amuse, qu'on ne la prenne pas au sérieux. J'ai dû lui soutirer des précisions, qu'elle m'a finalement données d'un ton détaché.

« Sean a disparu à nouveau. Nous avons trois enfants : Suzie a six ans, Jimmy a quatre ans et Pierre a deux ans et demi. Je suis employée à temps partiel dans un hôpital, je prépare mon diplôme d'infirmière et j'essaie de faire marcher les choses à la maison. Sean surveille d'habitude les enfants lorsqu'il n'est pas aux Beaux-Arts ou évanoui dans la nature. » Elle dit cela sans la moindre trace d'acrimonie.

« Nous nous sommes mariés il y a sept ans. J'avais alors dix-sept ans ; je sortais de l'école. Sean avait vingt-quatre ans ; il jouait des petits rôles au théâtre et faisait des études à temps partiel. Il partageait un appartement avec trois copains. J'avais coutume d'y aller le dimanche et de leur préparer des festins. Sean et moi étions ensemble le dimanche soir. Le vendredi et le samedi, il était soit sur les planches, soit avec quelqu'un d'autre. Bref, Sean et ses copains m'avaient tous à la bonne. Mes petits plats étaient l'événement de la semaine. Les copains de Sean ne manquaient jamais de le taquiner : « Épouse-la, lui disaient-ils ; elle s'occupera de toi. » Il faut croire que cette idée lui a plu, puisque c'est ce qu'il a fait. Il m'a demandé de l'épouser et, bien sûr, j'ai répondu oui. J'étais folle de joie. Il était si beau. Regardez ! » Ouvrant son sac, elle en sortit une pochette de plastique avec des photos dedans. La première, c'était Sean : des yeux noirs, des pommettes saillantes et un menton viril composaient un beau visage méditatif. Il m'a semblé que c'était une photo de carton d'acteur ou de modèle, réduite au format photo d'identité. J'ai demandé à Mélanie si c'était bien cela, ce qu'elle m'a confirmé ; elle m'a cité le nom d'un photographe bien connu.

« On dirait vraiment Heathcliff*. » ai-je commenté, ce qu'elle a approuvé de la tête avec fierté. Nous avons regardé ensemble les autres photos, qui montraient trois enfants à divers stades de leur croissance : à quatre pattes, faisant leurs premiers pas, avec un gâteau d'anniversaire et des bougies. Je souhaitais voir une photo moins étudiée de Sean ; j'ai noté qu'il n'apparaissait sur aucune des photos des enfants et je l'ai fait remarquer à Mélanie.

« C'est lui qui prend les photos, d'habitude. » répondit-elle. « Il a une bonne formation en photographie, comme en art dramatique et en peinture.

— Travaille-t-il dans l'un de ces domaines ? ai-je demandé.

— À vrai dire, non. Sa mère lui a envoyé de l'argent ; il est reparti à New York pour y tenter sa chance. » En disant cela, sa voix faiblit et devint presque imperceptible.

Avertie maintenant de son attachement manifeste pour Sean, je me serais attendue que Mélanie entretînt quelque espoir au sujet de cette campagne new-yorkaise. Je lui ai demandé : « Qu'y a-t-il, Mélanie ? »

Elle répondit d'un ton où affleurait comme une plainte : « La question, ce n'est pas notre mariage. C'est sa mère. Elle n'arrête pas de lui envoyer de l'argent. Chaque fois qu'il

---

* Personnage des *Hauts de Hurlevent*, d'Émily Brontë, célèbre romancière et poétesse anglaise du XIXe siècle. (*N.d.T.*)

commence à se sentir bien dans ses pantoufles, ou que, miracle, il conserve un emploi, elle lui envoie un mandat et le revoilà envolé. Elle ne sait rien lui refuser. Si elle pouvait seulement cesser de lui donner de l'argent, tout irait bien pour nous.

— Et si elle n'arrête jamais d'en envoyer ? ai-je demandé.

— Il faudra alors que Sean change. Je lui ferai voir le mal qu'il nous fait. » Des larmes ont perlé à ses cils noirs. « Il faudra qu'il refuse cet argent qu'elle lui donne.

— Mélanie, à vous entendre, c'est plutôt douteux.

— Elle ne va pas semer la ruine. Il va changer. » dit-elle d'une voix franche.

Mélanie s'est trouvé une feuille particulièrement grande qu'elle s'est mise à pousser du pied pour observer comme elle se désintégrait.

Après avoir attendu quelques instants, j'ai demandé : « Y a-t-il autre chose ? »

En continuant de jouer avec la feuille, Mélanie a répondu d'une voix assourdie, sur un ton détaché : « Il est allé à New York de nombreuses fois ; il y a quelqu'un qu'il voit quand il est là-bas.

— Une autre femme ? » ai-je demandé, et Mélanie a détourné son visage pour faire oui de la tête. Je lui ai alors demandé si cela durait depuis longtemps.

« Oh, des années, à dire vrai. » répondit-elle. Puis elle haussa les épaules et ajouta : « Cela remonte à ma première grossesse. Je ne lui en ai presque pas voulu. J'étais si mal et si malheureuse, et il était si loin. »

Aussi étonnant que cela puisse paraître, Mélanie s'attribuait la faute de l'infidélité de Sean, ainsi que la charge de le faire vivre, lui et les enfants, tandis qu'il tâtait de diverses carrières. Je lui ai demandé si elle avait déjà pensé au divorce.

« Pour être sincère, nous nous sommes séparés une fois. » dit-elle. « C'est idiot à dire car, avec les fugues qu'il fait, nous sommes tout le temps séparés. Néanmoins, une fois j'ai dit que je voulais la séparation, surtout pour lui donner une leçon. Pendant presque six mois, nous avons donc vraiment vécu séparés. Il continuait de me téléphoner et je lui envoyais de l'argent lorsqu'il était sur le point de décrocher un contrat et qu'il avait besoin d'argent pour tenir le coup jusque-là. Mais, pour l'essentiel, nous étions chacun dans notre coin. J'ai même fait la connaissance de deux autres hommes ! » Mélanie m'a paru surprise que d'autres hommes puissent s'intéresser à elle. Elle a eu l'air perplexe. « Ils étaient tous les deux si gentils avec les enfants. » dit-elle. « De plus, ils voulaient m'aider dans les travaux domestiques, réparer ce qui avait besoin de l'être et m'acheter même les petites choses qu'il me fallait pour la maison. C'était agréable d'être traitée comme cela. Quant à mes sentiments envers eux, je dois dire qu'ils n'étaient pas très profonds. Je ne me suis jamais sentie attirée vers l'un d'eux comme je continuais de l'être vers Sean. Alors j'ai fini par revenir à Sean. » Elle a fait comme une grimace avant de continuer à se raconter. « J'ai dû lui expliquer pourquoi la maison avait si bel aspect. »

Nous avions traversé la moitié du campus et je désirais en savoir plus sur ce qu'avait été l'enfance de Mélanie, comprendre les expériences qui avaient préparé les épreuves de sa situation présente.

« Quand vous pensez à votre enfance, Mélanie, que voyez-vous ? » lui demandai-je. L'effort du retour sur toutes ces années lui a fait plisser le front.

« Tiens, c'est drôle ! » dit-elle. « Je me vois en tablier, debout sur un tabouret devant le poêle, à remuer la soupe. J'avais cinq ans ; j'étais l'enfant du milieu. J'avais quatorze ans quand ma mère est morte, mais j'ai commencé à faire la cuisine et le ménage bien avant cela, parce qu'elle était très malade. Au bout d'un certain temps, elle n'est plus jamais sortie de sa chambre. Mes deux frères aînés se sont trouvé du travail après l'école et j'ai adopté le rôle de mère pour tout le monde. Mes sœurs avaient respectivement trois et cinq ans de moins que moi ; presque toute la responsabilité de la maison retombait donc sur mes épaules. Nous nous en sortions assez bien. Papa travaillait et s'occupait des courses. Je faisais la cuisine et le ménage. Chacun de nous faisait sa part. L'argent était rare, mais nous arrivions à joindre les deux bouts. Papa travaillait comme une brute, souvent à deux endroits. Il n'était donc pas souvent à la maison. Je crois qu'il s'absentait en partie parce qu'il le fallait bien, mais aussi pour éviter ma mère. Nous l'évitions tous, autant que possible. Elle était si difficile à vivre.

« Mon père s'est remarié lors de ma dernière année d'études secondaires. Notre situation s'est aussitôt rétablie et améliorée. Sa nouvelle épouse travaillait elle aussi et avait une fille de douze ans, soit l'âge de ma plus jeune sœur. Les choses se replaçaient. L'argent ne présentait plus un tel problème et papa était beaucoup plus heureux. Pour une fois, nous ne manquions de rien. »

J'ai demandé à Mélanie comment elle avait reçu la mort de sa mère. Elle serra la mâchoire et me répondit : « Cette personne qui venait de mourir n'était plus ma mère depuis des années. C'était quelqu'un qui dormait, criait ou créait des problèmes. Je me souviens d'elle à l'époque où elle était encore ma mère, mais c'est vague. Il me faut vraiment plonger loin dans le passé pour trouver la tendresse, la douceur d'un être qui chantait en travaillant ou en jouant avec nous. Vous savez, elle était irlandaise et les airs qu'elle chantait étaient si mélancoliques... Enfin, je crois bien que sa mort nous a libérés. Pourtant, je me sens coupable. Peut-être que si je l'avais mieux comprise, mieux entourée, elle n'aurait pas été aussi malade. J'essaie de ne pas penser à cela. »

Nous approchions de l'endroit où je me rendais et, en ces derniers instants qu'il nous restait, j'espérais pouvoir aider Mélanie à découvrir l'origine de ses difficultés actuelles.

« Voyez-vous des ressemblances entre votre vie d'enfant et votre existence actuelle ? » ai-je demandé.

Elle a étouffé un petit rire de malaise et a dit : « Plus que jamais, à en parler comme je viens de le faire. Je m'aperçois que j'attends toujours ; j'attends que Sean rentre à la maison, tout comme j'attendais mon père quand il sortait. Je me rends compte aujourd'hui que je ne m'en prends jamais à Sean de ce qu'il fait, parce que, dans mon esprit, j'associe ses absences à celles de mon père qui s'absentait pour notre bien. Je vois en quoi les deux situations sont différentes et pourtant j'éprouve le même sentiment, comme si je n'avais qu'à en prendre mon parti. »

Elle a fait une courte pause, plissant les yeux pour mieux discerner les motifs qui prenaient forme devant elle, puis elle ajouta : « Oh, c'est ça ! Je suis encore la brave petite Mélanie sur qui tout repose, qui tourne la soupe sur le poêle et mouche les enfants. » Ses joues claires comme crème rosirent sous le choc de la découverte. « C'est donc vrai ce que vous disiez, en classe, des enfants comme celle que j'ai été. Nous nous trouvons vraiment des gens avec lesquels nous pouvons jouer les mêmes rôles que nous tenions dans notre jeunesse ! »

Quand nous nous sommes fait nos adieux, Mélanie m'a serrée très fort et m'a dit : « Merci de m'avoir écoutée. J'avais besoin d'ouvrir un peu mon cœur, je crois. J'y vois vraiment plus clair, mais je ne suis pas prête à renoncer, pas encore ! » Elle avait manifestement le cœur plus léger lorsqu'en relevant le menton elle ajouta : « Et puis, tout ce qu'il faut à Sean, c'est qu'il grandisse. Ce qui va arriver. Il le faut, ne croyez-vous pas ? »

Sans attendre de réponse, elle a fait demi-tour pour traverser à grandes enjambées les feuilles mortes.

Mélanie avait, en effet, perçu plus clairement certains détails de sa vie, mais bien des ressemblances entre son enfance et sa vie présente échappaient encore à sa conscience.

Pourquoi une jeune femme intelligente, séduisante, énergique et capable comme Mélanie avait-elle besoin de poursuivre une relation aussi grevée par la souffrance et les épreuves que celle qu'elle entretenait avec Sean ? Parce que, chez elle comme chez d'autres femmes issues de tristes familles où les charges émotives étaient trop fortes et les responsabilités trop lourdes à porter, le plaisir et la douleur ont été ressentis d'abord comme deux sentiments indistincts ; par la suite, ces sentiments se sont confondus jusqu'à devenir une seule et même sensation.

Ainsi, dans la famille de Mélanie, l'attention des parents à l'endroit des enfants était négligeable à cause du désordre où vivait cette famille aux prises avec la désintégration de la personnalité de la mère. Les efforts héroïques de Mélanie pour prendre en main la famille furent récompensés par ce qui, dans son expérience, se rapprocha le plus de l'amour : l'abandon que son père, enfin soulagé, lui fit de ses responsabilités. La peur et l'oppression qu'aurait naturellement ressenties un enfant soumis à de telles conditions étaient éclipsées par la confiance qu'elle avait en elle et qui résultait du fait que son père avait besoin de son aide et que sa mère ne pouvait d'aucune façon lui être utile. D'être traitée comme si elle était plus solide que l'un de ses deux parents et indispensable à l'autre était, pour une enfant, une lourde tâche à assumer ! Ce rôle précoce qui lui fut assigné façonna son identité de salvatrice capable de s'élever au-dessus des difficultés et du chaos pour assurer le sauvetage de son entourage par sa force, son courage et sa volonté de fer.

Ce complexe de salvatrice paraît plus sain qu'il ne l'est en réalité. Il est vrai que, dans une situation de crise, la force est une qualité louable. Mais Mélanie, comme d'autres femmes issues de milieux semblables, ne « fonctionnait » bien que lorsqu'elle était placée dans une telle situation. En l'absence de fracas, de stress, de situations désespérées à surmonter, les vieilles émotions qu'elle avait enfouies dans son enfance — des émotions incontrôlables — refaisaient surface et devenaient trop menaçantes. Lorsqu'elle était enfant, Mélanie était le bras droit de son père et la mère des autres enfants de la famille. Mais elle était également une enfant qui avait soif de l'affection de ses parents ; malheureusement, comme sa mère était très perturbée et son père trop souvent absent, ses propres besoins n'ont pas été satisfaits. Ses frères et sœurs trouvaient en elle quelqu'un qui les grondait, qui s'inquiétait à leur sujet et qui s'occupait d'eux. Mélanie, elle, n'avait personne. En plus de ne pas avoir de mère, elle avait dû, très tôt, apprendre à penser et à se comporter comme une adulte. Elle ne connaissait nul moment, nul lieu pour exprimer ses propres paniques. Cette absence même d'occasions de trouver un exutoire à ses émotions produisit bientôt ses effets. Elle se dit que si elle pouvait arriver à se faire accroire qu'elle était une adulte, elle pourrait parvenir à oublier sa condition d'enfant apeurée. Par conséquent, non seulement se mit-elle rapidement à bien « fonctionner » dans des situations de crise, mais il lui fallut se trouver dans de telles situations pour pouvoir « fonctionner ». La charge qu'elle portait lui permettait d'échapper à son affolement et à sa souffrance ; elle la lestait et la soulageait en même temps.

Du reste, le sens de la valeur que Mélanie acquit d'elle-même lui vint des nombreuses responsabilités qu'elle assuma, des responsabilités beaucoup trop lourdes à porter pour une enfant. Elle obtenait l'estime d'autrui en travaillant dur, en s'occupant des autres et en sacrifiant ses désirs et ses besoins aux leurs. Ainsi, l'aspect martyre de sa personnalité, combiné au complexe de salvatrice qu'elle avait développé, suffit pour la transformer en un véritable aimant pour les perturbateurs du genre de Sean. Il nous sera utile de procéder à un bref survol de certains aspects importants du développement des enfants pour mieux comprendre les forces qui jouaient dans la vie de Mélanie, pour comprendre ce qui, dans d'autres conditions, aurait suscité des réactions et des sentiments normaux, mais qui, en raison de l'enfance exceptionnelle de Mélanie, était devenu excessif et dangereux chez elle.

Chez les enfants qui vivent dans une famille perturbée, il est naturel que le jeune garçon souhaite ardemment être délivré de son père (et la fillette, de sa mère) pour avoir à lui seul (ou à elle seule) l'autre parent qui lui est si cher. Ainsi, les petits garçons souhaitent de tout cœur pouvoir profiter de la totalité de l'amour et des soins de maman, et les petites filles rêvent de devenir l'épouse de papa. La plupart des parents ont reçu des « propositions » de leurs jeunes enfants qui exprimaient ce profond désir. Par exemple, un garçonnet de quatre ans dit à sa mère : « Quand je serai grand, je serai ton mari, maman. » Une fillette de trois ans dit à son père : « Papa, si nous avions, toi et moi, une maison ensemble, sans maman. » Ces désirs, tout à fait normaux, reflètent quelques-uns des sentiments les plus profonds qu'un jeune enfant ressent. Il n'en demeure pas moins que si quelque chose arrive au rival envié, que ce parent souffre ou disparaisse de la famille, l'effet produit sur l'enfant peut être catastrophique.

Lorsque la mère d'une telle famille souffre de troubles émotifs, de maladies graves, chroniques, d'alcoolisme ou de narcomanie (ou, pour quelque autre raison, est absente), la fille (généralement l'aînée, s'il y a plusieurs filles) est presque toujours désignée au poste que la maladie ou l'absence de la mère a rendu vacant. L'histoire de Mélanie illustre bien les effets que produit sur une enfant une telle « promotion ». Du fait de la maladie mentale, débilitante, de sa mère, Mélanie hérita du poste de chef de famille. Au cours de ces années pendant lesquelles son identité s'affirma, elle fut à maints égards l'associée de son père et non sa fille. Lorsqu'ils discutaient des problèmes familiaux et qu'ils essayaient d'y remédier, ils travaillaient en équipe. En un sens, Mélanie avait son père tout à elle, parce qu'elle entretenait avec lui une relation très différente de celle de ses sœurs. Elle était presque son égale. Elle fut par ailleurs, et pendant de nombreuses années, bien plus solide et stable que sa mère souffrante. Autrement dit, le souhait normal que la petite Mélanie avait formé — avoir pour elle seule son père — se réalisa ; mais dans sa vie il y avait aussi sa mère malade, qui mourut quelque temps plus tard.

Que se passe-t-il lorsqu'un tel souhait exprimé en bas âge se réalise ? Cela entraîne trois conséquences extrêmes, déterminantes pour la personnalité, mais qui agissent dans l'inconscient.

La première est la culpabilité.

Mélanie éprouvait un sentiment de culpabilité lorsqu'elle se remémorait le suicide de sa mère et l'impossibilité dans laquelle elle se trouvait de l'empêcher. Ce type de sentiment conscient de culpabilité, tout membre d'une famille placé devant une telle tragédie l'éprouve naturellement. Chez Mélanie, ce sentiment conscient était exacerbé par son sens outré des responsabilités devant les membres de sa famille. Et à la dure charge de culpabilité qu'elle subissait venait s'ajouter une charge plus lourde encore.

La réalisation de son souhait d'enfant de n'avoir son père que pour elle a fait naître en Mélanie un sentiment de culpabilité inconscient qui vint s'ajouter à la culpabilité qu'elle ressentait consciemment de n'être pas parvenue à sauver sa mère du suicide. D'où un désir de réparation, le besoin de souffrir et d'endurer des épreuves en guise d'expiation. Ce besoin, ajouté au rôle de martyre qui lui était familier, créa en elle quelque chose qui ressemblait au masochisme. Elle trouvait, sinon du plaisir, du moins du réconfort avec Sean, dans cette relation douloureuse, cette solitude, ces écrasantes responsabilités.

La deuxième conséquence tient en des sentiments de malaise inconscients devant ce qu'implique, du point de vue sexuel, le fait d'avoir tout à soi l'un de ses deux parents. D'ordinaire, la présence de la mère (ou, le divorce étant très à la mode, d'une autre compagne et concubine du père, comme une belle-mère ou une maîtresse) garantit la sécurité tant du père que de la fille. Celle-ci est libre de se développer une image d'elle-même désirable et aimée de son père, tout en évitant d'exprimer ouvertement les pulsions sexuelles que leurs relations mettent inévitablement en jeu, puisque son père entretient une relation stable avec une femme adulte.

Il n'y eut pas de relation incestueuse entre Mélanie et son père, mais dans un cas semblable au leur, il aurait certainement pu y en avoir. Dans les relations incestueuses qui se nouent entre un père et sa fille, on retrouve souvent ce jeu de forces qui étaient à l'œuvre dans cette famille. Lorsqu'une mère, pour quelque raison que ce soit, abdique son rôle d'associée de l'époux et de parent de l'enfant, élevant par voie de conséquence sa fille à cette fonction, elle contraint non seulement sa fille à assumer ses responsabilités, mais aussi à courir le risque de devenir l'objet des avances de son père. (Bien que l'on soit tenté d'en attribuer la responsabilité à la mère, quand l'inceste est commis, c'est toujours l'entière responsabilité du père. Cela parce que, en sa qualité d'adulte, le devoir lui échoit de protéger son enfant plutôt que de jamais la faire servir à ses satisfactions sexuelles.)

De plus, même si le père ne fait jamais d'avances à sa fille, l'absence de liens solides entre les parents et l'attribution à la fille du rôle de la mère contribuent à stimuler entre le père et la fille des sensations d'attirance sexuelle. Du fait de l'intimité de leurs relations, la fille peut découvrir, à sa grande honte, que l'intérêt tout particulier que lui porte son père est chargé, à quelque sombre niveau, de sexualité. Ou bien la disponibilité affective exceptionnelle du père peut inciter la fille à fixer sur lui sa sexualité en herbe, plus qu'elle ne l'aurait fait dans une situation normale. Dans l'espoir d'éviter de violer, ne serait-ce qu'en pensée, le tabou si fort de l'inceste, elle se désensibilisera à la plupart ou à la totalité de ses désirs sexuels. Une telle décision, encore une fois, est inconsciente ; c'est une défense contre la pulsion la plus angoissante de toutes, l'attirance sexuelle envers l'un des deux parents. Du fait qu'elle est inconsciente, cette décision n'est pas facile à examiner et à annuler.

La jeune femme se retrouve perturbée par tout désir sexuel à cause du lien inconscient qu'elle établit avec le viol d'un tabou. Le maternage peut alors devenir pour elle la seule expression rassurante de l'amour.

Le principal mode de relation que Mélanie connut avec Sean fut une prise de responsabilité envers lui, cette façon qu'elle a toujours eue de ressentir et d'exprimer de l'amour.

Quand Mélanie eut dix-sept ans, son père la « remplaça » par sa nouvelle épouse ; apparemment, elle accueillit ce mariage avec soulagement. Que la disparition de son rôle familial lui ait inspiré si peu d'amertume, cela est sans doute dû en grande partie à l'entrée en scène de Sean et de ses camarades, pour lesquels elle exerça maintes fonctions qu'elle remplissait chez elle. Si cette situation n'avait pas débouché sur son mariage avec Sean, Mélanie aurait, à cette étape de sa vie, passé par une grave crise d'identité. Le sort voulut qu'elle tombât aussitôt enceinte, ce qui lui fit réintégrer son rôle de protectrice, tandis que Sean faisait sa part en commençant, comme le père de Mélanie le faisait, à être très souvent absent.

Mélanie envoya de l'argent à Sean même lorsqu'ils étaient séparés, rivalisant ainsi avec sa belle-mère pour jouer le rôle de championne, côté amour (rivalité dont elle était sortie victorieuse contre sa propre mère, en ce qui regardait son père).

Au cours de la période où Mélanie et Sean furent séparés, lorsque dans la vie de Mélanie entrèrent des hommes qui n'attendaient pas d'elle qu'elle les materne, qui essayaient au contraire d'échanger les rôles en lui offrant une aide dont elle avait bien besoin, elle ne pouvait nouer de relations affectives avec eux. Elle ne se sentait bien dans sa peau que lorsqu'elle était responsable de quelqu'un d'autre qu'elle-même.

La dynamique sexuelle des relations que Mélanie entretenait avec Sean n'avait jamais créé entre eux de lien aussi étroit que le besoin de protection de Sean ne l'avait fait. À vrai dire, l'infidélité de Sean ramenait tout simplement à Mélanie un autre écho de son expérience d'enfant. Sous l'effet de l'aggravation des troubles mentaux de sa mère, elle se mit à considérer cette femme comme une étrangère de moins en moins réelle et de moins en moins visible, retirée dans une chambre au fond de la maison, retirée de corps et d'affection de son existence et de ses pensées. Mélanie contrôlait ses relations avec sa mère en gardant ses distances et en s'empêchant de penser à elle. Bien des années plus tard, quand Sean s'infatua d'une maîtresse, cette femme aussi devint vague et lointaine pour Mélanie, n'évoquant en elle aucune menace réelle pour ce qui n'était, comme du temps de son père, qu'une association pratiquement asexuelle, mais commode. Rappelez-vous... la conduite de Sean n'était pas nouvelle. Avant d'épouser Mélanie, son type de comportement avait été de rechercher la compagnie d'autres femmes tout en abandonnant à Mélanie la responsabilité de ses besoins pratiques, moins romanesques. Mélanie, qui savait cela, l'avait pourtant épousé.

Une fois mariée, elle entreprit de le transformer par la puissance de sa volonté et de son amour. Cette attitude nous amène à la troisième conséquence de la prise de conscience par Mélanie de ses désirs et de ses fantasmes d'enfant : la certitude qu'elle avait de sa toute-puissance.

Les jeunes enfants croient généralement qu'ils possèdent des pouvoirs et que leurs pensées et leurs souhaits sont la cause magique de tous les grands événements de leur vie. D'ordinaire, toutefois, même si une petite fille désire de tout son cœur devenir à vie la compagne de son père, la réalité lui enseigne qu'il ne peut pas en être ainsi. Bon gré mal gré, elle devra se résoudre à accepter que la compagne de son père, c'est sa mère. Voilà une grande leçon — qu'elle apprend toute jeune — qu'elle ne peut pas toujours, par sa seule volonté, engendrer ce qu'elle désire le plus. À la vérité, cette leçon contribue grandement à saper sa foi dans sa toute-puissance et à lui faire admettre que sa volonté personnelle a des bornes.

En ce qui regarde Mélanie petite, toutefois, ce vœu devint réalité. De plus d'une façon elle remplaça sa mère. Apparemment grâce aux pouvoirs magiques mis en jeux par ses désirs et sa volonté, elle se gagna son père. Ensuite, rien n'entamant sa foi dans la capacité de sa volonté à lui obtenir ce qu'elle désirait, elle se porta vers d'autres situations difficiles et sentimentalement épineuses que, par la magie, elle tenta également de modifier. Les épreuves qu'elle eut à surmonter par la suite, sans un mot de plainte, armée de cette seule arme qu'était sa volonté — un époux irresponsable, immature et infidèle, le fardeau de trois enfants à élever virtuellement seule, de graves problèmes d'argent et des études universitaires astreignantes ajoutées à un emploi à temps plein —, témoignent toutes de ce fait.

Pour Mélanie, qui désirait transformer un être par la force de sa volonté, Sean fut un parfait leurre ; il répondait également aux autres besoins qu'avait suscités chez Mélanie, dans son enfance, son rôle de pseudo-adulte, puisqu'il lui donnait maintes occasions de souffrir et de subir, et d'éviter la sexualité en satisfaisant son goût pour le maternage.

Il devrait être absolument clair, à présent, qu'en aucune façon Mélanie n'était l'infortunée victime d'une union malheureuse. Bien au contraire. Elle et Sean comblaient ensemble chacun de leurs besoins psychologiques les plus profonds. Ils se complétaient parfaitement. Le fait que les dons d'argent modulés de la mère de Sean court-circuitaient opportunément tout désir de progrès personnel ou de maturité en son fils constituait assurément un problème pour ce couple, mais non, comme Mélanie voulut le croire, « le » problème. Ce qui n'allait pas en réalité, c'était le fait que Mélanie et Sean étaient deux personnes dont les attitudes et les comportements malsains dans la vie, même s'ils n'étaient pas identiques, s'engrenaient si bien qu'ils permettaient à chacun de s'y complaire.

Imaginez Sean et Mélanie comme deux danseurs dans un monde où chacun a appris son propre style durant son enfance. En raison des événements, de leurs personnalités et, surtout, de l'apprentissage des danses auxquelles ils prirent part dans leur enfance, Sean et Mélanie se composèrent, chacun de leur côté, un répertoire de pas, de mouvements et de gestes psychologiques.

Puis un jour, ils se rencontrèrent et découvrirent que leurs danses dissemblables, quand ils les exécutaient ensemble, se synchronisaient magiquement pour composer un pas de deux d'action et de réaction. Chaque mouvement de l'un suscitait la réaction de l'autre ; il en résultait une chorégraphie où fluaient leurs danses conjuguées, ininterrompues, qui tournoyaient.

Mélanie se chargeait de toutes les responsabilités que Sean renonçait à assumer. Quand elle eut entassé sur ses épaules toutes les charges usuelles de l'économie familiale, il alla faire la pirouette ailleurs, pour lui dégager tout l'espace requis par ses soins et ses soucis. Quand il explora les coulisses, en quête d'autres compagnies féminines, elle poussa un soupir de soulagement et dansa plus fort pour s'étourdir. Tandis qu'il s'évanouissait de la scène vers les coulisses, elle exécutait son numéro solo. Et tourne, tourne, tourne en rond...

Pour Mélanie, c'était parfois une danse enlevante, souvent une danse de la solitude ; il arrivait que ce fût embarrassant ou éreintant. Mais la seule chose qu'elle ne voulût pas, c'était de cesser de danser cette danse qu'elle connaissait si bien. Les pas, les mouvements, tout paraissait si juste qu'elle avait la certitude que cette danse s'appelait « amour ».

Chapitre V

ALLONS-NOUS DANSER ?

> *« Comment avez-vous fait pour*
> *l'épouser ? » Que répondre à cela ?*
> *Raconter qu'il a baissé la tête avec l'air*
> *d'un chien battu et qu'il a levé*
> *timidement les yeux vers moi comme un*
> *petit enfant... Qu'il s'est introduit en*
> *douce dans mon cœur : gentil, adorable,*
> *espiègle... Il a dit : « Tu es si forte, ma*
> *chérie. » Et j'y ai cru. J'y ai cru !*
>
> — *Le cœur saignant*
> (par Marilyn French)*

Comment font-elles, les femmes qui aiment trop, pour « trouver » des hommes avec qui elles pourront continuer d'avoir le genre de relations pernicieuses qu'elles ont connues dans leur enfance ? Par exemple, la femme dont le père n'était jamais présent affectivement, comment fait-elle pour trouver un homme dont elle essaie en vain de gagner l'attention ? Comment la femme qui vient d'un foyer où régnait la violence trouve-t-elle le moyen de s'attacher à un homme qui la bat ? Comment fait-elle, la femme qui a été élevée dans une famille d'alcooliques, pour trouver un homme qui est déjà alcoolique ou qui le deviendra bientôt ? Et la femme dont la mère avait toujours besoin de son soutien affectif, comment trouve-t-elle un mari qui a besoin d'elle ?

Comment se fait-il que dans la multitude de partenaires possibles ces femmes choisissent précisément les hommes avec qui elles peuvent danser sur un air qu'elles ont bien appris

---

* Dans sa version originale, ce poème s'intitule *The Bleeding Heart*. (N.d.T.)

dans leur enfance ? Et comment réagissent-elles lorsqu'elles rencontrent un homme dont le comportement est plus équilibré, moins exigeant, moins immature ou moins abusif, et que cet homme ne danse pas tout à fait sur le même air qu'elles ?

Il y a un vieux cliché, dans le milieu psychothérapeutique, qui dit que les gens se marient souvent avec quelqu'un qui ressemble exactement au père ou à la mère avec qui ils vivaient une situation conflictuelle alors qu'ils grandissaient. Ce concept n'est pas tout à fait exact. Ce qui importe, ce n'est pas tellement la ressemblance entre le partenaire que nous avons choisi et papa ou maman ; c'est plutôt le fait qu'« avec » ce partenaire nous pouvons ressentir les mêmes sensations et affronter les mêmes défis que pendant notre jeunesse. Nous pouvons ainsi reproduire l'atmosphère de notre enfance, que nous connaissons si bien, et recourir à ces stratégies auxquelles nous sommes déjà si bien entraînées. Voilà ce qui, pour la plupart d'entre nous, constitue l'amour. Nous sommes à l'aise et nous nous sentons « très bien » avec la personne sur qui nous pouvons employer nos stratégies familières et avec qui nous pouvons revivre toutes nos sensations familières. *Même si ces stratégies n'ont jamais été efficaces et que ces sensations nous rendent mal à l'aise,* ce sont les stratégies et les sensations que nous connaissons le mieux. Nous éprouvons ce sentiment unique d'appartenance à l'homme qui veut bien être notre cavalier pour danser sur l'air que nous connaissons bien. C'est avec lui que nous décidons d'entreprendre une relation de couple.

Il n'y a rien d'aussi irrésistible que ce sentiment de fusion mystérieuse qui naît de la rencontre d'une femme et d'un homme dont les attitudes de comportement respectives s'ajustent les unes aux autres comme les morceaux d'un puzzle. Si, en plus, l'homme donne à la femme l'occasion de confronter et d'essayer de surmonter des sensations qui remontent à l'enfance — douleur, impuissance, ne pas se sentir aimée ni désirée —, l'attraction qu'elle subit devient alors tout à fait irrésistible. En effet, le besoin de recréer et de surmonter cette douleur à l'âge adulte sera d'autant plus fort que l'enfance aura été douloureuse.

Voyons cela de plus près. Si un jeune enfant a vécu une expérience traumatisante, ce trauma paraîtra et reparaîtra sous forme de jeux, jusqu'à ce que l'enfant parvienne à apprivoiser cette expérience. Un enfant qui a subi une opération, par exemple, jouera à recréer le voyage à l'hôpital, avec des poupées ou d'autres jouets, ou il jouera le rôle du chirurgien, ou celui du patient, jusqu'à ce que la peur associée à l'événement traumatisant soit suffisamment atténuée. Nous, les femmes qui aimons trop, faisons la même chose : nous recréons et revivons des relations malheureuses pour essayer de les apprivoiser, de les maîtriser.

Il s'ensuit que les relations de couple et les mariages ne relèvent ni des coïncidences ni du hasard. Par exemple, lorsqu'une femme croit qu'il « fallait », pour une raison inexplicable, qu'elle se marie avec un certain homme qu'elle n'aurait normalement pas accepté pour mari, il est impérieux qu'elle se demande pourquoi elle a accepté d'avoir des relations intimes avec cet homme-là justement, pourquoi elle a couru le risque de tomber enceinte de lui. De même, lorsqu'une femme affirme qu'elle s'est mariée par caprice, ou qu'elle était trop jeune pour savoir ce qu'elle faisait, ou qu'elle n'était pas dans son état normal lorsqu'elle a fait ce choix, ce sont là des excuses qui méritent d'être examinées en profondeur.

En fait, elle a choisi, peut-être inconsciemment, mais souvent en connaissant beaucoup de choses sur son futur partenaire, parfois même au tout début de leurs rapports. Nier ce fait revient à refuser d'accepter la responsabilité de nos choix et de notre vie, et un tel refus exclut toute guérison.

Comment nous y prenons-nous, au fait ? Quel est ce phénomène mystérieux, cette indéfinissable réaction chimique qui se produit entre une femme qui aime trop et l'homme vers lequel elle se sent attirée ?

Si l'on pose la question autrement — Quels sont les signaux que s'échangent une femme qui a besoin de se sentir indispensable et un homme qui est à la recherche de quelqu'un pour prendre soin de lui ? ou une femme extrêmement dévouée et un homme extrêmement égoïste ? ou une femme qui se prend pour une victime et un homme dont l'identité repose sur la puissance et l'agression ? ou une femme qui a besoin de contrôler et un homme inadéquat ? — le phénomène commence à perdre de son mystère. Car il y a deux signaux précis, deux indices bien définis qui sont émis et captés par chacun des danseurs. Souvenez-vous qu'il y a deux principes actifs dans chaque femme qui aime trop : a) la complémentarité de ses attitudes et de celles de son partenaire ; b) le besoin de revivre et de maîtriser les attitudes douloureuses du passé. Voyons maintenant les premiers pas de ce couple, ces pas hésitants qui informent chacun des partenaires qu'il est en présence de quelqu'un avec qui ça va marcher, avec qui ça ira bien, avec qui il s'entendra bien.

Les histoires vécues qui suivent illustrent clairement l'échange d'information quasi subliminal qui a lieu entre une femme qui aime trop et l'homme vers lequel elle est attirée. Cet échange décidera instantanément de la nature de leurs futurs rapports de couple, de leur « rythme de danse ».

CHLOÉ : étudiante de vingt-trois ans ; fille de père violent

« J'ai grandi dans une véritable famille de fous. Je m'en rends compte maintenant, mais lorsque j'étais jeune, une seule chose m'importait : que personne ne sache comment mon père battait ma mère. Il nous frappait tous et nous, les enfants, avions fini par croire que nous le méritions. Mais je savais que maman ne le méritait pas et qu'elle déplorait son comportement. J'aurais toujours voulu qu'il me frappe, moi, plutôt qu'elle. Je savais que j'étais capable d'encaisser les coups, mais je n'étais pas tellement sûre que maman l'était. Nous voulions tous qu'elle le quitte, mais elle ne voulait pas. Elle souffrait d'un terrible manque d'amour ; je m'efforçais de toujours l'entourer du plus d'affection possible, afin de la rendre plus forte et assez courageuse pour partir, mais elle n'en a jamais rien fait. Elle est morte d'un cancer, il y a cinq ans. Depuis ses funérailles, je ne suis plus retournée à la maison et je n'ai plus jamais parlé à mon père. Je crois que c'est lui qui l'a tuée, et non le cancer. Ma grand-mère paternelle avait laissé à chacun des enfants un legs en fiducie, grâce auquel j'ai pu aller au collège ; c'est là que j'ai rencontré Roy.

« Nous avons suivi le même cours d'art pendant tout un semestre, sans jamais nous adresser la parole. Quand le deuxième semestre débuta, nous étions plusieurs à nous retrouver dans un autre cours. Le premier jour, nous nous sommes lancés dans une discussion animée à propos des rapports entre hommes et femmes. Roy commença alors à parler des femmes américaines en disant qu'elles étaient complètement pourries, qu'elles exigeaient que tout soit fait selon leurs désirs et qu'elles se servaient des hommes. On aurait cru qu'il crachait du venin en débitant tout cela, et j'ai pensé : « Oh, le pauvre, comme on a dû lui faire du mal. » Je lui ai alors demandé : « Penses-tu vraiment que ce que tu dis est vrai ? » et j'entrepris de lui prouver que les femmes n'étaient pas toutes comme il les décrivait — que je n'étais pas comme ça, moi. Vous voyez dans quelle galère je m'étais embarquée ! Plus tard, lorsque nous sommes sortis ensemble, il me fut impossible d'exiger la moindre petite chose et de m'occuper de moi, parce qu'alors je lui aurais donné raison d'être misogyne. Et mon intervention, en classe, ce matin-là, eut des résultats. Lui aussi s'était laissé prendre au jeu. Il me dit : « Je reviendrai. Je n'avais pas l'intention de rester dans ce cours, mais j'ai envie d'encore discuter avec toi ! » Je me souviens d'avoir éprouvé, à ce moment-là, un grand émoi parce que je pressentais déjà qu'il me trouvait différente des autres.

« Moins de deux mois plus tard, nous emménagions ensemble. Quatre mois après le début de notre cohabitation, c'est moi qui payais le loyer et presque toutes les factures, sans oublier l'épicerie. Mais j'ai essayé, pendant plus de deux ans, de lui prouver que j'étais gentille, que je n'allais pas lui faire du mal comme on lui en avait déjà fait. C'est à moi que le mal a été fait ; d'abord émotivement, puis aussi physiquement. C'était impossible qu'un homme qui en voulait tant aux femmes ne s'en fût pas pris à celle avec qui il sortait. Bien entendu, j'étais persuadée que c'était ma faute. C'est un miracle que je m'en sois sortie. Un jour, j'ai rencontré une de ses anciennes maîtresses. Elle m'a demandé à brûle-pourpoint : « Est-ce qu'il lui arrive de vous frapper ? » J'ai dit : « Pas vraiment. » Évidemment, je le protégeais et je ne voulais pas passer pour une folle. Mais je savais qu'elle savait qu'il me battait, parce qu'elle était aussi passée par là. J'ai d'abord été prise de panique. J'éprouvais la même sensation que quand j'étais enfant — il fallait que personne ne puisse voir au-delà des apparences. Tout en moi m'incitait à mentir, à réagir comme si elle avait un drôle de toupet de me poser pareille question. Mais quand je vis dans son regard qu'elle devinait tout, je n'eus vraiment plus aucune raison de faire semblant.

« Nous avons bavardé longuement. Elle me confia qu'elle allait à des séances de thérapie de groupe où il n'y avait que des femmes qui avaient toutes le même problème ; elles se sentaient toutes attirées dans des relations de couple malheureuses et elles étaient là pour apprendre à éviter ce genre de situation malsaine. Elle me donna son numéro de téléphone, mais ce n'est qu'après avoir vécu deux autres mois infernaux que je l'appelai enfin. Elle me décida à me joindre au groupe, et c'est probablement ce qui m'a sauvé la vie. Les femmes du groupe étaient pareilles à moi. Toutes, elles s'étaient habituées depuis leur enfance à supporter d'incroyables souffrances.

« De toute façon, il m'a fallu encore plusieurs mois avant que je réussisse à quitter Roy, car je trouvais que c'était extrêmement difficile à faire, même avec les encouragements du groupe. J'éprouvais cette incroyable nécessité de lui prouver qu'il méritait d'être aimé. Je pensais qu'à force d'amour il changerait. Grâce à Dieu, je me suis débarrassée de cette obsession, sinon j'en serais encore au même point. »

L'attirance de Chloé envers Roy

Quand Chloé, l'étudiante en art, fit la connaissance de Roy, le misogyne, c'est comme si elle avait trouvé en lui une synthèse de sa mère et de son père. Roy était hargneux et détestait les femmes. Se faire aimer de lui, c'était se faire aimer de son père à elle, qui était, lui aussi, hargneux et violent. Si elle parvenait à le changer par son amour, elle parvenait du même coup à changer sa mère et à la sauver. Pour elle, Roy était la victime de ses propres convictions malsaines, et elle voulait l'assister de son amour pour qu'il guérisse. Elle voulait aussi, comme toutes les femmes qui aiment trop, résoudre ce conflit avec lui et avec les gens importants qu'il symbolisait pour elle : sa mère et son père. C'est cela qui lui rendait si difficile l'abandon de cette relation insatisfaisante et destructrice.

MARY JANE : mariée à un mordu du travail pendant trente ans

« Nous nous sommes rencontrés à une réception de Noël. J'étais là avec son frère cadet qui avait le même âge que moi et qui me faisait la cour. Bref, Peter était à cette réception. Il fumait la pipe et portait une veste de tweed avec des ronds de cuir aux coudes. Il faisait très professeur universitaire et je fus vraiment impressionnée. Mais il avait aussi un air mélancolique qui m'attirait autant que son apparence physique. J'eus la conviction qu'il avait dû déjà beaucoup souffrir et je voulus faire plus ample connaissance pour savoir ce qui s'était passé, pour « comprendre ». Je me rendais compte qu'il était inaccessible, mais je pensais réussir à faire en sorte qu'il continue de me parler si je me montrais suffisamment compatissante. C'était curieux, car bien que nous ayions beaucoup discuté ce premier soir, il ne m'a pas vraiment parlé de façon ouverte, spontanée. Son regard était ailleurs, et il était toujours préoccupé par quelque chose d'autre pendant que j'essayais de capter toute son attention. J'en arrivai à considérer comme très importante, voire précieuse, chacune des paroles qu'il prononça, car j'étais sûre qu'il avait mieux à faire que de me parler.

« Comme du temps de mon père ! Pendant les années où j'ai grandi, il était toujours absent. Nous étions très pauvres. Lui et ma mère travaillaient en ville ; nous, les enfants, étions seuls à la maison, la plupart du temps. Mon père travaillait même le dimanche. Les seules fois où je le voyais, c'était quand il réparait quelque chose dans la maison — le réfrigérateur, la radio ou autre chose. Je me souviens que j'avais l'impression qu'il me tournait toujours le dos ; mais cela m'était égal, j'étais si heureuse qu'il soit là. Je me tenais à ses côtés et je lui posais un tas de questions pour essayer d'attirer son attention.

« Et voilà qu'avec Peter je recommençais à faire la même chose, mais je ne m'en rendais pas compte, à ce moment-là. Je me souviens maintenant que chaque fois que j'essayais de saisir son regard, il s'enveloppait dans la fumée de sa pipe, ou il regardait de côté ou vers le plafond, ou encore il s'affairait à rallumer sa pipe. Je l'ai trouvé très sérieux, avec son front soucieux et son regard lointain. Il m'a attirée comme un aimant. »

L'attirance de Mary Jane envers Peter

Les sentiments de Mary Jane à l'égard de son père n'étaient pas aussi ambivalents que ceux de beaucoup de femmes qui aiment trop. Elle aimait son père, elle l'admirait et elle recherchait sa compagnie et son attention. Peter, plus âgé qu'elle et toujours préoccupé, évoqua instantanément le souvenir de son père insaisissable. Le besoin qu'elle ressentait de gagner l'attention de Peter devint d'autant plus important que son attention était aussi difficile à capter que l'avait été celle de son père. Les hommes qui lui prêtaient leur attention spontanément, qui étaient davantage disponibles et qui se montraient affectueux ne réussissaient pas à stimuler chez Mary Jane cette aspiration profonde à être aimée qu'elle avait eue à l'égard de son père. Les préoccupations de Peter offraient un défi familier à Mary Jane, une autre occasion de gagner l'amour d'un homme qui l'évitait.

PEGGY : élevée par une grand-mère hypercritique et une mère affectivement absente ; mère de deux filles, divorcée

« Je n'ai jamais connu mon père. Ma mère et lui se sont séparés avant ma naissance ; elle a dû travailler à l'extérieur pour assurer notre subsistance tandis que sa propre mère s'occupait de nous à la maison. Rien de bien pathétique apparemment, et pourtant ! Ma grand-mère était une femme d'une terrible cruauté. Ce n'est pas qu'elle nous battait, ma sœur et moi, mais elle nous adressait des paroles blessantes tous les jours. Elle nous disait que nous étions mauvaises, que nous étions une source de tracas pour elle et des « bonnes à rien » — une de ses expressions favorites. Ironiquement, toutes ces critiques nous faisaient, ma sœur et moi, redoubler d'efforts pour être bonnes, dignes d'éloges. Quant à ma mère, elle n'a jamais pris notre défense devant elle. Elle craignait trop que mamie ne parte ; il lui aurait alors fallu quitter son travail, car il n'y aurait eu personne pour prendre soin de nous. Elle faisait donc semblant de ne rien voir quand mamie nous molestait. Je me suis sentie si seule en grandissant, si exposée, effrayée, nulle, à toujours tenter de me faire pardonner le fardeau que j'étais. Je me rappelle que j'essayais de réparer tout ce qui était déglingué dans la maison, souhaitant ainsi nous faire économiser de l'argent et payer de cette façon mon entretien.

« Je me suis mariée à dix-huit ans, parce que j'étais enceinte. J'ai tout de suite souffert. Mon mari me critiquait sans arrêt ; de façon détournée au début, puis plus brutalement. Pour vous dire toute la vérité, je ne l'aimais pas. Je le savais et pourtant je l'avais épousé. Je ne voyais pas d'autre solution. Ce mariage a duré quinze ans, parce qu'il m'a fallu tout ce temps-là pour vraiment croire que souffrir était une raison valable pour obtenir le divorce.

« Je suis sortie de ce mariage brûlante d'envie d'être aimée, mais convaincue que j'étais une ratée et que je n'avais rien à donner à un homme bon et aimant.

« Le soir où j'ai rencontré Baird, c'était la toute première fois que j'étais sortie danser sans cavalier. Ma copine et moi étions allées faire des emplettes. Elle avait acheté un bel ensemble — pantalon, corsage, chaussures — et voulait sortir pour l'étrenner. Nous sommes allées dans une discothèque dont nous avions entendu parler. Des hommes d'affaires de l'extérieur de la ville commandaient des verres pour nous et nous faisaient danser. Nous trouvions cela sympathique, sans plus.

Puis je l'ai vu, près du mur : très grand, très mince, habillé comme un prince, très élégant. Mais il y avait comme un halo glacé autour de lui. Je me suis dit, je me rappelle : « C'est l'homme le plus élégant et le plus arrogant que j'aie jamais vu. Je parie que je pourrais le dégeler ! »

« Soit dit en passant, je me rappelle encore le moment où j'ai rencontré mon premier mari. Nous étions à l'école ; il était adossé à un mur, l'air décontracté, alors qu'il aurait dû être en classe. En le voyant, je me suis dit : « Il a l'air d'un loup, je parie que je pourrais l'apprivoiser. » Vous voyez, j'essayais toujours d'arranger les pieds boiteux. Mais revenons à Baird. Je me suis approchée de lui et l'ai invité à danser. Il fut très surpris et, je suppose, flatté. Au bout de quelques danses, il a dit qu'il allait bientôt partir pour une autre boîte avec ses copains et m'a invitée à les suivre. J'étais tentée de les accompagner, mais j'ai dit non. J'étais venue danser et c'est tout ce que je voulais faire. J'ai donc continué à danser avec d'autres types jusqu'au moment où il m'a redemandé à danser. La discothèque était pleine à craquer. On y était comme des sardines. Un peu plus tard, ma copine et moi étions sur le point de partir, quand je le vis assis avec d'autres gens dans un coin de la salle. Il m'a fait signe et je suis allée le voir. Il m'a dit : « Tu as mon numéro de téléphone sur toi. » Je ne savais pas de quoi il parlait. Il a tendu la main et a sorti sa carte de la pochette du chandail que je portais. C'était un de ces vêtements avec une poche devant ; il y avait mis sa carte la deuxième fois que nous avions quitté la piste de danse. J'étais renversée. Je n'avais rien senti. Et ça me grisait de penser que ce bel homme s'était donné cette peine. Je lui ai, moi aussi, donné ma carte et je suis partie.

« Il m'a téléphoné quelques jours plus tard et nous sommes allés dîner ensemble. Il m'a lancé un regard terriblement critique lorsque je suis descendue de ma vieille voiture. Je me suis d'abord sentie mal à l'aise puis vite soulagée puisqu'il allait malgré tout dîner avec moi. Il était très tendu et froid. Je me suis mise à essayer de le mettre à l'aise, comme si je me sentais responsable de son état. Ses parents allaient venir le voir et il ne s'entendait pas bien avec eux. Il m'a récité une longue liste de doléances, qui ne m'ont pas paru si graves, mais je me suis appliquée à l'écouter avec compassion. Je suis sortie du restaurant en me disant que je n'avais rien en commun avec cet homme. Les moments passés en sa compagnie n'avaient pas été agréables. Je m'étais sentie mal à l'aise. Quand il m'a rappelée, deux jours plus tard, je me suis sentie soulagée. Je me disais que s'il s'était assez bien amusé pour m'inviter une autre fois à sortir, alors tout allait bien.

« On ne s'est jamais vraiment bien amusé ensemble. Il y avait toujours quelque chose qui allait de travers et j'essayais tout le temps d'arranger les choses. Je me sentais très crispée avec lui. Les seuls bons moments que je passais, c'était quand l'atmosphère se détendait un tant soit peu. Cette petite réduction de la tension prenait des apparences de bonheur. Et pourtant, mystère, j'étais très attirée vers cet homme.

« Je sais que cela peut paraître insensé, mais j'ai épousé Baird sans éprouver la moindre sympathie pour lui. Il mit plusieurs fois un terme à nos rapports avant que nous nous mariions ; il disait qu'il n'était pas à l'aise avec moi. Je ne puis vous décrire la peine que j'ai eue. Je le suppliais de me dire ce que je devais faire pour qu'il se sente mieux dans sa peau. Il se contentait de dire : « Tu sais tout ce que tu dois savoir. » Mais je ne le savais pas. J'ai failli perdre la raison à essayer de comprendre. Enfin, notre mariage n'a duré que deux mois. Baird est parti pour de bon non sans m'avoir dit combien je l'avais rendu malheureux. Je ne l'ai jamais revu depuis, sauf dans la rue quelques fois. Il fait toujours comme s'il ne me connaissait pas.

« Je n'arrive pas à expliquer les raisons de mon obsession envers lui. Chaque fois qu'il m'abandonnait, je me sentais plus attirée vers lui. Et quand il me revenait, il disait qu'il voulait ce que j'avais à lui offrir. Rien au monde ne pouvait m'atteindre autant que cela. Je le prenais aussitôt dans mes bras pour le consoler, tandis qu'il pleurait sa conduite. Ce scénario durait une nuit, puis tout recommençait à se déglinguer, avec moi qui m'échinait à le rendre heureux, pour qu'il ne reparte plus.

« À l'époque où il m'a quittée pour de bon, c'est à peine si j'arrivais à « fonctionner ». J'étais incapable de travailler ou de faire quoi que ce soit. J'arrivais tout juste à me bercer en pleurant. Je me sentais mourir. J'avais besoin qu'on m'aide à m'empêcher de renouer avec lui. Je voulais tant que ça tourne bien, mais en même temps je savais que je ne pourrais pas supporter un tour de plus sur ce manège. »

L'attirance de Peggy envers Baird

Peggy ne savait absolument pas ce que c'est que d'être aimée, et comme elle avait été élevée sans père, elle ne savait presque rien des hommes, surtout des hommes bons et affectueux. Toutefois, elle savait très bien ce que c'était que d'être critiquée et rejetée par quelqu'un de pervers — elle l'avait appris dans son enfance, à vivre avec sa méchante grand-mère. Elle savait aussi quel mal se donner pour tenter d'obtenir l'amour d'une mère qui, pour des raisons personnelles, ne pouvait lui donner ni amour ni même protection. Son premier mariage eut lieu parce qu'elle s'était laissée aller à des relations d'intimité avec un jeune homme qui se montrait critique à son endroit et pour qui elle ressentait peu d'affection. Les relations sexuelles qu'elle avait avec lui tenaient plus d'un effort désespéré pour gagner son affection que du souci qu'elle avait de sa personne. Ce mariage de quinze années

avec cet homme la convainquit encore davantage de son inhé-
rente nullité.

Le besoin qu'avait Peggy de recréer la scène hostile de
son enfance et de poursuivre son effort désespéré pour obtenir l'amour de personnes qui étaient incapables d'en donner
était si fort que, lorsqu'elle fit la connaissance d'un homme
qui la frappa par sa froideur, son caractère distant et son
indifférence, elle fut aussitôt attirée vers lui. L'occasion à
nouveau se présentait de transformer une personne vide
d'amour en quelqu'un qui enfin l'aimerait. Dès qu'ils eurent
noué des liens, les rares allusions que fit cet homme aux
progrès qu'elle faisait dans son apostolat amoureux auprès
de lui lui permirent de persévérer en dépit du saccage de sa
propre existence. Le besoin qu'elle avait de le changer (de
changer sa mère et sa grand-mère puisque, en fait, il les
représentait) allait jusque-là.

ELEANOR : soixante-cinq ans ; élevée par une mère divorcée très possessive

« Ma mère ne pouvait s'entendre avec aucun homme.
Elle a divorcé deux fois à une époque où personne ne le
faisait. J'avais une sœur de dix années plus jeune que moi ;
plus d'une fois ma mère m'a dit : « Ta sœur était la chou-
choute de ton père, alors j'ai décidé de t'avoir pour moi. »
Voilà exactement ce que j'étais pour elle, une possession et
le prolongement d'elle-même. Elle ne nous voyait pas, elle et
moi, comme deux personnes distinctes.

« Mon père m'a tant manqué après leur divorce. Elle
avait dressé un mur entre lui et moi, et lui n'avait pas assez
de volonté pour s'opposer à elle. Personne n'en avait d'ailleurs. Avec elle, je me suis toujours sentie prisonnière, mais
en même temps responsable de son bien-être. Il me fut très
difficile de la quitter, même si je me sentais étouffer. Je suis
allée étudier dans un institut commercial, au loin, hébergée
par de la famille. Ma mère était si furieuse que jamais plus
elle n'adressa la parole à ces gens.

« À la fin de mes études, j'ai travaillé comme secrétaire
pour la police d'une grande ville. Un jour, un bel agent en
uniforme entra dans mon bureau et me demanda où se trouvait la fontaine. Je la lui montrai du doigt. Il me demanda

ensuite s'il y avait des gobelets. Je lui ai prêté ma tasse. Il a pris deux comprimés d'aspirine. Je le revois encore la tête basculée vers l'arrière pour mieux avaler. Il me dit ensuite : « Hou ! J'en ai pris une belle hier soir. » J'ai pensé : « Le pauvre ! Il boit trop, sans doute parce qu'il est seul. » Il était exactement ce que je recherchais, c'est-à-dire quelqu'un à soigner, quelqu'un qui avait besoin de mes soins. « J'aimerais bien essayer de faire son bonheur. » me suis-je dit alors. Deux mois plus tard, il m'épousait, et j'ai passé les quatre années suivantes à essayer de le rendre heureux. Je lui préparais de bons petits plats, espérant ainsi l'attirer chez nous ; mais il préférait aller boire et ne rentrait qu'au petit matin. Je lui faisais alors une scène et je pleurais. La fois suivante qu'il disparaissait pour la soirée, je me reprochais ma fureur de la fois précédente et me disais : « Pas étonnant qu'il ne rentre pas ! » Notre situation s'est rapidement aggravée et, un beau jour, je l'ai quitté. Il y a trente-sept ans de cela et ce n'est que l'an dernier que j'ai compris qu'il était alcoolique. J'avais toujours cru que tout était ma faute, que je n'avais pas su le rendre heureux. »

L'attirance d'Eleanor envers son mari

Si votre mère, qui détestait les hommes, vous a appris que les hommes ne valaient rien, et que par contre vous aimiez votre père — même si vous ne le voyiez pas — et trouviez un certain charme aux hommes, en général, vous risquez fort de grandir dans la crainte que l'être aimé ne vous quitte. Peut-être serez-vous tentée, par conséquent, de vous trouver un homme qui ait besoin de votre aide et de votre compréhension, afin de vous assurer l'avantage dans votre union. C'est ce que fit Eleanor lorsqu'elle découvrit son attirance envers le beau policier. Si cette formule est censée vous protéger contre les peines et l'abandon, l'ennui avec elle, c'est que dès le départ il vous faut un homme à problèmes, autrement dit un homme qui soit déjà en voie de correspondre à la catégorie : « les hommes... des bons à rien ». Eleanor voulait empêcher que l'homme qu'elle aimait ne la quittât (comme l'avait fait son père et comme le ferait tout homme, selon sa mère). Le fait qu'il avait besoin de sa protection semblait la garantir de cette éventualité. Mais la nature de son problème, en fait, rendait son départ encore plus probable.

Ainsi donc, cette situation qui devait garantir Eleanor de l'abandon, lui garantissait en fait qu'elle serait abandonnée. Chacune des nuits où son mari ne rentrait pas à la maison lui prouvait que sa mère avait eu raison au sujet des hommes. Et un beau jour, comme l'avait fait sa mère, elle divorça d'un « bon à rien ».

ARLEEN : vingt-sept ans ; issue d'une famille violente où elle chercha à protéger sa mère, ses frères et ses sœurs

« Ellis et moi faisions partie de la même troupe de théâtre. Nous jouions dans un cabaret. Il avait sept ans de moins que moi. Au physique, il ne m'attirait pas particulièrement. Je ne m'étais jamais intéressée à lui, jusqu'au jour où, après avoir fait quelques courses ensemble, nous sommes allés souper. Nous avons bavardé en mangeant. Pendant qu'il parlait, je me rendais compte que sa vie était désordonnée. Il y avait beaucoup de choses qu'il négligeait. À un moment donné, j'ai ressenti un vif désir d'intervenir et de remettre de l'ordre dans tout cela. Il m'a confié, ce soir-là, qu'il était bisexuel. Même si cela n'allait pas avec mes valeurs, je l'ai pris sur le ton de la plaisanterie et j'ai dit que je l'étais, moi aussi. En fait, je n'aimais pas que l'on me fasse des avances ouvertement et je craignais vraiment les hommes qui se faisaient trop pressants — mon ex-mari m'avait traitée sans respect et avait, lui aussi, un petit ami. Ellis me paraissait rassurant. J'avais la double certitude qu'il ne pourrait pas me faire de mal et que je pouvais l'aider. Nous nous sommes sérieusement fréquentés peu de temps après. En fait, nous avons vécu ensemble plusieurs mois avant que je demande une trêve définitive : tout ce temps-là, j'avais sué et tremblé. J'étais si bonne avec lui, et pourtant j'étais à bout de nerfs. Mon ego a pris un dur coup. Son goût des hommes a toujours été beaucoup plus fort que son attirance envers moi. En effet, le soir où je me suis retrouvée à l'hôpital à moitié morte, avec une pneumonie virale, il n'est pas venu me voir, parce qu'il avait une affaire avec un homme. Trois semaines après ma sortie de l'hôpital, j'ai rompu avec lui, mais il m'a fallu les encouragements de ma mère, de ma sœur et de ma thérapeute pour y arriver. J'ai sombré ensuite dans une terrible dépression. Je ne voulais pas lâcher prise. Je me disais qu'il avait besoin de moi. J'étais certaine que si je redoublais d'efforts cela pourrait marcher entre nous.

« Lorsque j'étais gamine, j'ai toujours cru que je pouvais arriver à trouver le moyen de rétablir une situation fâcheuse.

« J'étais l'aînée d'une famille de cinq enfants, et ma mère se déchargeait souvent sur moi de ses obligations. Elle devait veiller au bonheur de mon père, ce qui était impossible. Il demeure l'homme le plus méchant que je connaisse. Mes parents ont fini par divorcer, il y a de cela dix ans. J'ai l'impression qu'ils croyaient nous faire une faveur en attendant pour divorcer que nous volions de nos propres ailes. Ce fut terrible de grandir dans une telle famille. Mon père nous battait tous, y compris ma mère ; toutefois, côté violence, c'est avec ma sœur qu'il était le pire, et pour les insultes, avec mon frère. D'une manière ou d'une autre, il a fait de nous tous des infirmes. J'ai toujours cru qu'il devait y avoir quelque chose que je pouvais faire pour tout arranger, mais je n'ai jamais réussi à découvrir ce que ce pouvait être. J'ai essayé de parler à ma mère, mais elle était si passive. Je me suis aussi opposée à mon père, mais très peu ; c'était trop dangereux. Je disais à ma sœur et à mon frère comment faire pour éviter les éclats de papa ; il suffisait de ne pas répliquer. Au retour de l'école, nous faisions parfois le tour de la maison à seule fin d'essayer de trouver ce qui aurait pu le mettre en colère et pour arranger cela avant son retour. La plupart du temps, nous étions morts de trouille et si malheureux. »

L'attirance d'Arleen envers Ellis

Se sentant plus forte, plus sérieuse et plus habile qu'Ellis, Arleen espéra le dominer, évitant ainsi d'en être la victime. Cet élément joua un rôle important dans l'attirance qu'elle éprouva envers lui. Depuis son enfance, elle avait été victime de sévices physiques et moraux. La peur et la fureur que lui inspirait son père lui faisaient trouver en Ellis la parfaite réponse à ses ennuis avec les hommes. Il lui semblait, en effet, peu probable qu'Ellis eût pu réagir à son égard aussi violemment que son père, c'est-à-dire en allant jusqu'à la battre. Hélas, au cours de leurs quelques mois de vie commune, elle reçut de lui autant d'avanies qu'elle en avait subi avec les hommes hétérosexuels qu'elle avait connus.

L'épreuve que ce fut, pour Arleen, d'essayer de réformer, au sens strict et au sens large, l'existence d'un homme dont les goûts étaient surtout homosexuels fut proportionnelle à l'intensité des conflits qu'elle avait connus dans son enfance. Les douleurs morales indissociables de cette liaison lui étaient également familières — toujours dans la crainte du pire, du mal, de la brutalité et de l'insulte, de la part d'un être qui était censé l'épauler, censé l'aimer. La conviction qu'Arleen avait de pouvoir autoritairement obtenir d'Ellis qu'il devînt ce qu'elle voulait lui rendit difficile la tâche de renoncer à lui.

SUZANNAH : vingt-six ans ; divorcée d'avec deux alcooliques ; fille d'une mère soumise

J'étais allée à San Francisco participer à un séminaire de formation en vue d'un examen d'État par lequel j'espérais obtenir le titre d'assistante sociale. Le deuxième jour, à la pause de l'après-midi, j'ai remarqué un très bel homme ; quand il est passé près de moi, je lui ai lancé mon sourire des grandes occasions. Je suis allée ensuite m'asseoir dehors pour me détendre. Il s'est approché de moi et m'a demandé si je voulais aller à la cafétéria. J'ai dit oui et nous y sommes allés. Hésitant, il m'a demandé : « Puis-je vous offrir quelque chose ? » Comme j'avais l'impression qu'il n'en avait pas vraiment les moyens, je lui ai répondu : « Oh non, ce n'est pas la peine. » Je me suis donc acheté un jus et nous sommes retournés dehors où nous avons bavardé jusqu'à la fin de la pause. Nous nous sommes dit d'où nous venions et où nous travaillions. Il m'a dit que cela lui ferait plaisir de souper avec moi ce soir-là. Nous nous sommes donc entendus pour nous retrouver au *Fisherman's Wharf**. Lorsque je suis arrivée au restaurant, il avait l'air soucieux. Il a déclaré qu'il essayait de décider s'il allait être romantique ou pratique, car il avait juste assez d'argent sur lui pour soit m'emmener faire une promenade en mer, soit m'offrir un gueuleton au restaurant. Sans hésiter, j'ai lancé : « On fait la promenade et je t'invite à souper. » C'est ce que nous avons fait. Je me suis sentie vraiment à la hauteur de la situation : grâce à moi, il pouvait faire les deux choses qui lui tenaient à cœur.

---

* Le *Fisherman's Wharf* (Quai du pêcheur) est un des hauts lieux de la restauration sans-franciscaine. (*N.d.T.*)

Il fut de toute beauté, ce tour de la baie. Le soleil baissait à l'horizon et nous avons parlé sans arrêt. Il m'a confié l'inquiétude que lui causait l'intimité, qu'il était engagé dans une liaison de plusieurs années avec quelqu'un qui, selon lui, ne lui valait rien de bon. S'il ne rompait pas, c'était parce qu'il adorait le fils de cette femme. Le petit avait six ans. Il ne pouvait pas supporter l'idée que cet enfant pût grandir sans la présence d'un homme dans sa vie. Il a fait aussi de vagues allusions à ses défaillances sexuelles, disant que cette femme ne l'attirait guère.

« Pendant ce temps, ça cliquetait dans ma petite tête. Je me disais : « C'est un type formidable qui n'a tout simplement pas encore trouvé la femme qu'il lui faut. Il est extraordinairement sensible à autrui et honnête ; ça crève les yeux. » Il ne m'est pas venu à l'esprit qu'il avait trente-sept ans et qu'il avait sans doute eu maintes occasions de réussir une relation ; que peut-être, qui sait, quelque chose allait de travers de son côté à lui.

« Il m'avait pratiquement dressé le catalogue de ses problèmes : impuissance, peur de l'intimité et difficultés financières. Et il n'était pas nécessaire d'avoir inventé la poudre pour deviner qu'il était plutôt du genre lymphatique, à voir la façon dont il se comportait. Mais l'idée d'être, peut-être, celle qui transformerait sa vie me grisait trop pour que je sois alertée par ses propos.

« Nous sommes allés souper et c'est moi, bien sûr, qui ai payé l'addition. Il a poussé de hauts cris, faisant valoir combien cette situation le gênait. Je lui ai laissé entendre qu'il pouvait venir me visiter et m'emmener souper pour me revaloir ce repas. Il a déclaré que c'était là une excellente idée et a tout voulu savoir sur la ville où j'habitais, sur l'hébergement qu'il recevrait s'il y venait, sur les conditions du marché de l'emploi, etc. Il avait enseigné à l'élémentaire quinze années plus tôt, et, après avoir occupé bien des emplois — dont le suivant avait toujours été moins exaltant et moins bien payé que le précédent —, il travaillait maintenant dans un centre d'accueil pour alcooliques. Je trouvais cela parfait. En effet, ayant déjà eu affaire à des alcooliques et m'étant fait mal dans ces histoires, je voyais là une garantie contre les risques ; je me disais que cet homme ne pouvait pas être alcoolique, puisqu'il était employé à les assister. Tout ce qu'il y avait de plus logique, non ? Je me rappelle qu'il m'ait dit, comme ça, que notre serveuse, une dame assez âgée à la voix rocailleuse, lui faisait penser à sa mère alcoolique. Et je savais qu'il n'est pas rare que les enfants d'alcooliques deviennent eux-mêmes alcooliques. Mais de toute la soirée il n'a bu que de l'eau Perrier. Alors je ronronnais littéralement en me disant : « Voilà l'homme qu'il me faut ! » Oublions cette valse des petits emplois et le fait que sa carrière tournait de moins en moins rond. Cela ne pouvait être qu'une question de malchance. Je le voyais comme quelqu'un de très malchanceux et il m'attirait davantage. Je le plaignais.

« Il a passé beaucoup de temps à me parler de l'intensité de ses sentiments pour moi : le calme qu'il ressentait en ma compagnie, le beau couple que nous formions, etc. Je partageais ces sentiments. Lorsque nous nous sommes quittés cette nuit-là, il a agi en gentilhomme. Quant à moi, je lui ai fait des adieux réchauffés par deux grosses bises sur les joues. Je me sentais à l'abri de tout danger ; j'avais enfin trouvé un homme qui n'allait pas me demander la lune, qui ne me voulait que pour le plaisir de ma compagnie. Je n'ai vu, dans tout cela, aucun signe que, peut-être, il souffrait de véritables difficultés sexuelles et qu'il tentait de fuir le problème. Je croyais probablement que, s'il m'en donnait l'occasion, je pourrais régler toutes ses difficultés.

« Le séminaire prit fin le lendemain. Tout en bavardant, nous avons décidé du moment où il viendrait me rendre visite. Il a proposé de venir la semaine précédant ses examens et de s'installer chez moi pour étudier, seulement pour étudier. Comme j'avais quelques jours de congé à cette période-là, je me suis dit que ce serait formidable d'en profiter pour faire des excursions. Mon idée ne lui a pas plu ; ses examens étaient trop importants. J'ai fini par sacrifier tous mes chers projets pour essayer de l'accommoder parfaitement. Je craignais de plus en plus qu'il ne vînt pas, même si la perspective d'avoir chaque jour un étudiant dans mes meubles pendant que je travaillais me laissait assez froide. Mais j'avais besoin que tout aille bien, et je me tenais déjà responsable de son bonheur. Puis il y avait le défi de conserver son intérêt, que je désirais relever. Il s'était si vite amouraché de moi que maintenant, s'il devait faiblir, je n'aurais qu'à m'en prendre à moi-même.

Je faisais donc des pieds et des mains pour continuer de lui faire tourner la tête.

« Lorsque nous nous sommes dit au revoir, il restait encore des questions à régler, même après que j'eus proposé plan sur plan, espérant résoudre tous les problèmes que soulevait sa venue. Après sont départ, je me suis sentie à plat et, sans savoir pourquoi, malheureuse de n'avoir pas réussi à trouver la solution à tout et à faire son bonheur.

« L'après-midi suivant, lorsqu'il m'a téléphoné, j'étais très heureuse. Je me sentais libérée, soulagée.

« Le lendemain, il m'a appelée à 22:30 pour me demander ce qu'il devait faire au sujet de sa présente liaison. Je n'en savais rien et c'est ce que je lui ai dit. Je me sentais alors de plus en plus mal à l'aise et prise au piège. Mais, pour une fois, je ne suis pas retombée dans mon ornière et je n'ai pas essayé de régler moi-même ses problèmes. Il s'est mis à m'attaquer au téléphone et m'a raccroché au nez. J'étais estomaquée. J'ai pensé que cela était peut-être arrivé par ma faute, parce que je n'avais pas su l'aider. Je crevais d'envie de le rappeler pour m'excuser de l'avoir irrité à ce point. Mais, vous vous rappelez, j'avais déjà eu affaire à des alcooliques et j'allais régulièrement aux réunions du Al-Anon. Aussi, sans trop savoir pourquoi, je me suis retenue de l'appeler et de m'attribuer tout le blâme. Quelques minutes plus tard, c'est lui qui m'a rappelée. Après s'être excusé d'avoir raccroché, il m'a posé les mêmes questions, auxquelles je ne pouvais toujours pas répondre. Il s'est alors remis à m'insulter et a de nouveau raccroché. J'ai compris cette fois-là qu'il avait un coup dans le nez, mais l'envie m'a prise encore de le rappeler pour tenter d'arranger les choses. Si j'avais pris les opérations en mains ce soir-là, nous serions peut-être ensemble aujourd'hui. Rien que d'y penser, j'en ai froid dans le dos. Quelques jours plus tard, il m'adressa un billet fort courtois où il déclarait qu'il n'était pas disposé, pour l'instant, à nouer une nouvelle liaison. Il passa sous silence les abus de langage et les appels téléphoniques brusquement interrompus. Ce fut la fin de notre relation.

« Un an plus tôt, cette expérience n'aurait été que le début d'une suite d'expériences semblables. Cet homme était de ceux que j'avais toujours trouvés irrésistibles : beau, charmant, un peu calamiteux, qui promet beaucoup mais n'a pas encore tenu grand-chose. Aux réunions du Al-Anon, lorsque l'une d'entre nous se met à dire qu'elle était attirée par le potentiel de son compagnon beaucoup plus que par ce que celui-ci était en réalité, nous rions en chœur à gorges déployées, parce que nous sommes toutes passées par là — nous avons toutes eu un penchant pour un homme parce que nous étions sûres qu'il avait besoin de notre aide et de nos encouragements pour exploiter ses dons au maximum. J'en savais long sur ces tentatives pour aider, pour plaire, pour faire tout le boulot et assumer toutes les responsabilités d'une liaison. J'avais joué ce rôle avec ma mère lorsque j'étais petite, puis plus tard avec chacun de mes maris. Ma mère et moi ne nous étions jamais bien entendues. Elle avait eu beaucoup d'amants dans sa vie et, quand un nouveau se présentait, elle ne renonçait pas à ses plaisirs pour prendre soin de moi : elle me dépêchait aussitôt en pension. Mais chaque fois que son amant la quittait, elle me faisait revenir pour écouter ses sanglots et ses plaintes. Lorsque nous étions ensemble, je devais l'apaiser et la réconforter, mais je ne parvenais jamais à la décharger de toute sa peine. Elle me reprochait alors de ne pas vraiment l'aimer. Puis un autre monsieur faisait son apparition et je sortais de ses pensées. Je me suis ainsi engagée très tôt dans cette carrière qui consiste à s'efforcer de venir en aide à autrui. C'était, dans mon enfance, la seule façon dont je me sentais valorisée, et j'ai voulu exceller sous ce rapport. Ce fut donc une grande victoire pour moi d'enfin surmonter ce besoin de m'attirer un homme qui n'avait rien d'autre à m'offrir que l'occasion de lui venir en aide. »

L'attirance de Suzannah envers l'homme de San Francisco

Faire carrière dans l'assistance sociale était aussi inévitable, pour Suzannah, qu'être attirée vers les hommes qui réclamaient apparemment son réconfort et ses encouragements. La première information qu'elle avait reçue de cet individu, c'était qu'il avait des problèmes d'argent. Lorsque, à la cafétéria, elle a compris son insinuation et qu'elle a ellemême payé son jus de fruit, il y a eu entre eux un échange d'information capitale : il lui faisait savoir qu'il était un peu serré et elle réagissait en payant sa part et en évitant de blesser son amour-propre. Ce thème sentimental voulant que lui soit en manque et qu'elle ait suffisamment pour deux fut repris quand ils se sont retrouvés le soir même et qu'elle a payé le repas pour eux deux. Problèmes d'argent, difficultés sexuelles et crainte de l'intimité, voilà trois éléments qui auraient dû éveiller l'attention de Suzannah, étant donné son expérience des parasites calamiteux, mais qui, au contraire, l'attirèrent vers cet homme ; ils avaient réveillé en elle son instinct maternel et protecteur. Il lui était très difficile de ne pas mordre à un tel hameçon. Elle voyait en cet homme quelqu'un qui avait des problèmes mais qui, grâce à ses soins attentifs, pouvait changer. Elle ne sut pas se demander ce que cette relation lui apportait, au début ; toutefois, parce qu'elle était en bonne voie de guérison, elle finit par être capable de voir clairement la situation. Pour la première fois de sa vie, elle s'est interrogée sur le profit qu'elle tirait de cette liaison, au lieu de ne penser qu'aux façons de réussir à secourir un homme en difficulté.

Il est évident que toutes les femmes dont nous avons parlé jusqu'à maintenant trouvèrent un homme qui leur présentait un type de programme qui leur était familier, un homme qui les installait confortablement dans des rôles où elles se sentaient pleinement elles-mêmes. Mais il faut bien comprendre que ces femmes n'étaient pas conscientes de ce qui les attirait. Si elles avaient eu cette compréhension d'elles-mêmes, leur décision de s'engager ou non dans une relation difficile aurait été plus réfléchie. Il nous arrive souvent de nous croire attirés par des qualités qui semblent aux antipodes de celles que possédaient nos parents. Arleen, par exemple, attirée par un bisexuel beaucoup plus jeune qu'elle, de faible constitution et incontestablement inoffensif, crut qu'elle ne risquait rien à se rapprocher d'un homme n'ayant pas du tout les habitudes de violence de son père. Mais ses efforts, moins conscients, pour le couler dans ce qu'il n'était pas, pour dominer une situation qui, dès le départ, ne pouvait manifestement que combler ses besoins d'amour et de protection l'attachaient à lui et l'empêchaient de lâcher sa prise sur cet homme et le défi qu'il représentait.

Ce qui se passa entre Chloé (l'étudiante en art) et son rude mysogine était encore plus complexe, mais tout aussi courant. Leur première conversation lui avait donné des indications sur ce qu'il était et sur ce que valaient ses sentiments.

Mais son désir de vaincre l'adversité était tel qu'au lieu de voir en lui l'homme violent, vindicatif et agressif qu'il était, elle le perçut comme une brebis sans défense en quête d'une oreille compatissante. Je ne cours guère de risques en prétendant que toutes les femmes ne l'auraient pas vu de cet œil. La pluart d'entre elles auraient évité sa compagnie ; mais Chloé déformait ce qu'elle voyait, tant elle désirait se lier à cet homme et à tout ce qu'il représentait à ses yeux.

Pourquoi trouvons-nous si difficile de rompre une relation, de renoncer à un compagnon qui nous fait péniblement faire toutes les figures de ce ballet destructeur ? La raison en est simple : plus nous trouvons difficile de mettre un terme à une liaison qui nous est néfaste, plus elle mobilise d'éléments pénibles associés aux expériences que nous avons vécues dans notre enfance. Nous aimons trop parce que nous essayons de vaincre les peurs, les colères, les frustrations et les souffrances que nous avons connues dans notre enfance. Renoncer à mettre un terme à une relation impossible, c'est tourner le dos à une belle occasion de nous en sortir saines et sauves, soulagées de tous les affronts que nous avons subis.

Chapitre VI

CES HOMMES QUI CHOISISSENT DES FEMMES QUI AIMENT TROP

Elle est mon soutien,
Mon rayon de soleil de la journée,
Et peu importe ce que vous pensez d'elle
Seigneur, elle m'a recueilli et je lui dois
tout.

— *Elle est mon soutien**

Mais qu'advient-il de l'homme impliqué dans une relation difficile ? Que se passe-t-il chez lui la toute première fois qu'il rencontre une femme qui aime trop ? Et que deviennent ses sentiments au fur et à mesure que la relation se développe, surtout s'il commence à changer, que ce soit pour le meilleur ou pour le pire ?

Nous verrons, dans les entrevues qui suivent, que certains hommes ont acquis une très grande connaissance d'eux-mêmes, ainsi qu'une grande perspicacité quant à leurs attitudes vis-à-vis des femmes qu'ils ont connues. Parmi ceux qui se remettent de leur intoxication, plusieurs ont bénéficié de nombreuses années d'activités thérapeutiques avec les Alcooliques Anonymes ou les Narcotiques Anonymes. Ils sont donc à même d'identifier ce qui attirait vers eux la femme coalcoolique au temps où ils sombraient, plus ou moins rapidement, dans leur dépendance. Il y en a d'autres qui, bien qu'ils n'aient souffert d'aucune dépendance, ont néanmoins été en thérapie traditionnelle et ont, de ce fait, appris à mieux se connaître et à juger leurs relations.

---

* Dans sa version originale, ce poème s'intitule *She's my Rock*. (*N.d.T.*)

Même si les détails diffèrent d'une histoire à l'autre, on y retrouve toujours l'attirance envers la femme forte qui saura compenser les faiblesses dans chaque homme ou les manques dont il souffre dans sa vie.

TOM : quarante-huit ans ; abstinent depuis douze ans ; père et frère aîné morts d'alcoolisme

« Je me souviens du soir où j'ai rencontré Élaine. C'était à l'occasion d'une soirée dansante au club de loisirs. Nous étions tous les deux âgés d'une vingtaine d'années et nous étions accompagnés chacun de notre côté. À cette époque, l'alcool m'avait déjà attiré des ennuis. À vingt ans, j'ai été arrêté une fois pour avoir conduit une voiture en état d'ébriété ; deux ans plus tard, j'eus un grave accident de voiture parce que j'étais ivre. Mais, bien entendu, je ne croyais pas que l'alcool eût pu me faire du tort. J'étais un jeune homme avec un avenir prometteur, qui savait comment s'amuser.

« Élaine était accompagnée de quelqu'un que je connaissais ; c'est lui qui nous a présentés. Elle me plaisait beaucoup et je fus très content quand ce fut le temps de « la danse où l'on change de partenaire ». Naturellement j'avais bu, ce soir-là, et je me sentais plein de hardiesse ; j'ai voulu l'impressionner avec quelques pas de danse très compliqués. J'étais tellement absorbé par mon jeu de jambes fantaisiste que j'ai heurté un autre couple sur la piste, à tel point que la dame en eut le souffle coupé. J'étais très embarrassé et n'ai pas pu dire grand-chose ; j'ai bredouillé quelques excuses, tandis qu'Élaine gardait tout son calme. Elle prit la dame par le bras, lui fit des excuses ainsi qu'à son cavalier et les raccompagna à leur table. Elle était si gentille que le mari a dû se réjouir de l'incident. Puis elle revint sur ses pas, très inquiète de moi. Une autre femme aurait été en colère et ne m'aurait plus jamais adressé la parole. Il est bien évident qu'après cela je n'allais pas la laisser filer.

Je m'entendis très bien avec son père, du temps de son vivant. Bien entendu, il était alcoolique, lui aussi. Et ma mère aimait beaucoup Élaine ; elle lui répétait sans cesse que j'avais besoin de quelqu'un comme elle pour s'occuper de moi.

« Élaine me protégea longtemps, comme elle l'avait fait ce premier soir. Quand elle en eut assez d'excuser mon alcoolisme et qu'elle alla chercher l'aide dont elle avait besoin, je l'accusai de ne plus m'aimer et je m'enfuis avec ma secrétaire âgée de vingt-deux ans. Après cela, je me mis à déchoir rapidement. Six mois plus tard, j'ai assisté à ma première réunion des Alcooliques Anonymes et je n'ai plus pris une goutte d'alcool depuis.

« Nous nous sommes retrouvés, Élaine et moi, un an après que j'eus cessé de boire. Ce fut très pénible, mais il restait encore beaucoup d'amour entre nous. Nous ne sommes plus comme nous étions lorsque nous nous sommes mariés, il y a vingt ans ; cependant, nous avons maintenant tous les deux une meilleure estime de nous-mêmes et de l'autre et nous nous efforçons, chaque jour, d'être honnêtes l'un envers l'autre. »

L'attirance de Tom envers Élaine

Ce qui s'est passé entre Tom et Élaine est l'expérience typique d'une première rencontre entre un alcoolique et une coalcoolique : il commença par créer une situation embarrassante ; elle, plutôt que de s'offusquer, essaya de l'en sortir, de le protéger et de mettre à l'aise lui et toutes les personnes impliquées. La sensation de sécurité qu'il éprouva alors l'attira fortement vers elle, étant donné qu'il était en train de perdre la maîtrise de sa vie.

Lorsque Élaine se joignit à Al-Anon et qu'elle apprit qu'elle devait cesser de protéger Tom, parce qu'en agissant ainsi elle contribuait à le maintenir dans sa maladie, il fit ce que beaucoup d'intoxiqués font lorsque leurs partenaires entreprennent de guérir. Il réagit de la manière la plus dramatique possible, et comme il y a pour chaque homme alcoolique une myriade de femmes coalcooliques qui cherchent à sauver quelqu'un, il eut tôt fait de remplacer Élaine par une autre femme qui était prête à continuer d'assurer le sauvetage et l'encouragement qu'Élaine lui refusait désormais. Et son mal empira au point qu'il ne lui resta bientôt qu'une seule alternative : guérir ou mourir. Ce n'est que lorsqu'il fut forcé de faire face à une perspective aussi sombre qu'il résolut de changer.

Si la relation entre Élaine et Tom dure encore, c'est parce que Tom a recours au programme des Alcooliques Anonymes et Élaine, à celui du Al-Anon. Pour la première fois de leur vie, ils apprennent à avoir entre eux des rapports sains, sans manipulation.

CHARLES : soixante-cinq ans ; ingénieur civil retraité avec deux enfants ; divorcé, remarié et présentement veuf

« Il y a déjà deux ans qu'Hélène est morte et je commence à peine à m'en remettre. Jamais je n'aurais cru qu'à mon âge j'irais voir un thérapeute. J'en ai tellement voulu à Hélène, après sa mort, que j'ai fini par m'inquiéter. J'étais obsédé par l'envie de lui faire du mal. Je rêvais que je la battais et je me réveillais en criant après elle. J'ai cru devenir fou. J'ai alors pris mon courage à deux mains et j'ai parlé de mon problème à mon médecin. Il a à peu près mon âge et il est aussi conservateur que moi, de sorte que lorsqu'il m'a recommandé de me faire soigner j'ai ravalé ma fierté et j'ai suivi son conseil. J'ai aussitôt pris contact avec quelqu'un de l'Hospice municipal, qui me recommanda un thérapeute dont la spécialité est d'aider les gens à surmonter leur chagrin. Nous avons donc travaillé à mon chagrin, qui persistait à se manifester sous forme de colère ; ensuite j'ai commencé à accepter le fait que j'étais fou de rage et j'ai cherché, avec l'aide du thérapeute, à comprendre pourquoi.

« Hélène était ma seconde épouse. Ma première femme, Jeannette, habite encore ici, en ville, avec son nouveau mari. Cela fait drôle de dire « nouveau » puisque cela se passait il y a vingt-cinq ans. J'ai rencontré Hélène lorsque je travaillais comme ingénieur civil pour le comté. Elle était secrétaire au département de la planification. Je la voyais donc parfois au travail et peut-être une ou deux fois par semaine, à l'heure du lunch, dans un petit restaurant de la ville. C'était une très jolie femme, toujours bien mise, un peu réservée mais amicale. Je savais que je lui plaisais à la façon dont elle me regardait et me souriait. Je dois avouer que j'étais flatté qu'elle m'ait remarqué. Je savais qu'elle était divorcée et qu'elle avait deux enfants ; cela me faisait quelque chose de savoir qu'elle devait les élever toute seule. Un jour, je lui ai offert du café et nous avons eu un petit entretien sympathique. Je lui ai dit clairement que j'étais marié et je crois m'être plaint un peu trop des vicissitudes du mariage. Je ne sais pas comment elle s'y est prise ce jour-là pour me dire que j'étais un type trop bien pour être malheureux ; toujours est-il qu'en quittant le restaurant je me sentais grandi et j'avais une forte envie de la revoir afin d'éprouver à nouveau la sensation d'*être apprécié*. Peut-être avait-elle besoin d'un homme dans sa vie ; néanmoins, je me suis senti grand, fort et unique après notre petite conversation.

« Je n'avais aucune intention d'avoir une aventure extra-maritale. Je n'en avais d'ailleurs jamais eue auparavant. En effet, après avoir reçu mon congé de l'armée, lorsque la guerre fut terminée, j'ai retrouvé mon épouse qui m'avait attendu. Nous ne formions pas le couple idéal, Jeannette et moi, mais nous n'étions pas des plus malheureux. Je n'aurais jamais songé à la tromper.

« Hélène avait déjà été mariée deux fois et elle avait été très malheureuse dans chaque cas. Ses deux maris l'avaient quittée après lui avoir fait, chacun, un enfant. Elle élevait maintenant ses enfants sans assistance aucune.

« La pire chose que nous aurions pu faire, elle et moi, eut été de s'enticher l'un de l'autre. J'avais pitié d'elle, mais je savais bien que je ne pouvais rien lui offrir. Dans ce temps-là, on n'obtenait pas le divorce aussi facilement qu'aujourd'hui, et de toute façon je ne gagnais pas assez d'argent pour me permettre de perdre tout ce que j'avais et de tout recommencer à zéro en entretenant une autre famille en plus de la mienne. En outre, je n'avais pas vraiment envie de divorcer. Je n'étais plus guère amoureux de mon épouse, mais j'aimais mes enfants et tout ce que nous partagions ensemble me tenait à cœur. Pourtant, les choses se mirent à changer au fur et à mesure qu'Hélène et moi avons continué de nous voir, sans que ni l'un ni l'autre ne fut capable d'y mettre un terme. Hélène s'ennuyait et disait que même si elle ne pouvait m'avoir qu'un peu c'était déjà mieux que rien, et je savais qu'elle était sincère. Une fois embarqué dans cette liaison avec Hélène, je ne pouvais plus m'en sortir sans meurtrir quelqu'un terriblement. Je me fis bientôt l'impression d'être le pire des truands. Mon épouse tout comme Hélène comptaient sur moi et je les décevais. Hélène était folle de moi et aurait fait n'importe quoi pour me voir. Lorsque j'essayais de mettre fin à nos rapports et que je la voyais ensuite au bureau, son visage doux et triste me brisait le cœur. Au bout d'un an, Jeannette découvrit le pot aux roses et m'enjoignit de ne plus revoir Hélène ou de quitter les lieux. J'essayai de ne plus fréquenter Hélène, mais cela ne dura pas. Sans compter que tout était changé entre Jeannette et moi. J'avais vraiment de moins en moins de raisons de quitter Hélène.

« L'histoire de ma liaison avec Hélène est très longue. Cette liaison dura neuf ans. Durant ce temps, mon épouse fit de très grands efforts, au début pour sauver notre mariage, ensuite pour me punir de l'avoir abandonnée. Hélène et moi cohabitions de façon intermittente jusqu'au moment où Jeannette, qui ne pouvait plus supporter la situation, consentit au divorce.

J'enrage encore en pensant au mal que cette situation nous a causé à tous. Vivre en concubinage ne se faisait pas à cette époque. Je pense qu'au cours de ces années-là j'ai perdu toute notion de fierté. J'avais honte de moi-même, honte pour mes enfants, pour Hélène et ses enfants, même pour Jeannette qui n'avait jamais rien fait pour mériter cela.

« Après que Jeannette eut enfin renoncé à se battre et que le divorce eut été prononcé, Hélène et moi nous sommes mariés. Quelque chose entre nous changea à partir de ce moment-là. Pendant toutes ces années, Hélène s'était montrée chaleureuse, amoureuse et séduisante, très séduisante. Évidemment, cela me plaisait beaucoup. C'est grâce à son amour que je lui suis resté attaché malgré la souffrance que nous endurions tous — elle, ses enfants, mon épouse, mes enfants et moi. Auprès d'elle, je me sentais l'homme le plus désirable au monde. Bien entendu, avant de nous marier, il nous était arrivé de nous quereller, car la tension était très grande ; toutefois, nos querelles se terminaient chaque fois au lit et je me sentais alors plus désiré, plus indispensable et plus cajolé que je ne l'avais jamais été auparavant. Il me semblait que ce qu'Hélène et moi partagions était tellement unique, tellement valable que le prix à payer en échange de tout cela en valait presque la peine.

« Mais quand nous avons enfin été ensemble pour de bon et que nous avons pu à nouveau marcher la tête haute, Hélène perdit sa belle exubérance amoureuse. Elle continua de se pomponner pour aller au travail, mais négligea son apparence à la maison. Je ne m'en faisais pas et pourtant je le remarquais. Du côté sexe, ce fut le grand ralentissement. Cela ne l'intéressait plus. Je m'efforçais de ne pas la brusquer, mais la situation devenait frustrante pour moi. Maintenant que je me sentais moins coupable, que j'étais vraiment à même de jouir de sa présence, à la maison et en société, voilà qu'elle se dérobait.

« Deux ans plus tard, nous faisions chambre à part. Et Hélène continua à être froide et distante jusqu'à sa mort. Malgré sa froideur, je ne songeai jamais sérieusement à la quitter. Comment aurais-je pu, après tout ce que cela m'avait coûté pour pouvoir être avec elle ?

« Quand j'y repense, je me rends compte qu'Hélène a probablement souffert plus que moi à l'époque de notre liaison, à se demander continuellement si c'était à Jeannette que j'allais renoncer ou à elle. Elle pleurait beaucoup et menaça quelques fois de se suicider. Elle ne supportait pas d'être « l'autre femme ». Et pourtant, malgré toutes les difficultés que nous avons rencontrées, ces années qui ont précédé notre mariage nous apportèrent plus d'amour, de sollicitude, de stimulation et d'enrichissement que nous n'en connûmes jamais par la suite.

« L'échec que je subissais m'affectait beaucoup : maintenant que nous étions mariés et que nous avions surmonté la plupart de nos difficultés, j'étais incapable de la rendre heureuse !

« La thérapie que j'ai suivie m'a appris beaucoup de choses sur moi. Je crois que j'en suis venu à admettre avec réalisme, au sujet d'Hélène, certains aspects que je n'avais jamais voulu auparavant examiner de près. Hélène « fonctionnait » mieux dans l'état de grand stress, de pression et de clandestinité au temps de notre liaison qu'au moment où les conditions devinrent plus normales. Voilà pourquoi notre amour s'était éteint dès que nous avions cessé de nous fréquenter en cachette et que nous nous étions mariés.

« Quand je parvins à regarder la situation bien en face, la terrible hargne que j'avais pour Hélène, depuis sa mort, commença à disparaître. J'étais en colère parce que j'avais payé si cher pour être auprès d'elle : mon mariage, une partie de l'affection de mes enfants et le respect de mes amis. Je pense que je me sentais lésé, dupé. »

L'attirance de Charles envers Hélène

Belle et attrayante, lors de leur première rencontre, Hélène ne tarda pas à offrir à Charles la plénitude sexuelle, un dévouement aveugle et un amour frisant la révérence. La forte attirance que Charles éprouva envers elle, malgré son mariage stable et à peu près satisfaisant, peut s'expliquer et se justifier facilement. C'est tout simplement qu'Hélène a décidé de se consacrer entièrement, dès le début de leur liaison et pendant toutes les années qu'elle dura, à faire croître l'amour de Charles pour elle et à lui rendre supportable, et même agréable, la très longue lutte pour se libérer de son mariage avec Jeannette.

Mais comment expliquer le désintéressement, aussi soudain qu'évident, d'Hélène à l'égard de Charles, alors qu'elle avait tant souffert à l'attendre et qu'il était désormais libre de partager sa vie avec elle ? Pourquoi l'aimait-elle aussi passionnément lorsqu'il était marié avec Jeannette et s'en désintéressat-elle si rapidement dès qu'il fut libre ?

C'est parce qu'Hélène ne désirait que ce qu'elle ne pouvait pas posséder vraiment. Pour tolérer et maintenir des rapports intimes et sexuels avec un homme, il lui fallait la distance et l'inaccessibilité que lui garantissait le mariage de Charles. Ce n'est que dans ces conditions qu'elle pouvait se donner à lui. Elle ne pouvait pas être à l'aise dans une relation véritable qui, une fois libérée des terribles pressions du mariage de Charles, se développerait et s'épanouirait autrement que dans une situation conflictuelle. Pour être capable d'interagir, Hélène avait besoin de la stimulation, de la tension et de la souffrance émotionnelle qu'elle trouvait dans son amour pour un homme indisponible. Elle n'avait aucune aptitude pour l'intimité, même pour la tendresse, du moment où elle n'avait plus à lutter pour conquérir Charles. Aussitôt qu'elle l'eut conquis, elle le mit de côté.

Tout semblait pourtant indiquer, pendant ces longues années où elle avait attendu Charles, qu'elle était une femme qui aimait trop. Elle a vraiment souffert, soupiré, pleuré et gémi à cause de l'homme qu'elle aimait mais qu'elle ne pouvait pas posséder. Elle le portait en elle comme sa raison de vivre, sa force irrésistible, jusqu'au moment où elle l'eut entièrement pour elle. Dès l'instant où il devint son partenaire pour de bon et où le romantisme aigre-doux de leur liaison illicite disparut, elle ne ressentit plus la flamme de la passion dont elle avait brûlé pendant neuf ans pour cet homme.

On remarque souvent une certaine défaillance dans la relation d'un couple, lorsque les partenaires décident finalement de se marier après une longue liaison ; la passion n'existe plus et leur amour s'éteint. Cela ne se produit pas nécessairement parce qu'ils ne jouent plus au jeu de la séduction. Il se peut qu'en prenant un tel engagement l'un ou l'autre, ou les deux à la fois, aient dépassé les limites de l'intimité qu'ils étaient capables de supporter. Une relation exempte de toute obligation offre une garantie contre une intimité trop envahissante. Lorsqu'un engagement est pris, il est souvent accompagné d'un repli affectif en guise de moyen de protection.

C'est exactement ce qui s'est passé entre Hélène et Charles. Il refusa de prêter attention à certains indices qui révélaient le manque de profondeur affective d'Hélène, parce qu'il était très flatté de l'intérêt qu'elle lui portait. Plutôt que de subir passivement les machinations et la manipulation d'Hélène, il s'activa à rejeter cet aspect d'elle qui ne correspondait pas à l'image qu'il avait de lui-même, une image qu'elle lui avait inspirée et qu'il voulait conserver : l'image qu'il était absolument adorable et sexuellement irrésistible. Il vécut avec Hélène pendant de nombreuses années, dans l'illusion d'un mythe soigneusement élaboré et bien décidé à ne pas détruire ce mirage auquel son ego tenait tant. Une grande part de sa colère, après la mort d'Hélène, était dirigée contre lui-même lorsqu'il reconnut, avec le recul, son propre irréalisme et le rôle qu'il avait joué en créant et en perpétuant l'illusion d'un amour passionné qui se mua finalement en un mariage tout à fait stérile.

RUSSEL : trente-deux ans ; licencié en travail social (après remise de peine du gouverneur) qui organise des programmes communautaires pour jeunes délinquants

« Les jeunes avec qui je travaille sont toujours impressionnés par le tatouage de mon nom sur mon avant-bras. Ce tatouage en dit long sur le genre de vie que je menais. Je l'avais fait faire quand j'avais dix-sept ans, parce que j'étais sûr qu'on me retrouverait un jour mort dans la rue et que sans ce tatouage personne ne saurait qui j'étais. Je me prenais alors pour un type très moche.

« J'ai habité avec ma mère jusqu'à ce qu'elle se soit remariée. J'avais alors sept ans. Comme je ne m'entendais pas bien avec son nouveau mari, je me sauvais souvent de la maison. Dans ce temps-là, les fugues étaient considérées comme un délit et on m'enfermait. On m'envoya d'abord à la maison des jeunes, puis dans des foyers adoptifs et de nouveau à la maison des jeunes. Plus tard, ce fut le Camp pour garçons, puis l'Autorité juvénile. En grandissant, je ne faisais qu'entrer et sortir de la prison locale, jusqu'au jour où l'on m'envoya dans une vraie prison. À vingt-cinq ans, j'avais déjà fréquenté tous les genres d'établissements correctionnels de l'État de Californie, du camp en forêt jusqu'à la prison à sécurité maximale.

« Je n'ai pas besoin de préciser qu'à cette époque-là j'ai passé plus de temps derrière les verrous qu'en liberté. Mais je trouvais quand même le moyen de voir Monica. Un soir à San José, accompagné d'un copain que j'avais rencontré à l'Autorité juvénile, je draguais les filles dans une voiture que mon copain avait « empruntée ». Nous sommes allés à un restaurant en bordure de route et nous avons stationné notre voiture à côté de deux filles. Nous avons commencé à leur parler et à échanger des plaisanteries avec elles, et ce ne fut pas long que nous nous sommes retrouvés assis sur la banquette arrière de leur voiture.

« Je dois dire que mon copain savait s'y prendre avec les femmes. Il avait une approche infaillible, de sorte que lorsque nous étions avec des filles je lui laissais le soin du baratinage. Il réussissait toujours à en intéresser deux et c'était lui qui choisissait en premier celle qu'il voulait, parce qu'il avait du bagou et aussi parce que c'était lui qui faisait tout le travail d'approche ; je prenais donc celle qui restait. Je n'ai pas eu à me plaindre, ce soir-là, puisqu'il a pris la petite blonde sexy qui conduisait et que je me suis retrouvé avec Monica. Elle avait quinze ans et était très jolie. Elle avait de grands yeux et beaucoup de douceur. De plus, elle était « intéressée ». Elle avait, dès le début de notre rencontre, une façon très charmante de s'occuper de moi et de ce que je lui racontais à mon sujet.

« Lorsqu'on a fait de la prison, on s'aperçoit que certaines femmes nous prennent pour des voyous et nous évitent. Mais il y en a d'autres qui, au contraire, sont stimulées, fascinées par cela. Elles nous voient comme de grands garçons méchants et elles déploient tout leur charme pour essayer de nous apprivoiser. Il y a aussi celles qui savent que nous avons souffert et qui nous prennent en pitié et veulent nous aider. Monica était sans aucun doute de celles qui désirent aider. De plus, c'était une fille très plaisante. Il ne fut pas question d'ébats intimes entre Monica et moi lors de notre première rencontre.

Pendant que mon copain et la blonde s'« ébattaient » déjà, Monica et moi sommes allés nous promener au clair de lune et nous avons parlé. Elle voulait tout savoir de moi. J'ai passablement embelli mon histoire pour qu'elle ne se sauve pas de moi. Je lui ai surtout raconté les choses tristes, par exemple : que mon beau-père me haïssait et le genre de foyers adoptifs miteux que j'avais connus, où on me donnait des vêtements usagés pendant que l'argent qui m'était destiné servait à acheter des habits neufs pour les enfants de la maison. Tandis que je parlais, elle m'a serré la main très fort et l'a caressée ; elle avait même des larmes dans ses grands yeux bruns. Lorsque nous nous sommes dit au revoir, ce soir-là, j'étais amoureux. Mon compagnon voulut me raconter en détail ses prouesses amoureuses avec la blonde, mais je n'avais même pas envie d'écouter. Monica m'avait donné son adresse et son numéro de téléphone et je me promettais bien de l'appeler le jour suivant. Mais nous avons été arrêtés par la police alors que nous sortions de la ville, parce que la voiture avait été signalée. Je n'ai pensé alors qu'à une chose : qu'adviendrait-il de Monica ? J'étais sûr que c'était fini pour nous deux, parce que je lui avais dit que je me donnais beaucoup de mal pour m'amender et me conduire honnêtement.

« Après que l'on m'eut à nouveau bouclé à l'Autorité juvénile, je pris le risque de lui écrire. Je lui expliquai que j'étais une fois de plus derrière les barreaux, mais pour un délit que je n'avais pas commis ; je lui racontai que les policiers m'avaient arrêté parce que j'avais un casier judiciaire et qu'ils ne m'aimaient pas. Monica me répondit aussitôt et continua de m'écrire presque chaque jour, pendant deux ans. Nous nous écrivions pour nous dire combien nous nous aimions, comment nous nous ennuyions l'un de l'autre et tout ce que nous allions faire ensemble une fois que je serais sorti.

« Sa mère n'a pas voulu qu'elle vienne m'accueillir à Stockton, lorsque je fus remis en liberté ; j'ai donc pris l'autocar pour San José. J'étais surexcité à l'idée de la revoir, mais j'avais aussi beaucoup d'appréhension. Je pense que je craignais qu'elle ne veuille plus de moi. Au lieu d'aller la voir tout de suite, j'ai été retrouver des anciens copains à moi. Nous étions contents, nous riions bien et cela ne tarda pas à dégénérer en une noce prolongée. Quand finalement mes copains me conduisirent chez Monica, quatre jours s'étaient écoulés. Je n'étais pas très beau à voir. J'avais encore dû boire pour me donner le courage de venir la retrouver, tellement j'avais peur qu'elle me rejette.

« Heureusement, sa mère était au travail quand les copains m'ont déposé devant sa maison. Monica sortit en souriant, très heureuse de me voir même si elle n'avait pas eu de mes nouvelles depuis mon arrivée en ville. Je me souviens que nous sommes allés faire une autre belle promenade ce jour-là, dès que je fus un peu dégrisé. Je n'avais ni argent ni voiture pour l'emmener quelque part, mais cela n'a jamais semblé la préoccuper.

« Pendant longtemps Monica pensa que j'étais incapable de mal faire. Elle trouvait des excuses pour tout ce que je faisais et ne faisais pas. J'avais été souvent en prison et au pénitencier au cours des ans, et pourtant elle se maria avec moi et crut en moi. Son propre père avait déserté le toit familial lorsqu'elle était petite. Sa mère en avait beaucoup d'amertume et ne me portait pas tellement dans son cœur non plus. C'est d'ailleurs à cause de cela que nous nous sommes mariés. J'avais une fois été arrêté pour chèques frauduleux et autres faux, et la mère de Monica voulut l'empêcher de me voir alors que j'étais en liberté provisoire ; nous nous sommes donc enfuis pour nous marier. Monica avait alors dix-huit ans. Nous sommes restés quelque temps dans un hôtel avant mon procès. Elle travaillait comme serveuse dans un restaurant, mais quitta son emploi afin de pouvoir venir au tribunal chaque jour pendant le procès. Après cela, je dus évidemment purger ma peine. Monica retourna alors chez sa mère. Après d'incessantes disputes, elle finit par quitter la maison ; elle vint s'installer dans la ville la plus proche de la prison et travailla à nouveau comme serveuse. Il y avait un collège dans cette ville et j'espérais qu'elle retournerait aux études ; elle aimait étudier et était intelligente. Mais cela ne l'intéressait pas, elle voulait seulement m'attendre. Nous nous écrivions et elle venait me visiter aussi souvent que cela lui était possible. Elle s'entretenait très souvent avec l'aumônier de la prison et elle le suppliait continuellement de me parler et de m'aider, jusqu'au jour où je lui ai demandé de ne plus le faire. Je détestais discuter avec cet homme. Je n'avais vraiment rien à lui dire.

« En plus de me rendre visite, Monica m'écrivait et m'envoyait des livres et des articles sur l'art d'acquérir la maîtrise de soi. Elle me répétait qu'elle priait pour que je change. J'étais bien d'accord de ne plus aller en prison, mais j'y avais passé tant de temps que c'était la seule chose que je savais faire.

« Puis voilà qu'enfin un changement s'opéra en moi ; je m'impliquai dans un projet de la prison qui allait me permettre de faire quelque chose de ma vie. Je suis allé à l'école et j'ai appris un métier tout en état en prison ; ensuite j'ai terminé mes études secondaires et j'ai entrepris des études collégiales. Après ma libération, je réussis à mener une vie raisonnable et continuai mes études jusqu'à l'obtention d'une maîtrise en travail social. Mais en cours de route, je perdis mon épouse. Au début et tant que nous luttions ensemble pour nous en sortir, tout allait bien ; mais quand la situation s'améliora et que nous commençames à atteindre le but que nous nous étions fixé, Monica devint colérique et brusque comme elle ne l'avait jamais été pendant toutes ces années difficiles. Elle me quitta juste au moment où nous aurions dû être le plus heureux. Je ne sais même pas où elle est maintenant. Sa mère ne veut pas me le dire et j'ai finalement décidé que je n'allais pas remuer ciel et terre pour la retrouver, puisqu'elle ne voulait pas de moi. Je pense parfois que Monica préférait de beaucoup être amoureuse d'une vision qu'elle se faisait de moi, que de moi en personne. Nous nous aimions beaucoup quand nous ne pouvions presque pas nous voir, quand nous n'avions que des lettres, des visites et le rêve d'un avenir meilleur. Notre relation a été condamnée dès le moment où j'ai entrepris de réaliser ce que nous avions souhaité pour l'avenir. Plus nous nous embourgeoisions, moins cela lui plaisait.

Je pense qu'elle était ainsi parce qu'elle ne pouvait plus me prendre en pitié. »

L'attirance de Russell envers Monica

Rien dans son passé n'avait préparé Russell à être affectivement ou même physiquement présent pour une autre personne dans une relation amoureuse et engagée. Pendant presque toute son existence, il s'était efforcé d'acquérir un sentiment de force et de sécurité en s'enfuyant et en se livrant à de dangereuses frasques. Il essayait d'échapper à son désespoir par le biais de ces activités étourdissantes et pleines de sensations fortes. En s'exposant au danger, il essayait de fuir la souffrance et l'impuissance que sa mère avait provoquées en l'abandonnant affectivement.

Lorsqu'il rencontra Monica, il fut enchanté par sa personnalité douce et attachante et par l'intérêt affectueux qu'elle lui témoigna. Plutôt que de le rejeter comme un être « malfaisant », elle s'est intéressée à ses problèmes avec un souci véritable et une profonde compassion. Elle lui a spontanément fait comprendre qu'elle était prête à l'attendre, et il ne tarda pas à mettre sa résolution à l'épreuve. Lorsqu'il disparut, Monica réagit en attendant patiemment. Elle semblait avoir suffisamment d'amour, de constance et d'endurance pour faire face à n'importe quelle action de Russel. Bien qu'elle donnât l'impression d'avoir beaucoup de tolérance pour Russell et sa conduite, il en allait tout autrement. Ce que ni l'un ni l'autre ne réalisait consciemment, c'est que la disponibilité de Monica était fonction de l'indisponibilité de Russell. Tant qu'il était séparé d'elle, Russell trouvait en Monica la partenaire idéale, la parfaite épouse du prisonnier. Elle acceptait de passer sa vie à attendre et à espérer qu'il allait changer et qu'ils pourraient alors être ensemble. Les femmes de prisonniers, comme Monica, constituent peut-être le meilleur exemple de femmes qui aiment trop. Étant incapables de vivre dans l'intimité avec un homme, elles choisissent de vivre dans un rêve. Elles imaginent combien elles aimeront et combien elles seront aimées le jour où leur partenaire changera et deviendra disponible. Mais elles ne peuvent être intimes qu'en imagination.

Lorsque Russell parvint à faire ce qui était presque impossible, qu'il commença à mener une vie honnête et à ne plus aller en prison, Monica devint plus distante. La présence de l'ancien prisonnier dans sa vie imposait un degré menaçant d'intimité qui la mettait mal à l'aise beaucoup plus que son absence ne l'avait jamais fait. Et la banalité du quotidien avec Russell ne pouvait pas se comparer avec la vision idéalisée d'amour mutuel auquel elle avait rêvé. Dans le milieu carcéral, on raconte que tous les détenus rêvent qu'ils ont leur Cadillac qui les attend à leur sortie, stationnée au coin de la rue ; c'est une façon de décrire leur vision trop idéalisée de ce que la vie leur promet quand ils seront de nouveau en liberté. Et dans l'imagination des femmes de prisonniers, comme Monica, ce n'est probablement pas une Cadillac — symbole d'argent et de puissance — qui attend au coin de la rue, mais un carrosse tiré par six chevaux blancs — symbole d'amour magique. Oh, comme elles aimeront, ces femmes, et comme elles seront aimées ! C'est cela leur rêve. Tout autant que leurs maris prisonniers, elles trouvent, en général, qu'il est plus facile de continuer à projeter leur rêve que de lutter pour le réaliser dans la vraie vie.

Ce qu'il faut comprendre, c'est qu'il semblait que Russell était incapable d'aimer profondément, alors que Monica paraissait en être parfaitement capable, avec toute sa patience et sa compassion. En fait, leur capacité à tous les deux d'aimer intimement était déficiente. C'est pourquoi ils devinrent partenaires au moment où ils ne pouvaient pas être ensemble, et que leur relation ne fut plus viable à partir de l'instant où ils ont pu l'être. Il est d'ailleurs révélateur que Russell n'a pas de nouvelle partenaire dans sa vie, présentement. Lui aussi a encore des problèmes d'intimité.

TYLER : quarante-deux ans ; administrateur ; divorcé et sans enfant

« J'avais l'habitude de plaisanter, quand nous étions encore ensemble ; je disais aux gens que lorsque je vis Nancy pour la première fois, mon cœur s'était mis à battre si fort que j'en eus le souffle coupé. C'était vrai : elle travaillait comme infirmière à la compagnie où je suis employé, et j'étais dans son bureau, sur un appareil d'exercice cardio-vasculaire, pour l'examen de mon système respiratoire — c'est de là que vient mon histoire de battements de cœur et d'essoufflement. Mon supérieur m'y avait envoyé parce que j'avais pris beaucoup de poids et que j'avais des douleurs dans la poitrine. En fait, j'étais très mal en point. Mon épouse m'avait quitté pour un autre homme, une année et demie auparavant ; alors que d'autres se seraient mis à fréquenter les bars, moi, je me suis contenté de passer mes soirées à la maison à regarder la télévision et à manger.

« J'ai toujours aimé manger. Mon épouse et moi jouions très souvent au tennis et je pense que je brûlais ainsi mes calories du temps où nous étions ensemble ; mais quand elle fut partie, le tennis me déprima, comme tout le reste d'ailleurs. J'ai appris ce jour-là, dans le bureau de Nancy, que mon poids avait augmenté de trente kilos en dix-huit mois. Je ne m'étais jamais donné la peine de me peser, bien que j'aie dû plusieurs fois changer de taille de vêtements. Je m'en fichais complètement.

« Nancy se montra d'abord très professionnelle. Elle m'expliqua la gravité de mon augmentation de poids et les moyens que je devais prendre pour maigrir. Mais je me sentais vieux et je n'avais vraiment pas envie de changer.

« Je crois que je m'apitoyais sur mon sort. Même mon ex-épouse me grondait lorsqu'elle me voyait. « Tu ne dois pas te laisser aller comme cela ! » me disait-elle. J'espérais à moitié qu'elle reviendrait pour me sauver, mais elle n'est pas revenue.

« Nancy me demanda s'il y avait eu un événement qui aurait précipité mon gain de poids. Lorsque je lui parlai du divorce, elle abandonna un peu son air professionnel et me tapota la main avec sympathie. Je me souviens que son geste me causa une petite sensation, chose que je n'avais éprouvée pour personne depuis très longtemps. Elle me prescrivit une diète, me remit un tas de brochures et de diagrammes et me dit de revenir la voir toutes les deux semaines pour qu'elle vérifie comment j'allais. J'étais impatient de la revoir. Deux semaines se passèrent sans que j'aie suivi la diète ou perdu du poids ; par contre, j'avais gagné sa sympathie. Lors de ma deuxième visite à son bureau, nous avons parlé de la façon dont le divorce m'avait affecté. Elle m'écouta, puis me fit les mêmes recommandations que tout le monde : suivre des cours, m'inscrire à un studio de santé, faire des voyages en groupe, m'intéresser à de nouvelles choses. J'acquiesçai à tout, je ne fis rien et je patientai deux autres semaines pour la revoir. C'est à cette visite-là que je lui ai demandé si elle voulait sortir avec moi. Je savais que j'étais gros et que mon apparence laissait beaucoup à désirer ; je ne sais vraiment pas où j'ai pris le courage pour l'inviter, mais je l'ai fait et elle a accepté. Quand je suis allé la chercher, le samedi soir, elle avait apporté d'autres brochures et des coupures d'articles sur la diététique, le cœur, l'exercice et le chagrin. Je n'avais pas connu autant de sollicitude depuis longtemps.

« Nous avons commencé à sortir ensemble et nous n'avons pas tardé à nous lier sérieusement. Je croyais que Nancy allait faire disparaître mes problèmes. On ne peut pas dire qu'elle n'a pas essayé. J'ai même déménagé de mon appartement pour aller habiter avec elle. Elle se donnait beaucoup de mal pour me cuisiner des plats à basse teneur en cholestérol, et surveillait tout ce que je mangeais. Elle allait jusqu'à me préparer des goûters que j'apportais au bureau. Quoique je mangeais beaucoup plus sainement que lorsque je m'empif-frais pendant mes soirées solitaires devant mon téléviseur, je ne perdais pas de poids pour autant. Ma taille restait la même ; elle n'était ni plus épaisse ni plus mince. Ce qui est certain, c'est que Nancy faisait beaucoup plus d'efforts que moi pour que je perde du poids. Nous agissions un peu comme si l'amé-lioration de mon état de santé était son idée à elle, sa respon-sabilité.

« Je crois que mon métabolisme exige que je fasse des exercices énergiques si je veux brûler les calories efficace-ment, et je ne me dépensais pas assez. Nancy était golfeuse ; je jouais parfois un peu avec elle, mais je n'aime pas beaucoup ce sport.

« Cela faisait huit mois que nous étions ensemble lors-qu'un voyage d'affaires m'amena dans ma ville natale, Evans-ton. Deux jours après mon arrivée, j'ai rencontré par hasard deux anciens camarades de l'école secondaire. J'aurais préféré ne voir personne, à cause de mon apparence, mais il s'agissait de vieux copains et nous avions beaucoup de choses à nous dire. Ils furent surpris d'apprendre mon divorce. Mon épouse venait aussi de la même ville. De fil en aiguille, ils sont parve-nus à me convaincre de jouer une partie de tennis. Ils en jouaient tous les deux et se souvenaient que c'était mon sport préféré au temps de l'école secondaire. Je ne pensais pas pouvoir me rendre jusqu'au bout d'une partie et je le leur dis ; mais ils insistèrent.

« Cela me fit beaucoup de bien de jouer à nouveau, même si mes kilos en trop me ralentissaient et que je perdais chaque partie. Je leur promis de revenir l'an prochain pour les battre tous les deux.

« Quand je retrouvai Nancy, elle me dit qu'elle venait d'assister à un séminaire sensationnel sur la nutrition et qu'elle voulait que j'essaie toutes les nouveautés qu'elle y avait apprises. Je lui ai dit non, que j'allais me débrouiller à ma façon pendant quelque temps.

« Nous ne nous étions jamais querellés jusque-là. C'est vrai qu'elle était toujours après moi pour que je me soigne, mais à partir du moment où je me suis remis au tennis nous avons commencé à nous disputer. Je jouais le midi, de sorte que je n'écourtais aucunement le temps que nous passions ensemble ; mais nous avions changé, l'un et l'autre.

« Nancy est une fille attrayante, d'environ huit ans de moins que moi. À partir de l'instant où j'ai commencé à retrouver ma forme, je me suis persuadé que nous serions plus heureux que jamais ensemble, parce qu'elle serait fière de moi. Dieu sait que je me sentais tellement mieux. Mais cela ne s'est pas passé comme prévu. Elle se plaignit de ce que je n'étais plus du tout le même et m'a finalement demandé de déménager. À ce moment-là, je n'étais plus qu'à trois kilos de mon poids d'avant le divorce. J'eus beaucoup de mal à la quitter. J'avais espéré que nous nous maririons ensemble. Mais elle avait raison, lorsque je fus redevenu mince, les choses ne furent plus pareilles entre nous. »

L'attirance de Tyler envers Nancy

Tyler est un homme qui avait des besoins de dépendance assez prononcés, et la crise du divorce empira momentanément ces besoins. Sa détérioration presque délibéré en vue d'éveiller la pitié et la sollicitude de son épouse n'eut pas l'effet escompté, mais elle attira une femme qui aimait trop et qui faisait du bien-être d'une autre personne sa raison de vivre. L'impuissance et le chagrin de Tyler combinés à la sollicitude de Nancy constituèrent la base de leur attirance mutuelle.

Tyler souffrait encore du rejet de son épouse, ainsi que du chagrin de l'avoir perdue et de leur mariage brisé. Étant aux prises avec cette pénible situation commune à tous ceux qui traversent les affres d'une séparation, ce n'est pas tant la personnalité de Nancy qui l'attira, mais plutôt son rôle d'infirmière et de guérisseuse, ainsi que le sursis à la douleur, qu'elle semblait lui offrir.

Tout comme il s'était servi de grandes quantités de nourriture pour combler son vide et calmer son chagrin, il se servait maintenant de la sollicitude de Nancy pour retrouver un sentiment de sécurité affective et soigner l'estime qu'il avait de lui-même, qui était en baisse. Mais son besoin du dévouement de Nancy était temporaire ; ce n'était qu'une étape dans son processus de guérison. Avec le passage magique du temps, une salutaire affirmation de lui-même remplaça son repli et son apitoiement sur sa personne, et cette très grande sollicitude de Nancy, qui l'avait réconforté un certain temps, s'avéra par la suite excessive. Contrairement à la dépendance exagérée et temporaire de Tyler, son besoin à elle d'être indispensable n'était pas un état passager ; c'était plutôt un trait fondamental de sa personnalité et à peu près son unique mode d'interaction avec une autre personne. Elle était « infirmière » à la fois au travail et à la maison. Et si Tyler restait toujours un partenaire dépendant, même après s'être remis du choc du divorce, son besoin de sollicitude ne se comparerait jamais à l'intensité du besoin que ressentait Nancy de manipuler et de contrôler la vie de quelqu'un d'autre. La santé de Tyler à laquelle elle s'était consacrée sans relâche devint le coup de grâce qui mit fin à leur relation.

BART : trente-six ans ; ancien administrateur ; alcoolique depuis l'âge de quatorze ans ; abstinent depuis deux ans

« Cela faisait une année que j'étais divorcé et que je courais les bars pour célibataires, au moment où j'ai rencontré Rita. C'était une fille avec de longues jambes, des yeux foncés et un genre hippie. Au début, nous nous droguions souvent ensemble. J'avais encore beaucoup d'argent et nous nous sommes bien amusés pendant un certain temps. Mais vous savez, Rita n'était pas vraiment une hippie. Elle était raisonnable et ne se laissait pas facilement aller à des excès. Elle fumait un peu de drogue avec moi, mais son éducation bostonnienne ne l'abandonnait jamais tout à fait. Même son appartement était toujours bien tenu. Avec elle, je me sentais en sécurité comme si elle n'allait jamais permettre que je tombe trop bas.

« Lors de notre première sortie, nous avons pris un souper du tonnerre, puis nous sommes allés à son appartement. Je m'étais enivré au point que je perdis conscience. Lorsque je revins à moi, j'étais couché sur son divan, recouvert d'une jolie courtepointe duveteuse ; ma tête était appuyée sur un coussin parfumé. J'avais l'impression d'être arrivé à bon port, sain et sauf — Rita savait comment prendre soin des alcooliques ; son père, un banquier, était mort de cette maladie. Quelques semaines plus tard, je vins habiter chez elle et je continuai de mener grand train pendant quelques années, tant que cela dura et jusqu'à ce que je perdis tout.

« Rita cessa de se droguer environ six mois après que nous nous soyons mis ensemble. J'imagine qu'elle avait compris qu'elle devait garder le contrôle de la situation étant donné que je l'avais entièrement perdu. Puis nous nous sommes mariés. Je fus alors pris de panique : je me retrouvais devant une nouvelle responsabilité — moi qui n'étais pas très responsable de nature — sans oublier qu'à cette époque-là mes affaires commençaient à péricliter sérieusement et mes finances allaient de mal en pis. Je n'étais plus capable de « fonctionner » dans l'état où j'étais, car je buvais à longueur de jour. Rita ne se rendait pas compte à quel point la situation était critique. Lorsque je lui disais que je me rendais à une réunion d'affaires, le matin, je conduisais en réalité ma Mercedes jusqu'à la plage et je restais là à boire. Quand mes affaires eurent atteint le point de non-retour et que je dus de l'argent à tout le monde, je n'ai plus su quoi faire.

« Je partis pour un long voyage dans l'intention de me tuer avec ma voiture et de faire croire à un accident. Mais Rita vint à ma recherche. Elle me retrouva dans un motel miteux et me ramena à la maison. Nous n'avions plus d'argent ; toutefois, elle réussit à me faire entrer dans une clinique de traitement contre l'alcoolisme. C'est drôle à dire, mais je n'éprouvais aucune reconnaissance. Pendant ma première année de sobriété, j'étais confus, effrayé et très en colère — et sans la moindre appétence sexuelle pour Rita. Je ne sais pas encore si nous allons nous sortir de cette impasse, mais cela s'améliore très graduellement avec le temps. »

L'attirance de Bart envers Rita

Lorsque à leur premier rendez-vous Bart s'enivra jusqu'à en perdre connaissance, Rita fit en sorte qu'il ne souffre pas ; elle semblait pouvoir lui assurer un répit dans sa course déjà bien amorcée vers son autodestruction. Il parut, pendant un certain temps, qu'elle serait capable de le protéger des ravages de sa dépendance, de le sauver subtilement et en douceur. Cette attitude protectrice ne fit que prolonger le temps où son partenaire put s'adonner à sa dépendance sans en ressentir les conséquences ; en le protégeant et en le réconfortant, elle lui permit de rester malade plus longtemps. Un intoxiqué qui s'adonne à son vice ne veut pas de quelqu'un qui l'aide à guérir ; il veut avoir quelqu'un avec qui il peut être malade en toute quiétude. Rita s'avéra parfaite dans ce rôle jusqu'au moment où Bart devint si malade qu'elle ne fut plus capable de « réparer les dégâts ».

À partir du moment où elle l'a retrouvé et fait entrer dans une clinique pour alcooliques, Bart commença à se déshabituer de l'alcool et à guérir. Mais Rita s'était interposée entre lui et sa drogue. Elle ne remplissait plus son rôle habituel qui consistait à le réconforter et à aplanir les difficultés qu'il rencontrait ; il lui en voulut donc pour cette trahison apparente et aussi parce qu'elle avait semblé si forte dans un moment où il était faible et impuissant.

Peu importe que nous menions notre barque de façon lamentable, chacun de nous a besoin de se sentir responsable de sa propre existence. Lorsque quelqu'un nous vient en aide, nous éprouvons souvent du ressentiment à cause de l'influence et de la supériorité que cette personne a sur nous. De plus, l'homme a besoin de se sentir plus fort que sa partenaire pour être attiré sexuellement vers elle. Dans ce cas-ci, l'aide que Rita prodigua à Bart, en le faisant admettre dans un hôpital, n'a servi qu'à lui prouver qu'il était très malade, et la sollicitude de Rita, pourtant si touchante, devint la raison qui compromit son attirance sexuelle envers elle, du moins pendant un certain temps.

En dehors de cet aspect émotif, il peut aussi y avoir un facteur physiologique important qui doit être pris en considération. Lorsqu'un homme a abusé d'alcool et d'autres drogues de la façon que le fit Bart, et qu'il cesse ensuite, il lui faut compter un an ou plus pour que, en l'absence de drogue dans son système, son métabolisme s'ajuste et qu'il soit capable d'avoir des relations sexuelles normalement. Pendant cette période d'ajustement physique, le couple peut éprouver beaucoup de difficultés à comprendre et à accepter un manque d'intérêt ou une incapacité quant à l'interaction sexuelle.

Le contraire peut aussi se produire. Un appétit sexuel inhabituel peut se manifester chez le toxicomane qui est sobre depuis peu. Cela peut être dû à un déséquilibre hormonal ; mais il peut aussi y avoir une raison psychologique. Ainsi que l'a dit ce jeune homme, abstinent d'alcool et d'autres drogues depuis quelques semaines : « Le sexe est le seul moyen que j'ai pour m'enivrer. » Le sexe peut donc remplacer le recours à la drogue pour atténuer l'anxiété qui accompagne la sobriété à ses débuts.

La guérison de la dépendance et de la codépendance est un cheminement extrêmement complexe et délicat pour un couple. Il est possible que Bart et Rita survivent à cette transition, même si à l'origine c'est l'alcoolisme de l'un et le coalcoolisme de l'autre qui les ont réunis. Cependant, pour que leur relation de couple soit viable en l'absence de dépendance active, ils doivent emprunter des chemins différents pendant quelque temps, en se consacrant chacun à sa propre guérison. Chacun doit descendre en lui-même (en elle-même) et accepter ce « moi » qu'il (ou qu'elle) a tant cherché à éviter en aimant l'autre, en dansant avec l'autre.

GREG : trente-huit ans ; sans condamnation et sobre depuis quatorze ans avec les Narcotiques Anonymes ; présentement marié, avec deux enfants et travaillant comme conseiller avec des jeunes drogués

« J'ai fait la connaissance d'Alana dans le parc. Elle lisait un journal clandestin et j'étais « entre deux eaux ». C'était un samedi d'été, vers midi. Il faisait très chaud et le calme régnait.

« J'avais vingt-deux ans et j'avais abandonné le collège dès la première année. Mais je racontais que j'allais me remettre aux études, pour que mes parents continuent de m'envoyer de l'argent. Ils ne pouvaient pas renoncer à leur rêve de me voir terminer mes études et entrer dans une profession ; voilà pourquoi ils m'ont entretenu pendant long-temps.

« Alana était très grosse ; elle avait vingt ou vingt-cinq kilos en trop, de sorte qu'elle ne représentait pas un danger pour moi. Comme elle n'était pas parfaite, je ne serais pas déçu si elle me rejetait. J'ai entamé la conversation à propos de ce qu'elle lisait et tout se passa facilement dès le début. Elle riait beaucoup et j'eus l'agréable sensation d'être un type charmant et intéressant. Elle me parla de l'Alabama, du Mississipi, de la marche avec Martin Luther King et m'expliqua en quoi consistait le travail avec tous ces gens qui essayaient de changer des situations.

« Je ne m'étais jamais intéressé à rien sinon qu'à avoir du bon temps. Faire la fête et voir venir, telle était ma devise, et je réussissais mieux à faire la fête qu'à voir venir. Alana était du genre engagé. Elle dit qu'elle était contente d'être de retour en Californie, mais que parfois elle se sentait coupable de jouir ainsi de la vie alors qu'il y avait d'autres gens dans ce pays qui souffraient.

« Nous sommes restés assis ensemble deux ou trois heures, ce jour-là, dans la nonchalance du parc, à nous expliquer qui nous étions l'un et l'autre. Ensuite nous sommes allés à la maison où j'habitais pour prendre une dose ; mais comme elle avait faim, en arrivant elle s'est mise à manger, puis elle a nettoyé la cuisine pendant que je me droguais dans le salon. Il y avait de la musique dans la pièce où j'étais. Je vois encore Alana arriver avec son bocal de beurre d'arachide, ses biscuits salés et un couteau, et s'installer tout près de moi. Nous nous sommes alors mis à rire à en perdre haleine. Je pense qu'à ce moment précis nous nous sommes montrés nos vrais visages d'intoxiqués, avec une spontanéité que nous n'avons plus jamais connue par la suite. Pas d'excuses, seulement deux comportements. Et nous faisions chacun exactement ce qui nous plaisait, sans compter que chacun de nous s'était trouvé quelqu'un qui ne lui ferait pas de sermon. Sans même échanger une parole, nous savions déjà que nous allions nous entendre très bien tous les deux.

« Nous avons connu beaucoup d'autres bons moments ensemble après cela, mais je crois que nous n'en avons plus jamais eu où tout était si facile, où nous ne mettions aucune défense entre nous. Les drogués sont toujours sur la défensive.

« Je me souviens que nous nous disputions beaucoup sur la question de savoir si je pouvais faire l'amour avec elle sans m'être drogué d'abord. Elle était persuadée d'avoir une apparence répugnante parce qu'elle était grosse. Elle croyait que je devais me droguer avant de faire l'amour pour surmonter mon dégoût d'elle. En réalité, je devais me droguer pour être capable de faire l'amour avec qui que ce soit. Nous avions tous deux une très médiocre opinion de nous-mêmes. Encore que je pouvais facilement me cacher derrière ma dépendance, parce que son poids indiquait, de façon non équivoque, qu'elle avait un problème. Mon absence de motivation et le fait que mon existence menait nulle part étaient moins évidents que ces vingt-cinq kilos en trop qu'elle véhiculait. Et nous en étions rendus à nous disputer pour savoir si je pouvais vraiment l'aimer malgré son embonpoint. Elle arrivait à me faire dire que c'était ce qui était à l'intérieur d'elle qui comptait, et non son apparence, et nous avions alors la paix pour un temps.

« Elle disait qu'elle mangeait parce qu'elle était malheureuse. Je disais que je prenais de la drogue parce que je ne pouvais pas la rendre heureuse. C'était une façon vraiment morbide d'accorder parfaitement nos besoins respectifs. Nous avions chacun une excuse pour nous justifier.

« La plupart du temps, cependant, nous faisions comme si de rien n'était. Après tout, il y a beaucoup de gens obèses et beaucoup de gens qui se droguent. Alors nous n'y pensions plus du tout.

« Puis j'ai été arrêté pour possession de stupéfiants dangereux. Je fus emprisonné pendant dix jours, après quoi mes parents réussirent, grâce aux soins d'un très bon avocat, à obtenir que je sois confié à un conseiller au lieu de finir mon temps derrière les barreaux. Alana déménagea pendant que j'étais en prison. J'étais très fâché. Je pensais qu'elle m'avait abandonné. En réalité, à cette époque-là, nous nous disputions de plus en plus. Quand j'y repense, je me rends compte que je devenais très difficile à vivre.

« La paranoïa qui se développe chez les personnes qui se droguent depuis un certain temps avait commencé à m'affecter. De plus, je passais presque tout mon temps à être défoncé ou à avoir envie de l'être. Alana pensait que c'était sa faute et que si elle avait été différente j'aurais eu davantage envie d'être avec elle au lieu d'être givré tout le temps. Elle croyait que je l'évitais. C'était moi surtout que j'évitais !

« De toute façon, elle disparut pendant une dizaine de mois, pour participer à une marche, je crois. Le conseiller qui s'occupait de moi insista pour que j'aille aux réunions des Narcotiques Anonymes. J'avais le choix entre ces réunions et la prison ; j'ai préféré les réunions. J'y vis des gens que j'avais déjà rencontrés ici et là et je commençai à me rendre compte, après un certain temps, que j'avais peut-être bien un problème de drogue. Ces gens faisaient des progrès pendant que je continuais de me droguer tous les jours. J'ai alors cessé de fanfaronner pendant les réunions et j'ai demandé à un type qui m'avait impressionné s'il voulait m'aider. Il devint mon parrain chez les Narcotiques Anonymes. Il était convenu que je lui parlerais deux fois par jour, matin et soir. Cela signifiait un changement radical dans mes habitudes — amis, sorties, tout — mais j'y suis arrivé. Les conseils que je reçus me furent également très utiles ; en effet, mon conseiller savait d'avance à quoi je serais exposé et il m'avertissait. Cela a réussi, en tout cas, et je parvins à me passer de drogues et d'alcool.

« Quand Alana est revenue, cela faisait quatre mois que j'étais abstinent, grâce aux Narcotiques Anonymes. Ce fut comme avant son départ, entre nous. Nous avions l'habitude de jouer ce jeu que mon conseiller appelait « complicité ». C'était la façon dont nous nous servions l'un de l'autre pour nous sentir bien ou mal dans notre peau et, bien entendu, pour nous adonner à notre dépendance respective. Je savais que je me droguerais si je me laissais aller à ce comportement avec elle. Nous ne sommes plus même amis à l'heure qu'il est. Cela ne pouvait marcher entre nous que si nous étions malades ensemble. »

L'attirance de Greg envers Alana

Il s'établit, dès le début, un lien très fort entre Alana et Greg. Ils étaient tous deux esclaves d'une accoutumance qui dominait leur existence, et à partir du premier jour de leur rencontre chacun dirigea son attention vers la dépendance de l'autre afin de diminuer, par comparaison, l'importance et la force de la sienne. Puis tout au long de leur relation ils se sont donnés, de manière imperceptible et parfois moins subtile, la permission de rester malades, même si l'un critiquait parfois la condition de l'autre, ou vice versa. Cette attitude est tout à fait courante parmi les couples d'intoxiqués : les deux partenaires s'adonnent à une substance identique ou différente, selon le cas ; ils se servent du comportement et des difficultés de l'autre pour éviter de devoir faire face à la gravité de leur propre détérioration — et plus la détérioration est avancée plus ils ont besoin de leur partenaire pour oublier, pour se rendre encore plus malades, plus obsédés et pour perdre encore davantage le contrôle d'eux-mêmes.

Dans cette dynamique, Greg a perçu Alana comme une personne compatissante et disposée à souffrir pour toute cause en laquelle elle croyait. Cela constitue toujours une force d'attraction chez quelqu'un en état de dépendance, parce qu'une disposition à la souffrance est une condition indispensable à toute relation avec une personne intoxiquée ; c'est la garantie que le ou la drogué(e) ne sera pas abandonné(e) lorsque les choses finiront inévitablement par tourner mal. Malgré les longs mois de disputes incessantes, Alana ne put trouver la force d'abandonner Greg, même temporairement, que lorsque celui-ci partit purger sa peine en prison. Comme il fallait s'y attendre, elle revint, prête à reprendre là où ils avaient arrêté, comme deux toxicomanes invétérés.

Greg et Alana savaient seulement être malades ensemble. Étant encore affligée par son incontrôlable compulsion à manger, Alana ne pouvait se sentir en forme que si Greg était continuellement drogué, de même que Greg ne pouvait justifier sa consommation de drogues qu'en la comparant aux extravagances alimentaires et à l'incroyable excès de poids d'Alana. La guérison de Greg contrastait trop avec la dépendance persistante d'Alana pour qu'ils puissent encore se sentir bien ensemble. Pour que cela eut été possible, il lui aurait fallu pouvoir saboter l'abstinence de Greg afin de revenir au statu quo.

ÉRIK : quarante-deux ans ; divorcé et remarié

« Cela faisait un an et demi que j'étais divorcé, lorsque j'ai rencontré Suzanne. Un professeur du collège où je suis instructeur de football avait insisté pour que je sois de la fête à l'occasion de son installation dans son nouvel appartement ; je m'y étais rendu. J'étais seul dans la chambre à coucher principale en train de regarder la finale entre les *Rams* et les *Forty-Niners* pendant que tout le monde s'amusait dans le salon.

« Suzanne est entrée dans la chambre pour y déposer son manteau ; nous nous sommes dit bonjour. Elle est sortie aussitôt, mais elle est revenue une demi-heure plus tard pour voir si j'étais encore là. Elle m'a un peu taquiné parce que je m'isolais ainsi avec la télévision, loin de tout le monde, puis nous avons bavardé quelques instants durant la pause publicitaire. Elle est sortie à nouveau et est revenue avec une assiette pleine de bonnes choses qu'elle était allée cueillir au buffet, dans le salon. C'est alors que je l'ai regardée plus attentivement et que je me suis aperçu qu'elle était jolie. Quand le match fut terminé, je rejoignis les autres invités, mais elle avait disparu. J'appris qu'elle enseignait à temps partiel au département des études anglaises. Le lundi midi, je me suis arrêté à son bureau et je lui ai dit que c'était à mon tour de l'inviter à manger.

« Elle dit : « Pourquoi pas, du moment où nous allons dans un endroit où il n'y a pas de télévision. » Et nous avons ri tous les deux. Il n'y avait pourtant pas de quoi plaisanter. Je n'exagère pas en disant qu'au moment où j'ai fait la connaissance de Suzanne les sports étaient toute ma vie. Voilà ce qui se passe avec les sports. On peut très bien s'y consacrer entièrement, au point de ne plus avoir de temps pour faire quoi que ce soit d'autre. Je courais chaque jour. Je me préparais en vue de marathons, j'entraînais mon équipe et je l'accompagnais lorsqu'elle jouait à l'extérieur, je suivais les sports à la télévision et je me tenais en forme.

« Mais en même temps je me sentais seul, et Suzanne était très attirante. Dès le début, elle s'occupa beaucoup de moi lorsque j'en avais envie, mais ne m'empêcha jamais de faire ce que je voulais ou devais faire. Elle avait un fils, Tim, qui avait six ans et que j'aimais bien aussi. Son ex-mari vivait dans un autre État et voyait rarement son fils, ce qui a facilité notre relation d'amitié. Je voyais bien que Tim avait besoin de la présence d'un homme.

« Je me suis marié avec Suzanne une année après notre première rencontre, mais les choses ont vite commencé à se gâter entre nous. Elle se plaignait que je ne m'occupais ni d'elle ni de Tim, que j'étais toujours parti et que lorsque j'étais à la maison je passais tout mon temps à regarder les sports à la télévision. Quant à moi, je me plaignais de ce qu'elle me harcelait continuellement alors qu'elle savait très bien comment j'étais au moment où nous nous sommes connus. Si cela ne lui plaisait pas, que faisait-elle alors ici ? J'étais très souvent en colère après Suzanne, mais jamais après Tim, et je devinais que nos disputes répétées le rendaient malheureux. Bien que je n'aie jamais alors voulu l'admettre, Suzanne avait raison. Je les évitais, elle et Tim. Les sports me procuraient de quoi m'occuper, parler et penser ; ils représentaient pour moi quelque chose de sécurisant et d'agréable. J'ai grandi dans une famille où les sports étaient le seul sujet qu'on pût aborder avec mon père, la seule manière de l'intéresser. C'était à peu près tout ce que je savais d'être un homme.

« Suzanne et moi étions à la veille de nous séparer tant nous nous disputions. Plus elle me houspillait, plus je m'absorbais dans mon entraînement, dans les matchs ou dans d'autres choses. Puis, un dimanche après-midi où je regardais les *Dolphins* de Miami disputer la finale aux *Raiders* d'Oakland, le téléphone sonna. Suzanne et Tim étaient sortis et je me souviens que cela m'avait irrité d'être dérangé dans mon programme et de devoir me lever pour répondre. C'était mon frère qui appelait pour m'annoncer que mon père avait eu une crise cardiaque et qu'il était décédé.

« Je suis allé à l'enterrement sans Suzanne. Comme nous nous querellions continuellement, j'ai préféré m'y rendre seul. J'ai bien fait ; ce voyage a changé toute ma vie. Voilà que je me retrouvais là, aux funérailles de mon père, n'ayant jamais été capable de communiquer avec lui, et à la veille de mon deuxième divorce parce que j'étais également incapable d'interaction avec mon épouse. J'avais l'impression d'être en train de perdre tant de choses et je ne parvenais pas à m'expliquer pourquoi cela m'arrivait, à moi. Après tout, j'étais un chic type, je travaillais fort et je ne faisais jamais de tort à personne. J'étais découragé et je me sentais très seul.

« Je revins du cimetière en voiture, avec mon plus jeune frère. Il n'arrêtait pas de pleurer. Il répétait sans cesse qu'il était désormais trop tard pour qu'il se rapproche de notre père. Ensuite, de retour à la maison, ça se passa comme ça se passe toujours après un enterrement ; les gens qui étaient là parlaient du défunt, rappelant des choses amusantes à propos de papa et des sports, combien il les aimait, comment il était toujours en train de les regarder. Mon beau-frère dit en blaguant : « Vous savez, c'est la première fois que je suis dans cette maison sans qu'il soit assis devant son téléviseur en train de regarder un match. » J'ai regardé mon frère et j'ai vu qu'il s'était remis à pleurer, non pas de chagrin mais d'amertume. J'ai tout d'un coup compris ce que mon père avait fait toute sa vie et ce que je faisais moi-même. J'étais comme lui, je ne laissais personne m'approcher, me connaître, me parler ; j'utilisais la télévision comme armure.

« Je sortis avec mon frère pour faire un tour en voiture, du côté du lac. Nous sommes restés là un bon moment. Et pendant que je l'écoutais me raconter qu'il avait longtemps attendu que papa se soucie de lui, je pris pour la première fois conscience de moi-même et me rendis compte à quel point j'étais arrivé à ressembler à mon père. Je songeai à mon beau-fils, Tim, qui attendait toujours, avec son regard de petit chien battu, que je lui consacre un peu de temps et d'attention, et comment j'ai toujours été trop occupé pour lui et pour sa mère.

« Dans l'avion du retour, j'ai pensé à ce que je voudrais que les gens disent de moi quand je mourrai et je compris alors ce qui me restait à faire.

« Une fois revenu à la maison, j'eus un entretien avec Suzanne et je vidai mon sac, pour la première fois de ma vie peut-être. Nous avons pleuré tous les deux, puis Tim vint nous rejoindre et se mit, lui aussi, à pleurer.

« Puis tout alla très bien pendant un certain temps. Nous faisions toutes sortes de choses ensemble. Nous allions les trois à bicyclette et faisions des pique-niques. Nous sortions et nous recevions des amis. J'eus du mal, cependant, à calmer ma passion pour les sports et je m'en abstins même complètement pendant un moment, le temps de faire le point. Je tenais à me rapprocher le plus possible des miens, car je ne voulais pas mourir en laissant derrière moi le genre de souvenir que mon père avait laissé.

« Mais les changements s'avérèrent plus difficiles pour Suzanne que pour moi. Lorsque deux mois se furent écoulés, elle m'annonça qu'elle allait travailler à temps partiel les weekends. J'étais atterré. Ce temps-là, nous nous le réservions. Les rôles étaient désormais renversés : c'était elle qui me fuyait ! Nous décidâmes d'un commun accord de chercher de l'aide.

« Pendant la thérapie, Suzanne reconnut que ma présence constante auprès d'elle l'avait exaspérée, qu'elle avait l'impression de ne pas savoir comment s'y prendre, comment composer avec ma présence. Nous avons discuté du fait qu'il est difficile de supporter la présence d'une autre personne. Elle qui me harcelait quand j'avais mon obsession pour les sports était maintenant mal à l'aise si je m'occupais d'elle. Elle ne s'y habituait pas. Il se trouve que dans sa famille la situation avait été pire que chez moi, en ce qui a trait à la sollicitude et à l'affection. Parce qu'il était capitaine de bateau, son père était toujours absent, et sa mère s'accommodait très bien de cette situation. Suzanne avait grandi en se sentant délaissée et en éprouvant le besoin constant d'une présence intime ; elle n'avait donc jamais appris à vivre un tel rapprochement, pas plus que moi d'ailleurs.

« Nous avons continué la thérapie pendant un certain temps et, sur le conseil du thérapeute, nous nous sommes joints à la *Stepfamily Association**. Au fur et à mesure que Tim et moi nous rapprochions l'un de l'autre, Suzanne avait du mal à accepter que je le discipline. Elle avait l'impression d'être écartée et de perdre son contrôle sur lui. Mais je savais qu'il me fallait imposer certaines règles à moi pour que Tim et moi ayons une relation viable.

J'ai trouvé une aide extrêmement précieuse à la *Stepfamily Association*. Il y avait des réunions de groupe pour des familles comme la nôtre. J'appris beaucoup en écoutant d'autres hommes qui étaient aux prises avec leurs sentiments. Cela m'encouragea à discuter des miens avec Suzanne.

« Nous poursuivons notre dialogue et nous sommes encore ensemble, nous efforçant de rester unis et confiants

---

* *Stepfamily Association* est un groupe de soutien pour belles-familles issues de remariages. (*N.d.T.*)

l'un dans l'autre. Nous n'y réussissons pas aussi bien que nous le voudrions, mais nous persistons. C'est un genre de sport tout à fait nouveau pour nous. »

L'attirance d'Érik envers Suzanne

Érik, qui se sentait seul dans l'isolement qu'il s'imposait, aspirait à ce que quelqu'un l'aime et se soucie de lui, sans pour autant courir le risque d'une présence intime. Lorsque Suzanne se présenta à lui la première fois et qu'elle laissa sous-entendre qu'elle ne toucherait pas à son système de défense principal, c'est-à-dire son obsession pour les sports, il se demanda s'il n'avait pas trouvé la femme idéale pour lui — une femme qui s'occuperait de lui sans l'envahir. Bien qu'elle se plaignît subtilement de son inattention, en demandant que leur premier rendez-vous ait lieu loin d'un appareil de télévision, il continua, et avec raison, de penser qu'elle était très capable de supporter d'être tenue à distance.

En fait, le manque évident d'aptitude à se bien comporter en société et l'incapacité d'interagir effectivement d'Érik étaient pour Suzanne des éléments d'attirance. Sa gaucherie la toucha et la rassura en même temps sur son incapacité à se rapprocher d'autres gens, notamment d'autres femmes, et cela lui importait beaucoup. Suzanne avait, comme bien des femmes qui aiment trop, la hantise de l'abandon. Elle aimait mieux avoir quelqu'un qui ne répondait pas entièrement à ses exigences plutôt que quelqu'un de plus aimant et de plus aimable qui pourrait l'abandonner au profit de quelqu'un d'autre.

De plus, l'isolation sociale d'Érik procurait à Suzanne une nouvelle tâche qui consistait à combler le vide entre lui et les autres gens. Elle se faisait l'interprète d'Érik et de ses idio-syncrasies, en expliquant au reste du monde que son éloi-gnement des contacts sociaux était attribuable à la gêne et non à l'indifférence. En d'autres mots, elle lui était « indis-pensable ».

« Par ailleurs, Suzanne se mettait dans une situation qui allait lui faire revivre et endurer les pires aspects de ses années d'enfance — la solitude, l'anticipation d'amour et d'attention, la profonde déception et finalement le désespoir frustré. En voulant forcer Érik à changer, Suzanne ne fit que justifier les appréhensions de ce dernier au sujet des relations humaines et le poussa à se retrancher encore plus.

Mais Érik changea considérablement à la suite d'événements qui marquèrent profondément sa vie. Il prit la résolution d'affronter son dragon, sa peur du contact personnel, afin d'éviter de devenir une autre version de son père distant et inaccessible. En s'identifiant étroitement avec le petit Tim et sa solitude, il trouva une des principales raisons de son désir de changer. Cependant, sa transformation entraîna des changements chez les autres membres de sa famille. D'abord ignorée et évitée, Suzanne se retrouva poursuivie par les assiduités d'Érik et obligée, par le fait même, de faire face à un malaise d'inadaptation devant cette sollicitude affectueuse qu'elle avait tant désirée. Il aurait été plus facile pour elle et pour Érik d'en rester là, avec les rôles renversés — la « poursuiveuse » poursuivie et « l'éviteur » évité. Ils auraient pu tout simplement changer de rôles, garder leurs distances et conserver le même niveau de bien-être. Mais, aidés par la thérapie et encouragés par un groupe compréhensif et empathique, ils ont eu tous deux le cran d'aller plus loin, puis d'oser risquer de se rapprocher l'un de l'autre, en tant que couple, et avec Tim, en tant que famille.

On n'insistera jamais assez sur l'importance que revêtent pour nous toutes les rencontres initiales. En tant que thérapeute, l'impression que je reçois d'une personne à sa première consultation me fournit des indications parmi les plus importantes que je recueillerai jamais à son sujet. À travers ce qui est dit et ce qui n'est pas dit et par tout ce que révèle l'apparence physique d'une personne — pose, mise, expression faciale, manières, gestes, ton de voix, contact visuel ou absence de contact visuel, attitude et style — je reçois des indications en abondance sur la façon dont cette personne se comporte face à la vie, surtout lorsqu'elle est en proie au stress. Tout cela contribue à créer une impression forte, évidemment subjective, qui me donne une intuition de ce en quoi consistera le travail avec cette personne dans le cadre de la relation thérapeutique.

Si je m'efforce, en tant que thérapeute, d'évaluer très « consciemment » le comportement d'une nouvelle cliente, une opération identique, quoique moins délibérément consciente, a lieu lorsqu'il y a rencontre entre deux êtres, quels qu'ils soient. Chacun essaie de trouver réponse à certaines questions au sujet de l'autre, et ce à partir d'une multitude de renseignements qui sont automatiquement diffusés pendant les premiers instants de la rencontre. Ces questions muettes sont généralement simples : Est-ce que j'ai quelque chose à gagner dans une relation amicale avec toi ? As-tu quelque chose en commun avec moi ? Es-tu une personne plaisante à fréquenter ?

Mais il y a souvent d'autres questions qui surgissent, selon l'identité et les intentions des deux êtres. Chez chacune des femmes qui aiment trop, les questions évidentes, rationnelles et pratiques en dissimulent d'autres qui sont plus essentielles, voire vitales, et qui requièrent une réponse.

La femme qui aime trop demande en secret : « As-tu besoin de moi ? »

« Veux-tu t'occuper de moi et résoudre mes problèmes ? » est la requête silencieuse que dissimulent les mots prononcés par l'homme qui choisira éventuellement cette femme comme partenaire.

Chapitre VII

LA BELLE ET LA BÊTE

> *« Il y a bien des hommes »*, dit la Belle,
> *« qui sont plus monstres que vous,*
> *et je vous préfère malgré*
> *votre apparence... »*
> — *La Belle et la bête**

Dans les récits des deux chapitres précédents, les femmes ont exprimé le besoin de se rendre utiles, d'aider les hommes avec qui elles s'étaient liées. En fait, l'occasion d'aider ces hommes était l'ingrédient principal dans l'attirance qu'elles éprouvaient envers eux. De leur côté, les hommes ont indiqué leur désir de trouver quelqu'un qui ait été en mesure de les aider, qui ait pu contrôler leur comportement, les sécuriser ou les « sauver » — la « dame en blanc », comme l'appelait un de mes clients.

Ce thème de la femme rachetant l'homme par son amour désintéressé, parfait et tolérant n'est pas vraiment une notion moderne. Les contes, qui renferment les préceptes les plus importants créés et perpétués par la culture, ont proposé diverses versions de ce drame au cours des siècles. Dans *La Belle et la bête*, une très belle et innocente jeune fille rencontre un monstre répugnant et effrayant. Elle accepte de vivre avec lui afin d'épargner sa famille du courroux de la bête. En apprenant à mieux le connaître, elle surmonte son aversion naturelle et finit par l'aimer, malgré sa forme animale. C'est évidemment à ce moment-là qu'un miracle se produit et que le monstre retrouve sa forme non seulement d'humain mais de prince, qu'un sortilège lui avait fait perdre. Redevenu

---

* Dans sa version originale, cette œuvre s'intitule *Beauty and the Beast*. (*N.d.T.*)

prince, il deviendra aussi, pour elle, un partenaire reconnaissant et idéal. C'est ainsi que pour l'avoir aimé et accepté elle sera récompensée mille fois ; elle sera élevée au rang de princesse et partagera avec son prince une vie de félicité.

La Belle et la bête, comme tous les contes qui ont survécu après avoir été contés et recontés pendant des siècles, n'est pas qu'un récit passionnant ; il renferme des notions profondes de spiritualité. Les préceptes spirituels sont très difficiles à saisir et encore plus difficiles à mettre en pratique, parce que souvent ils vont à l'encontre de nos valeurs contemporaines. En conséquence, on a tendance à interpréter le conte de façon à renforcer l'influence culturelle. Ce faisant, on a tôt fait d'en perdre le sens profond. Nous examinerons plus loin l'enseignement profondément spirituel que nous pouvons tirer de *La Belle et la bête*. Mais nous nous devons d'examiner d'abord l'influence culturelle que ce conte semble souligner, à savoir qu'une femme peut transformer un homme si elle l'aime suffisamment.

Cette conviction, si forte, si persuasive, est profondément ancrée dans notre psyché individuelle et collective. Nous retrouvons partout et de manière implicite, dans nos paroles et notre comportement de tous les jours, la conviction culturelle que nous pouvons transformer positivement quelqu'un grâce à la force de notre amour ; et, en tant que femmes, nous estimons qu'il est de notre devoir de le faire. Lorsque les actions ou les sentiments de quelqu'un que nous aimons ne vont pas dans le sens que nous désirons, nous essayons de trouver des moyens de changer le comportement ou l'humeur de cette personne, généralement avec la bénédiction d'autres gens qui nous conseillent et nous encouragent (« As-tu essayé... ? »). Les suggestions ont beau être aussi contradictoires que nombreuses, rares sont ceux parmi nos amis et notre parenté qui résistent à l'envie d'en faire. Même les médias se lancent dans la course, non seulement en reflétant cette profession de foi, mais en utilisant leur influence pour la renforcer et la perpétuer, tout en prenant soin d'en confier la responsabilité aux femmes. Par exemple, les magazines féminins, de même que certains périodiques d'intérêt général, ne semblent jamais à court d'articles dans le genre « comment aider votre homme à devenir... », alors que des articles du genre « comment aider votre femme à devenir... » sont virtuellement absents des magazines pour hommes.

Et nous, les femmes, achetons ces magazines et essayons de suivre leurs conseils, espérant ainsi aider l'homme de notre vie à devenir conforme à nos désirs et à nos besoins.

Qu'est-ce qui nous pousse tant à vouloir faire d'un homme qui est malheureux ou malsain ou pire encore notre partenaire idéal ? Comment se fait-il que ce concept soit pour nous si attrayant, si durable ?

Pour certains, la réponse est évidente : c'est un concept d'éthique judéo-chrétienne qui commande d'aider ceux qui sont plus malheureux que nous. On nous enseigne qu'il est de notre devoir d'assister avec compassion et générosité quelqu'un qui a des ennuis. Non pas de juger, mais d'aider ; nous nous en faisons une obligation morale.

Malheureusement, ces motifs vertueux sont loin d'expliquer le comportement de millions de femmes qui prennent pour partenaires des hommes cruels, indifférents, abusifs, affectivement inaccessibles, dépendants ou autrement incapables d'amour et de sollicitude. Ces femmes qui aiment trop font ces choix à partir d'un besoin impulsif de contrôler les personnes qui leur sont le plus proches. L'origine de ce besoin de contrôler remonte à une enfance qui a connu beaucoup d'émotions bouleversantes : peur, colère, tension insupportable, culpabilité, honte, pitié pour les autres et pour soi. Une enfant qui grandit dans un tel environnement serait affectée par ces émotions au point d'être incapable de « fonctionner », à moins d'élaborer des moyens pour se protéger. Dans son arsenal d'outils autoprotecteurs, on retrouve toujours un mécanisme puissant de défense, la « dénégation », et une motivation subsconsciente aussi puissante, le « contrôle ». Tout au long de notre existence, nous utilisons toutes inconsciemment des mécanismes de défense tels que la dénégation, parfois pour des choses anodines et d'autres fois pour des problèmes et des événements cruciaux. Nous serions sinon obligées d'affronter notre véritable façon d'être, de penser et de percevoir, façon qui ne correspond pas à l'image idéalisée que nous avons de nous-mêmes et des circonstances qui nous entourent. Le mécanisme de dénégation s'avère particulièrement utile lorsqu'il s'agit d'ignorer des informations dont nous ne voulons pas nous préoccuper. Par exemple, le fait de ne pas remarquer (de nier) combien un enfant grandit vite peut être une façon d'éviter de penser au moment où cet enfant quittera le foyer. Ou le fait de ne pas s'apercevoir (de nier) des kilos supplémentaires qu'accusent le miroir et nos vêtements serrés peut nous permettre de continuer à satisfaire notre gourmandise.

On peut définir la dénégation comme un refus d'accepter la réalité à deux niveaux : au niveau de ce qui se passe réellement et au niveau des sensations. Nous allons voir comment la dénégation conditionne une petite fille à grandir et à devenir une femme qui aime trop. Par exemple, si l'un des parents de la fillette est rarement à la maison le soir parce qu'il a des relations extraconjugales, en se disant ou en entendant d'autres membres de la famille dire que cette personne est « occupée au travail », la fillette nie l'existence d'un problème entre ses parents, ou que quelque chose est anormal. Cela l'empêche de ressentir de la peur quant à la stabilité de sa famille et de son propre bien-être. Elle se dit aussi que le parent absent travaille beaucoup et cela provoque sa compassion au lieu de la colère et de la honte qui seraient ressenties si la réalité était regardée en face. Elle nie ainsi à la fois la réalité et ses sentiments au sujet de cette réalité, et elle se fabrique une fiction qui est plus facile à supporter. Avec l'habitude, elle devient très habile à se protéger ainsi de la douleur, mais en même temps elle perd l'aptitude de choisir librement ce qu'elle veut faire. Sa dénégation opère automatiquement, à son insu.

Dans une famille qui souffre de dysfonctionnement, les membres partagent toujours une dénégation de la réalité. Quelle que soit la gravité des difficultés rencontrées, la famille n'est empêchée de fonctionner que s'il y a cette dénégation de la réalité. De plus, si l'un des membres essaie de neutraliser cette dénégation, par exemple en décrivant la condition familiale en des termes précis, les autres membres résisteront avec vigueur à sa perception. Souvent, pour rappeler cette personne à l'ordre, on la ridiculisera ; si elle persiste, elle sera alors considérée comme renégate et exclue de l'approbation, de l'affection et des activités familiales.

Lorsqu'on se sert du mécanisme de défense de la dénégation, on ne fait pas un effort conscient pour échapper à la réalité, pas plus qu'on ne se met des œillères pour empêcher que nous parvienne ce que les autres font ou disent ; pas plus qu'on ne décide de ne pas ressentir ses propres émotions. Cela se produit tout simplement lorsque notre ego, en proie à des conflits accablants, des soucis et des frayeurs, courcircuite l'information et l'entrée des données qui sont trop menaçantes, afin de nous assurer une protection.

Prenons l'exemple d'une fillette dont les parents se disputent souvent et qui invite une amie à passer la nuit chez elle. Les deux enfants sont réveillées tard dans la soirée par les cris des parents qui se querellent. La visiteuse dit alors : « Ce que tes parents peuvent être bruyants ! Qu'est-ce qu'ils ont à hurler comme ça ? »

L'autre fillette, qui a été tenue en éveil bien d'autres fois par de telles prises de bec, répond vaguement : « Je ne sais pas. » et elle reste là, figée dans une gêne angoissante pendant que les cris continuent.

La jeune invitée ignore tout à fait pourquoi son amie se met à l'éviter, peu de temps après. Celle-ci la fuit parce qu'elle a été le témoin d'un secret familial et que sa présence évoque désormais pour elle quelque chose qu'elle préférerait nier. Des événements embarrassants tels que la dispute des parents lors de cette visite font si mal que la fillette se sent beaucoup mieux si elle nie la vérité ; en conséquence, elle fera d'autant plus d'efforts pour éviter qui ou quoi que ce soit qui serait susceptible de démolir sa défense contre la douleur. Elle ne veut pas ressentir sa honte, sa peur, sa colère, son impuissance, sa panique, son désespoir, sa pitié, sa rancune ni son dégoût. Et parce que ces émotions fortes et conflictuelles sont celles qu'elle éprouverait si elle s'ouvrait à n'importe quelles sensations, *elle préfère ne rien ressentir du tout.* C'est là l'origine de son besoin de contrôler les gens et les événements de sa vie. En gardant le contrôle de ce qui se passe autour d'elle, elle essaie de se donner un sentiment de sécurité. Pas de chocs, pas de surprises, *pas de sensations.*

Lorsqu'on se trouve dans une situation désagréable, on cherche à la contrôler le plus possible. Cette réaction naturelle devient exagérée chez les membres d'une famille perturbée, parce qu'il y règne beaucoup de souffrance. Souvenez-vous de l'histoire de Lisa, quand ses parents la forçaient à obtenir des meilleures notes à l'école : il y avait un espoir d'améliorer son travail scolaire, mais peu de chance de modifier le comportement d'alcoolique de la mère ; alors, plutôt que de reconnaître leur impuissance devant l'alcoolisme de la mère, les membres de la famille ont choisi de croire que leur vie familiale s'améliorerait quand Lisa réussirait mieux en classe.

Souvenez-vous que Lisa essayait aussi d'améliorer la situation (de la contrôler) en « étant appliquée ». Sa bonne conduite n'était en aucun cas une expression épanouie de son bonheur familial ou de sa joie de vivre. Elle était tout à fait le contraire. Chacune des tâches qu'elle s'imposait sans qu'on le lui eût demandé constituait pour elle un effort désespéré pour rectifier les conditions familiales insupportables dont elle se sentait responsable lorsqu'elle était enfant.

Les enfants se blâment et s'accusent inévitablement des problèmes qui affligent leur famille. Cela est dû à leur fantasme de toute-puissance qui leur fait croire qu'ils sont responsables de l'état des choses dans leur famille et aussi qu'ils ont le pouvoir de le modifier, pour le mieux ou pour le pire. Il y a beaucoup d'enfants malheureux comme Lisa qui sont tenus responsables, par leurs parents ou certains membres de la famille, de problèmes sur lesquels ils n'ont aucun contrôle. Mais même en l'absence de blâme verbal de la part des autres, un enfant va prendre sur ses épaules une grande part de la responsabilité des difficultés familiales.

Ce n'est ni facile ni réconfortant de savoir que notre comportement désintéressé, notre « application » et nos efforts pour venir en aide sont en réalité des tentatives de contrôle et qu'ils ne sont pas motivés par l'altruisme. J'ai vu, un jour, dans une maison où je travaillais, une affiche qui illustrait cette dynamique de manière simple et succincte. On y voyait un cercle dont chaque moitié avait une couleur différente ; la partie supérieure était d'un jaune éclatant de soleil levant et la partie inférieure était noire. Sur cette affiche, on pouvait lire : « Aider, c'est le côté radieux du contrôle ». On l'avait placée là pour nous rappeler, à nous les thérapeutes et à nos clients, de toujours examiner les motifs qui se cachent derrière notre besoin de changer les autres.

Le désir d'aider d'une personne qui a eu un passé malheureux ou qui vit une situation stressante est souvent une tentative de prise de contrôle. Chaque fois que nous faisons pour quelqu'un qui n'est plus un enfant ce qu'il est capable de faire lui-même, que nous planifions son futur ou ses activités quotidiennes, que nous l'encourageons, le conseillons, l'avertissons ou le cajolons, que nous ne sommes pas capables de le voir affronter les conséquences de ses actes et que nous essayons de changer ses actes ou d'en éviter les conséquences, nous essayons de contrôler. Nous espérons qu'en contrôlant cette personne nous arriverons à contrôler nos émotions dans nos rapports avec elle. Il s'ensuit évidemment que plus nous essayons de contrôler l'autre moins nous y réussissons. Toutefois, nous ne pouvons pas nous empêcher de le faire.

Une femme qui a l'habitude de pratiquer la dénégation et le contrôle est susceptible de se laisser entraîner dans des situations qui justifient ses actes. En évitant de faire face aux réalités de sa vie et aux sensations provoquées par ces réalités, elle fait preuve de dénégation, ce qui la plonge dans des situations scabreuses. Elle use alors de toutes ses aptitudes à aider (contrôler) afin de rendre la situation plus tolérable, tout en refusant de voir combien cette situation est déplorable. La dénégation incite au besoin de contrôler et la faillite inévitable du contrôle incite au besoin de dénégation.

Cette dynamique est clairement illustrée dans les récits qui suivent. Les femmes dont il est question dans ces récits ont appris à mieux connaître leurs comportements grâce à l'intervention thérapeutique et, selon la nature de leurs difficultés, grâce aussi à leur adhésion à des groupes de soutien. Elles ont pu identifier ce qu'était cette compulsion à aider, c'est-à-dire un effort de contrôler leurs proches motivé au niveau du subconscient par la dénégation de leurs souffrances. L'intensité du désir de chaque femme d'aider son partenaire est un indice qu'il s'agit là beaucoup plus d'un besoin que d'un choix.

CONNIE : trente-deux ans ; divorcée, avec un fils de onze ans

« Avant la thérapie, j'étais incapable de me souvenir des raisons qui provoquaient les disputes entre mes parents, pas même une seule. Tout ce dont je me souvenais, c'était qu'ils se querellaient continuellement : chaque jour, à chaque repas, presque à chaque minute. Ils se critiquaient l'un l'autre, n'étaient jamais d'accord entre eux et s'insultaient devant mon frère et moi. Papa s'attardait à son travail ou ailleurs le plus longtemps possible, mais comme il lui fallait bien rentrer à la maison tôt ou tard, cela recommençait. Mon rôle dans tout cela consistait à faire semblant qu'il ne se passait rien et à essayer de distraire mon père ou ma mère, ou les deux, en faisant le clown. Je me secouais la tête et leur adressais un grand sourire, et je racontais une histoire comique ou je faisais n'importe quelle folie qui me passait par la tête, afin d'attirer leur attention. En réalité, j'étais morte de peur ; mais comme la peur empêche de faire un bon spectacle, je faisais la folle et je plaisantais. Essayer d'amuser devint bientôt pour moi une occupation de tous les instants. Cela devint une pratique si courante à la maison qu'au bout d'un certain temps je commençai à aussi me donner en spectacle ailleurs. Je raffinais continuellement mon numéro, qui se résumait à ceci : si quelque chose n'allait pas, je l'ignorais et j'essayais du même coup de le couvrir. Cette dernière phrase illustre bien ce qui est arrivé dans mon mariage.

« J'ai rencontré Kenneth à la piscine près de l'appartement où j'habitais lorsque j'avais vingt ans. Il était très bronzé et très beau, dans le genre aquaplaniste doré par le soleil. Et le fait que je l'aie intéressé suffisamment pour qu'il emménage chez moi peu après que nous ayons fait connaissance m'a incité à penser que nous étions fait pour bien nous entendre. De plus, il était très gai, tout comme moi ; j'ai alors cru que nous avions tout ce qu'il fallait pour être heureux ensemble.

« Kenneth était vague, un peu indécis au sujet de sa carrière, de ce qu'il voulait faire dans la vie. Je lui ai prodigué beaucoup d'encouragements dans ce sens-là. J'étais persuadée qu'en l'appuyant et en lui donnant les conseils nécessaires je l'aidais à s'épanouir. Dès le début, c'est moi qui ai pris presque toutes les décisions qui nous concernaient en tant que couple, mais il ne continua pas moins d'en faire à sa guise. Je me sentais forte, et il savait qu'il pouvait s'appuyer sur moi. Je crois que c'était exactement ce dont nous avions chacun besoin.

« Nous habitions ensemble depuis trois ou quatre mois, lorsqu'une de ses anciennes flammes, qui travaillait au même endroit que lui, téléphona chez nous. Elle fut très surprise d'apprendre que j'habitais avec Kenneth. Elle me confia qu'il ne lui avait jamais dit qu'il avait une liaison avec quelqu'un d'autre, et pourtant il la voyait au travail deux ou trois fois par semaine. Tout cela est sorti pendant qu'elle essayait, confuse, de s'excuser d'avoir téléphoné. Ses propos m'ont un peu secouée et j'en parlai à Kenneth. Il me dit qu'il n'avait pas jugé important de lui dire que nous vivions ensemble. Je me souviens de la peur et de la peine que j'ai alors ressenties, mais cela n'a duré qu'un instant. Je me suis mise à raisonner avec détachement. Je compris que j'avais deux choix : ou je me disputais avec lui à ce sujet, ou je laissais tomber l'affaire et renonçais à lui voir envisager la chose de mon point de vue. J'ai choisi la deuxième manière sans broncher et j'ai tourné la chose en plaisanterie. Je m'étais promise que jamais, *au grand jamais,* je ne me disputerais comme mes parents l'avaient fait. J'avais la nausée à la seule pensée que je pourrais me mettre en colère. Je m'étais tellement appliquée pendant mon enfance à amuser tout le monde et à fuir toute émotion forte que j'étais maintenant véritablement apeurée par les sensations fortes, au point d'en perdre mon équilibre émotif. De plus, j'aimais que les choses se passent sans histoire ; j'ai donc accepté l'explication de Kenneth et occulté mes doutes quant à la sincérité de son attachement à moi. Nous nous sommes mariés quelques mois plus tard.

« Douze ans se sont écoulés, puis un jour, sur la suggestion d'un collègue de travail, je me retrouvai dans le bureau d'une thérapeute. Je pensais avoir encore l'entier contrôle de ma vie, mais mon amie me dit qu'elle se faisait du souci à mon sujet ; elle insista pour que je m'adresse à quelqu'un capable de m'aider.

« Nous avons été mariés pendant douze ans, Kenneth et moi, » dis-je à la thérapeute « et j'ai longtemps cru que nous étions très heureux. Puis nous nous sommes séparés, à ma demande. » La thérapeute chercha à savoir ce qui avait pu motiver ma décision. Je parlai d'un tas de choses différentes et j'en arrivai à mentionner que Kenneth s'absentait souvent de la maison le soir. Au début, il sortait une ou deux fois par semaine. Puis ce fut trois ou quatre fois par semaine. Et, pendant les cinq dernières années, il était absent six soirs sur sept. Il en a été ainsi jusqu'au jour où je lui ai dit qu'il était

160

évident qu'il avait envie d'être ailleurs et qu'il valait peut-être mieux dans ce cas qu'il parte.

« La thérapeute me demanda si je savais où il allait tous ces soirs. Je lui ai répondu que je n'en savais rien, que je ne le lui avais jamais demandé. Je me souviens de son étonnement. « Tous ces soirs, pendant toutes ces années, et vous n'avez jamais cherché à le savoir ? » demanda-t-elle. Je lui dis non, que je trouvais normal que des couples mariés s'accordent une certaine liberté de mouvement. Ce que je faisais, par contre, c'était de lui répéter qu'il devait passer davantage de temps avec son fils, Thad. Il était toujours d'accord là-dessus, mais il sortait quand même. Il lui arrivait parfois, le dimanche, de participer à l'une de nos activités. Je le considérais comme quelqu'un de pas très malin, qui avait besoin de mes sempiternels sermons pour se rappeler ce que devait être la conduite d'un bon père. Je n'ai jamais pu admettre qu'il faisait exactement ce qu'il avait envie de faire et que j'étais incapable de le changer. En réalité, les choses allèrent de mal en pis au cours des ans, malgré mes efforts pour adopter un comportement tout à fait raisonnable. La thérapeute m'a demandé, lors de cette première visite, ce que je croyais qu'il faisait pendant les heures où il n'était pas à la maison. Cette question m'a ennuyée. Je ne voulais tout simplement pas penser à cela, parce qu'ainsi je ne risquais pas d'en souffrir.

« Je sais maintenant que Kenneth ne pouvait pas se contenter d'une seule femme, bien qu'il aimât la sécurité d'une relation durable. Il m'avait donné mille indices de sa conduite, autant avant qu'après notre mariage : chaque fois qu'il disparaissait pendant des heures lors des pique-niques de la compagnie pour laquelle il travaillait, ou lorsque à une réception il se mettait à parler à une femme pour ensuite s'évanouir avec elle dans la nature, etc. Sans même songer à la façon dont je me comportais dans ces situations-là, je déployais mon charme pour distraire les gens de ce qui se passait et pour leur montrer que j'étais une personne sympathique... et peut-être aussi pour prouver que j'étais aimable, pas du tout le genre de femme que son ami ou son mari aurait envie de négliger si l'occasion se présentait.

« Il me fallut de nombreuses séances de thérapie avant d'être capable de me souvenir qu'il y avait aussi eu un problème de femmes dans le mariage de mes parents. Ils se disputaient parce que mon père sortait et ne rentrait pas à la maison, et ma mère, tout en insinuant qu'il était infidèle, lui reprochait ouvertement de nous négliger tous. J'ai cru alors qu'elle le repoussait et je pris fermement la décision que jamais je ne me conduirais comme elle. Je m'habituai à tout garder en moi-même et m'efforçai de toujours sourire. C'est cela qui m'amena à voir une thérapeute. J'étais encore souriante et radieuse le jour où mon fils de neuf ans tenta de se suicider. Je tournai l'événement en plaisanterie, et c'est ce qui alarma ma collègue de travail. J'avais toujours cette conviction magique que tout finissait par s'arranger tant que j'étais gentille et que je ne me mettais pas en colère.

« Et le fait de penser que Kenneth n'était pas très malin était également significatif. Je pouvais le sermonner et essayer d'organiser son existence, et c'était pour lui un prix bien minime à payer en échange d'une cuisinière et d'une ménagère qui tenait la maison pendant qu'il faisait exactement ce qu'il voulait, sans avoir à donner d'explications.

« Ma dénégation que quelque chose ait pu aller mal était si profondément ancrée que je n'ai pas pu m'en débarrasser sans aide. Mon fils était très malheureux, mais je ne voulais tout simplement pas accepter cette réalité. J'essayai de le distraire, de plaisanter, mais cela le rendit probablement encore plus malheureux. Il y avait déjà six mois que Kenneth n'était plus à la maison et je n'avais encore dit à personne que nous étions séparés, ce qui ne facilitait pas les choses pour mon fils. Il fallait qu'il garde le secret, lui aussi, et qu'il dissimule en même temps toute sa détresse. Je ne voulais en parler à personne et je voulais qu'il s'en abstienne également. Je ne me rendais pas compte à quel point il avait besoin de confier ce secret. C'est la thérapeute qui m'a poussée à annoncer aux gens que mon parfait mariage était à l'eau. Oh, que j'ai eu du mal à l'admettre. Je crois que la tentative de suicide de Thad était pour lui une façon de dire : « Regardez tous. Quelque chose ne va pas ! »

« Et maintenant, ça va mieux. Thad et moi sommes encore en thérapie, ensemble et séparément, et nous apprenons à nous parler et à vivre avec nos sentiments. Il a été convenu que je m'abstiendrais de plaisanter à propos de ce qui pouvait surgir au cours des séances de thérapie. Il m'est très difficile de me passer de ce mécanisme de défense et d'accepter de ressentir ce qui m'arrive, mais je m'améliore sans cesse. Lorsque je sors avec des hommes, il me vient parfois l'idée que celui-ci ou celui-là aurait bien besoin que je l'aide à corriger certains détails de son existence, mais je me ravise aussitôt et je ne me laisse pas aller à ce genre d'élucubration. Les seules plaisanteries sarcastiques que j'ai le droit de faire pendant les séances de thérapie sont des commentaires sur mes petits besoins intempestifs de me « rendre utile ». Cela fait du bien de rire en voyant combien ce comportement était malsain, plutôt que de devoir rire pour occulter tout ce qui n'allait pas. »

Connie a commencé à faire de l'humour pour distraire ses parents et elle-même de la réalité menaçante de leur relation instable. En y mettant tout son charme et tout son esprit, elle parvenait à détourner vers elle leur attention et à interrompre ainsi leurs disputes, au moins temporairement. Chaque fois que cela se produisait, elle se sentait comme le ciment qui retenait ensemble ces deux combattants, avec toute la responsabilité que ce rôle impliquait. Ces interactions ont été à l'origine de son besoin de contrôler les autres pour se sentir en sécurité et pour se rassurer, et elle exerça son contrôle au moyen de l'humour. Elle apprit à devenir extrêmement attentive à tout signe de colère et d'hostilité autour d'elle et à prévenir l'expression de tels sentiments en faisant une plaisanterie au bon moment ou en affichant un sourire désarmant.

Elle avait une double raison de nier ses émotions : premièrement, la perspective d'une rupture entre ses parents lui était insupportable ; deuxièmement, elle ne pouvait se laisser impressionner par ses émotions sans risquer de compromettre son numéro comique. Elle arriva ainsi à ignorer automatiquement ses émotions, tout comme elle parvint à manipuler et à contrôler automatiquement les gens autour d'elle. Certes, sa pétulance superficielle déplaisait à certaines personnes, mais elle en attirait d'autres qui, comme Kenneth, ne voulaient pas interagir autrement qu'à un niveau très superficiel.

Que Connie ait pu vivre pendant des années avec un homme qui disparaissait plusieurs heures à la fois et à une fréquence accrue et qui finit par sortir des soirées entières, sans jamais s'inquiéter de savoir où il allait durant ces absences et ce qu'il faisait, montre sa grande capacité de dénégation et la peur, non moins grande, qui se dissimulait derrière. Connie ne voulait ni savoir, ni combattre, ni confronter, et surtout elle ne voulait pas ressentir la terreur qu'elle avait connue lorsqu'elle était enfant : pour des raisons de dissension, son univers risquait de s'écrouler.

Il fut très difficile d'obtenir que Connie se soumette à un processus thérapeutique qui exigeait qu'elle renonce à son principal mécanisme de défense, l'humour. C'était comme si on lui avait demandé de renoncer à respirer ; elle resta longtemps persuadée qu'elle ne pourrait pas survivre sans humour. La tentative désespérée de son fils pour qu'ils commencent tous deux à affronter la réalité de leur situation avait à peine entamé les formidables défenses de Connie. Elle avait tellement perdu contact avec la réalité qu'elle n'était pas loin de la démence. Elle persista longtemps, en cours de thérapie, à ne discuter que des problèmes de Thad et à refuser d'admettre qu'elle en avait, elle aussi. Se prenant toujours pour « celle qui est forte », elle n'avait pas l'intention de renoncer facilement à cette prérogative. Mais, au fur et à mesure qu'elle accepta de s'exposer à la panique qui faisait surface chaque fois qu'elle n'avait pas recours à la plaisanterie, elle commença à se sentir plus en sécurité. Connie apprit qu'elle avait à sa disposition, en tant qu'adulte, des mécanismes pour s'en sortir qui étaient plus sains que ceux dont elle avait tant abusé depuis son enfance. Elle commença à questionner, à confronter, à s'exprimer et à faire connaître ses besoins. Elle apprit à être plus honnête qu'elle ne l'avait jamais été depuis de très nombreuses années avec elle-même et avec les autres. Et elle put finalement récupérer son humour, grâce auquel elle était désormais aussi capable de se moquer d'elle-même de manière salutaire.

PAM : trente-six ans ; divorcée deux fois ; mère de deux adolescents

« J'ai grandi dans un foyer tendu, malheureux. Ma mère avait été abandonnée par mon père avant ma naissance ; j'en vins à croire qu'elle était le tout premier « parent célibataire ». Je ne connaissais personne dont les parents étaient divorcés, et comme nous habitions une ville très classe moyenne, pendant les années 50, on ne manquait pas de nous faire sentir l'anomalie de notre situation.

« Je m'appliquais beaucoup en classe et j'étais très jolie, de sorte que les professeurs m'aimaient bien. Cela m'a beaucoup aidée. Au moins sur le plan académique je pouvais réussir. Je devins une élève plus que modèle, ayant toujours les meilleures notes possibles tout au long de l'élémentaire. Au secondaire, la tension émotive devint si grande que je ne parvenais plus à me concentrer ; ma performance a commencé à baisser, bien que je n'aie jamais osé avoir de mauvaises notes. J'avais toujours l'impression que ma mère était déçue de moi et je craignais d'être un sujet de gêne pour elle.

« Ma mère travaillait très fort comme secrétaire pour m'élever, et je me rends compte aujourd'hui qu'elle était constamment épuisée. Elle avait aussi beaucoup de fierté et, je crois, une honte profonde d'être divorcée. Elle était très mal à l'aise quand des enfants venaient à la maison. Nous étions pauvres, nous avions du mal à nouer les deux bouts et nous avions pourtant cet incroyable souci des apparences. Naturellement, c'était plus facile de garder les apparences si personne ne pouvait voir où nous habitions, de sorte que notre maison n'était pas accueillante, c'est le moins qu'on puisse dire. Lorsque des amis m'invitaient à passer la nuit chez eux, ma mère me disait : « Ils ne veulent pas vraiment de toi. » Elle agissait ainsi en partie parce qu'elle ne voulait pas avoir à rendre la pareille et devoir les recevoir chez nous, mais je ne pouvais pas comprendre cela quand j'étais jeune ; je croyais ce qu'elle me disait, c'est-à-dire que les gens ne voulaient pas de moi.

« J'ai grandi en pensant qu'il y avait en moi quelque chose qui n'allait pas du tout. Sans savoir exactement ce que c'était, je me sentais de trop et je pensais qu'on ne m'aimait pas. Il n'y avait pas d'amour chez nous, seulement le devoir. Le pire, c'est que nous ne parlions jamais de la situation fausse dans laquelle nous vivions en faisant croire à tout le monde que tout allait pour le mieux, que nous connaissions le bonheur et la prospérité. Cette pression de devoir bien paraître était extrêmement contraignante, mais nous n'en parlions jamais. D'ailleurs, je ne me sentais pas capable de donner ainsi le change et je craignais qu'à tout moment il paraîtrait que j'étais moins bonne que les autres. J'avais beau savoir que je m'habillais bien et que je réussissais à l'école, je me sentais toujours coupable d'imposture. J'étais persuadée que je cachais d'innombrables défauts sous des fausses apparences et que si les gens m'aimaient c'était parce que je les trompais ; s'ils me connaissaient mieux, ils me fuiraient.

« Je pense que le fait de grandir sans la présence d'un père n'a fait qu'empirer les choses, parce que je n'ai jamais appris à interagir avec les hommes sur une base d'échange. Ils étaient pour moi des animaux à la fois exotiques, menaçants et fascinants. Ma mère ne m'a jamais beaucoup parlé de mon père ; toutefois, le peu qu'elle m'en a dit m'a fait comprendre qu'il n'y avait pas de quoi être fière. Alors je ne posais pas de question ; j'avais peur de ce que je pouvais apprendre. Elle n'aimait pas beaucoup les hommes et laissait entendre qu'ils étaient dangereux, égoïstes et non fiables. Mais moi, je ne pouvais pas m'empêcher de les trouver tous fascinants, à commencer par les petits garçons au jardin d'enfants, dès mon premier jour de classe. Je m'acharnais à chercher ce qui manquait à mon existence, mais je ne parvenais pas à savoir ce que c'était. Je pense que c'était un très grand besoin de la présence intime de quelqu'un, un besoin de donner et de recevoir de l'affection. Je savais qu'hommes et femmes, maris et épouses étaient censés s'aimer les uns les autres ; mais ma mère me faisait comprendre de façon subtile, et parfois moins subtile, que les hommes nous rendent malheureuses, misérables, en nous abandonnant pour s'enfuir avec notre meilleure amie, ou en nous trahissant d'une autre manière. Voilà les histoires qu'elle me racontait quand j'étais enfant. J'ai probablement décidé très jeune que j'allais me trouver quelqu'un qui ne voudrait ni ne pourrait s'enfuir, quelqu'un dont personne ne voudrait. Je pense qu'avec le temps j'ai oublié que j'avais pris une telle décision. J'ai simplement continué de m'y conformer.

« Je n'aurais jamais été capable de l'exprimer en paroles lorsque j'étais jeune, mais la seule façon que je concevais d'être avec quelqu'un, spécialement un homme, c'était de lui être indispensable. De cette façon, il ne m'abandonnerait pas, parce que je l'aiderais et qu'il serait reconnaissant.

« Il n'est pas surprenant que mon premier bon ami ait été un estropié. Il avait été victime d'un accident de voiture et avait eu le dos cassé. Il portait des appareils orthopédiques aux jambes et marchait avec des béquilles en acier. La nuit, je priais Dieu pour qu'il me rende estropiée à sa place. Nous allions ensemble à des soirées dansantes et je restais assise à ses côtés pendant des heures. C'était un garçon chic et n'importe quelle fille aurait pu goûter sa compagnie. Mais moi, j'aimais être avec lui pour une autre raison que sa compagnie sympathique ; et je ne risquais pas d'être rejetée ni blessée, étant donné que je lui rendais service. C'était comme si j'avais une police d'assurance contre la souffrance. J'étais vraiment toquée de ce garçon, mais je comprends maintenant que je l'avais choisi parce qu'il y avait quelque chose d'anormal chez lui, tout comme chez moi. Et comme son anomalie à lui était plus visible, je pouvais le plaindre et avoir pitié de lui tant que je voulais. Il était de loin celui de mes amoureux qui fût le plus en santé. J'ai connu après lui des jeunes délinquants, des cancres, tous des ratés autant qu'ils étaient.

« J'ai rencontré mon premier mari lorsque j'avais dix-sept ans. Il avait de la difficulté à suivre à l'école et il était en train de couler. Bien que divorcés, son père et sa mère se disputaient encore. Comparé au sien, mon milieu familial semblait « exemplaire » ! Je pouvais me détendre un peu et me sentir moins honteuse. Et, bien entendu, je m'apitoyais beaucoup sur lui. Il était révolté, mais j'attribuais cela au fait que personne n'avait jamais fait l'effort de le comprendre.

« Il y avait aussi mon quotient intellectuel qui était supérieur au sien d'au moins vingt points, et cela comptait beaucoup pour moi. J'avais besoin de tels avantages et de bien d'autres choses pour me sentir à sa hauteur et pour ne pas avoir peur qu'il me quitte pour quelqu'un de meilleur que moi.

« Mon attitude envers lui, durant les douze ans que nous avons été mariés, a été une attitude de dénégation. Je refusais de le voir tel qu'il était et je m'efforçais, au contraire, de faire de lui l'être que je pensais qu'il devait être. J'étais persuadée qu'il serait tellement plus heureux et qu'il se sentirait tellement mieux si je pouvais seulement lui dire comment élever nos enfants, comment mener ses affaires, comment se comporter vis-à-vis des siens. Je poursuivais mes études — en psychologie, évidemment. Alors que ma propre existence était déjà si détraquée et si malheureuse, je faisais des études pour apprendre comment venir en aide aux autres. Et pourtant, je faisais tous les efforts possibles pour m'en sortir ; j'étais persuadée que la clef de mon bonheur résidait dans le fait de l'amener à changer, lui. Il était évident qu'il avait besoin de mon aide. Il ne payait pas ses factures et n'acquittait pas ses impôts. Il me faisait des promesses, ainsi qu'à ses enfants, et il ne les tenait pas. Il rendait ses clients enragés, et ceux-ci m'appelaient pour se plaindre de ce qu'il n'avait pas terminé des travaux qu'il avait entrepris pour leur compte.

« Je n'ai pas pu le quitter tant que je n'ai pas été capable de voir qui il était au lieu de qui je voulais qu'il fût. Pendant les trois derniers mois de notre mariage, je me suis contentée de me taire et d'observer, sans faire des sermons interminables. C'est là que j'ai compris que je ne pouvais pas vivre avec celui qu'il était. J'avais attendu pendant longtemps d'être capable d'aimer l'homme merveilleux que j'espérais qu'il deviendrait grâce à mon aide. J'ai passé toutes ces années dans l'espoir qu'il changerait.

« Je ne comprenais toutefois pas encore cette manie que j'avais de choisir des hommes que je savais inadéquats, mais que je percevais comme ayant besoin de mon aide. Je ne m'en suis rendu compte qu'à la suite de plusieurs autres relations avec des hommes impossibles : un narcomane, un homosexuel, un impuissant et enfin un avec qui j'eus une longue relation et qui fut très malheureux en mariage. Lorsque cette relation-là pris fin (de manière désastreuse), je n'ai plus été capable de croire qu'il s'agissait toujours de malchance. Je savais que j'étais pour quelque chose dans ce qui m'arrivait.

« J'étais devenue psychologue licenciée et je consacrais tout mon temps à aider des gens. Je sais maintenant que mon milieu professionnel est plein de gens comme moi, qui passent leurs journées de travail à aider les autres et qui ont, en plus, besoin d'« aider » dans leurs relations personnelles. Toute ma conception des rapports avec mes enfants consistait à leur faire des rappels, à les encourager, à les guider et à me faire du souci à leur sujet. C'est tout ce que je savais de l'amour — essayer d'aider les gens et me soucier d'eux. J'ignorais tout de la manière d'accepter les autres tels qu'ils sont ; cela était probablement dû au fait que je ne m'étais jamais acceptée moi-même.

« C'est alors que la vie me rendit un fier service. Tout mon univers s'écroula. Lorsque mon aventure avec un homme marié se termina, mes deux fils étaient aux prises avec la loi et ma santé était très mauvaise. Je n'étais tout simplement plus capable de m'occuper de tout le monde. C'est l'agent de probation de mon fils qui m'a fortement conseillé de commencer à m'occuper sérieusement de moi-même ; une partie de moi comprit qu'il le fallait. C'est lui qui, après toutes ces années de psychologie, a réussi à m'éclairer. Il a fallu que mon existence soit bouleversée de fond en comble pour que je me regarde et me rende compte de l'aversion que j'avais de moi.

« Une des choses les plus pénibles auxquelles j'ai dû faire face était le fait que ma mère n'avait pas réellement voulu de la responsabilité de m'élever, qu'elle n'avait pas voulu de moi, un point c'est tout. En tant qu'adulte, je suis maintenant capable de comprendre combien cela a dû être pénible pour elle. Chaque fois qu'elle me parlait de ces gens qui ne voulaient pas de ma présence, c'est d'elle-même qu'elle parlait, en fait. J'en ai eu l'intuition lorsque j'étais enfant et je pense que, ayant été incapable de l'accepter, j'ai choisi de l'ignorer. Il y eut beaucoup d'autres choses que je me suis mise à ignorer, par la suite. Je ne laissais pas pénétrer les critiques qu'elle m'adressait continuellement, ni la colère dans laquelle elle se mettait quand je m'amusais. Je trouvais trop menaçant de subir toute l'hostilité qu'elle dirigeait contre moi ; alors j'ai cessé de ressentir et de réagir et j'ai consacré toute mon énergie à être bonne et à aider les autres. Tant que je m'occupais des autres, je ne faisais pas attention à moi et je n'avais pas à ressentir ma propre peine.

« La pilule a été dure à avaler, mais je me suis résolue à me joindre à un groupe de thérapie axée sur la maîtrise de soi. Ce groupe était composé de femmes qui avaient les mêmes difficultés que moi avec les hommes. C'était le genre de groupe que j'avais l'habitude d'animer professionnellement, et voilà que j'étais rendue à l'humble statut de participante. Bien que mon ego ait pris un dur coup, ce groupe m'aida à voir mon besoin de diriger et de contrôler les autres et contribua à m'y faire renoncer. Je sentis que je commençais à guérir. Au lieu de me soucier de tout le monde, je m'occupais enfin de moi-même. Et il y avait tant à faire ! À partir du moment où je me suis efforcée d'abandonner le besoin de transformer mes proches, j'ai pratiquement dû cesser de parler ! Tout ce que j'avais dit pendant si longtemps avait été dit « pour aider ». J'ai éprouvé un grand choc lorsque je me suis rendu compte à quel point je dirigeais et contrôlais. Même mon travail professionnel fut radicalement modifié par mon changement de comportement. Mes clients sont maintenant beaucoup plus en mesure de s'appuyer sur moi pendant qu'ils apprennent à résoudre leurs problèmes. Auparavant, je prenais sur moi la très lourde responsabilité de les rétablir. Il importe maintenant beaucoup plus que je les comprenne.

« Quelque temps après, je fis la connaissance d'un homme bien. Il n'avait pas besoin de moi du tout. Il n'avait vraiment rien d'anormal. Je me suis sentie mal à l'aise au début, en apprenant à « être » avec lui sans essayer de le transformer complètement. Après tout, c'était l'unique façon que je connaissais d'interagir avec les gens. Puis j'ai appris à ne faire rien d'autre qu'être moi-même, et ça a l'air de marcher. J'ai l'impression que ma vie commence à avoir du sens. Je continue, bien sûr, ma thérapie de groupe pour empêcher que je retombe dans mes vieilles habitudes. J'éprouve parfois le besoin intense de commander, mais je sais que je ne dois pas me laisser dominer par ce besoin. »

Comment peut-on relier tout cela à la dénégation et au contrôle ?

Pam a commencé par nier la réalité de la colère et de l'hostilité de sa mère à son endroit. Elle a refusé de se sentir une enfant indésirée dans sa famille. Elle s'est interdite de ressentir, point final, parce que cela lui faisait trop mal. Cette incapacité de percevoir et de ressentir ses émotions lui ont en réalité permis d'aller avec les hommes qu'elle choisissait. Son système d'alarme émotif qui l'aurait autrement éloignée d'eux était inopérant au moment de chaque nouvelle rencontre, et ce à cause du degré de dénégation très élevé. Étant émotivement incapable de percevoir la véritable nature de ces hommes, elle ne pouvait voir chez eux que leur besoin de compréhension et d'aide.

L'approche qu'utilisait Pam dans ses nouvelles relations consistait à comprendre, à encourager et à améliorer son partenaire. C'est une formule qu'utilise souvent la femme qui aime trop, et le résultat qui en découle est habituellement le contraire de ce qui était attendu : elle se retrouve non pas avec un partenaire reconnaissant et loyal, lié à elle par sa dévotion et sa dépendance, mais plutôt avec un homme dont la révolte et le ressentiment vont en augmentant, et qui la critique de plus en plus. Le besoin qu'il a de maintenir son autonomie et le respect qu'il a de lui-même fait qu'il doit cesser de voir en elle la solution à tous ses problèmes ; elle devient pour lui la source d'une grande partie sinon de la majorité de ses difficultés.

Lorsque cela se produit et que la relation s'écroule, la femme plonge dans un sentiment d'échec et de désespoir encore plus profond. Si elle n'est même pas capable de se faire aimer par quelqu'un d'aussi nécessiteux et inadéquat, comment peut-elle espérer gagner et conserver l'amour d'un homme mieux portant et plus adéquat ? Cela explique pourquoi il arrive souvent qu'une telle femme va d'une mauvaise relation à une plus mauvaise encore, parce qu'elle se sent plus amoindrie à chaque échec.

Cela montre également combien il est difficile pour une telle femme d'abandonner cette attitude à moins de comprendre ce besoin fondamental qui la motive. Comme beaucoup d'autres dans les services d'aide, Pam se servait de sa profession pour soutenir sa fragile estime d'elle-même. Son mode d'interaction avec les autres — y compris ses clients, ses parents, son époux et ses autres partenaires — se limitait à leurs besoins, à leur indigence. Dans chaque domaine de son existence, elle recherchait des moyens pour échapper à son sens profond d'inadaptation et d'infériorité. Pam ne gagna une meilleure estime d'elle-même que lorsqu'elle commença à profiter des puissantes propriétés de guérison que sont la compréhension et l'acceptation que lui prodiguèrent ses « collègues-participantes » du groupe ; elle put alors commencer à entretenir des rapports valables avec les autres, y compris avec un homme normal.

CÉLESTE : quarante-cinq ans ; divorcée ; mère de deux enfants vivant à l'étranger avec leur père

« Je suis probablement sortie avec une centaine d'hommes dans ma vie et en y repensant maintenant je suis certaine que c'était soit des hommes beaucoup plus jeunes que moi, soit des escrocs, des toxicomanes, des alcooliques, des homosexuels ou des fous. Cent hommes impossibles ! Comment ai-je fait pour les trouver ?

« Mon père était aumônier dans la marine. Cela revient à dire qu'il prétendait être un homme bon et affectueux, partout sauf à la maison où il se comportait selon sa véritable nature — il était méchant, exigeant, critiqueur et égoïste. Lui et ma mère pensaient que nous, les enfants, n'existions que pour l'aider à jouer son rôle professionnel. Ils s'attendaient à ce que nous fussions parfaites à l'école, en société, et que nous eussions toujours une conduite irréprochable. Cela était impossible, étant donné l'atmosphère chez nous. La tension qui régnait à la maison quand mon père était là était à couper au couteau. Il n'y avait aucune intimité entre mes parents. Ma mère était continuellement fâchée. Elle ne se disputait pas ouvertement avec mon père ; sa colère était sourde et menaçante. Chaque fois que mon père exécutait un travail qu'elle lui avait demandé de faire, il le gâchait exprès. Un jour que la table de la salle à manger avait besoin d'être réparée, il l'arrangea au moyen d'un immense clou, ce qui eut pour résultat d'abîmer complètement la table. Nous avions tous pris l'habitude de le laisser tranquille.

« Lorsqu'il atteignit l'âge de la retraite, il passa toutes ses journées et toutes ses soirées à la maison, assis dans son fauteuil et jetant des regards mauvais autour de lui. Il ne disait pas grand-chose, mais sa seule présence nous mettait toutes mal à l'aise. Je le haïssais vraiment. À cette époque-là, je ne pouvais pas me rendre compte qu'il avait ses propres problèmes et que nous avions les nôtres, à la façon dont nous agissions avec lui et dont nous le laissions nous contrôler par sa présence. C'était un duel permanent : qui contrôlerait qui ? Et c'était lui qui gagnait toujours, passivement.

« De toute façon, il y avait longtemps que j'étais devenue la révoltée de la famille. Comme ma mère, j'étais en colère, et ma seule manière de l'exprimer était de rejeter toutes les valeurs que mes parents représentaient, de m'en aller et d'essayer d'être le contraire de chacun des membres de ma famille. Je crois que ce qui m'enrageait le plus était le fait que nous paraissions si normaux, vus de l'extérieur. Je voulais crier sur les toits comment notre famille était perturbée, mais personne chez moi ne semblait s'en rendre compte. Ma mère et mes sœurs s'étaient faites à l'idée que c'était moi qui avait un

problème, et j'ai accepté cette version des choses en jouant
mon rôle jusqu'aux limites extrêmes.

« À l'école que je fréquentais, j'ai lancé un journal clandestin qui causa beaucoup d'émoi. Ensuite je suis allée au
collège et dès que j'en ai eu l'occasion je suis partie à l'étranger. J'avais hâte de m'éloigner le plus possible de ma famille.
J'étais extérieurement très révoltée, mais j'étais très confuse
au dedans de moi.

« J'ai eu ma première expérience sexuelle lorsque je faisais
partie du *Peace Corps**, et ce n'était pas avec un volontaire.
C'était avec un jeune étudiant africain. Il voulait tout savoir
sur les États-Unis ; je me sentais comme son mentor — plus
solide que lui, mieux éduquée, davantage dans le vent. Le
fait que je sois blanche et lui noir fit beaucoup de bruit. Je
m'en fichais ; cela ne faisait que renforcer mon esprit de
révolte.

« Quelques années plus tard, alors que j'étais encore au
collège, je rencontrai un Espagnol et me mariai avec lui. C'était
un intellectuel qui venait d'une famille aisée ; je respectais ce
genre de choses. De plus, il avait vingt-sept ans et il était
encore vierge. D'être de nouveau le professeur me donna
confiance et un sentiment d'indépendance. Je me sentais en
contrôle.

« Nous avons été mariés pendant sept ans et avons vécu
à l'étranger. À cette époque-là, j'étais terriblement nerveuse
et malheureuse, mais je ne savais pas pourquoi. Puis je fis la
connaissance d'un jeune étudiant orphelin et je commençai
avec lui une liaison mouvementée au cours de laquelle je quit-
tai mon mari et mes deux enfants. Ce jeune homme n'avait
eu de relations sexuelles qu'avec des hommes avant de me
rencontrer. Nous avons vécu ensemble dans mon appartement pendant deux ans. Il avait aussi des partenaires sexuels
masculins, mais cela ne me dérangeait pas. Nous avons essayé
un tas de trucs dans le domaine du sexe et je crois bien que
nous avons forcé tous les tabous. Ce fut toute une aventure
pour moi, mais au bout d'un certain temps je redevins agitée ;
je me suis donc débarrassée de lui comme amant. Nous
sommes, cependant, encore amis à l'heure qu'il est. Après lui,

---

* Le *Peace Corps* est une organisation américaine pour l'aide aux pays en voie de
développement. (*N.d.T.*)

succéda une longue série de types de très, très bas calibre. Ils habitèrent tous avec moi, c'est le moins qu'on puisse dire. La plupart d'entre eux m'empruntèrent de l'argent, parfois plusieurs milliers de dollars ; il y en a même qui m'ont entraînée dans des combines tout à fait illégales.

« Je n'étais pas du tout consciente d'avoir un problème, malgré tout ce qui se passait. Étant donné que chacun de ces hommes retirait quelque chose de moi, je me sentais la plus forte, celle qui contrôlait la situation.

« Je revins ensuite aux États-Unis et commençai à sortir avec l'homme qui fut probablement le pire spécimen de ma collection. Son alcoolisme était tellement avancé que son cerveau avait subi des lésions. Cet homme se mettait en colère pour un rien, se lavait rarement, ne travaillait pas et avait été menacé de prison pour conduite en état d'ébriété. Je l'accompagnai à l'agence où il était contraint à suivre un programme destiné aux chauffeurs condamnés pour avoir conduit en état d'ivresse, et l'instructeur qui nous reçut me suggéra de voir un de leurs conseillers ; il voyait bien que j'avais, moi aussi, des problèmes. Cela semblait évident à cet instructeur, mais pas à moi. Je croyais que c'était l'homme avec qui je vivais qui avait des problèmes et que j'étais normale, moi. Néanmoins, j'ai suivi le conseil de l'instructeur. La personne qui m'a reçue en consultation m'a aussitôt invitée à parler de mon attitude dans mes relations avec les hommes. Je n'avais jamais examiné ma vie sous cet angle-là auparavant. J'ai décidé de revoir cette conseillère ; elle m'a aidée à voir plus clairement l'attitude que j'avais adoptée.

« Lorsque j'étais enfant, je m'étais tellement détachée de mes sensations que les expériences dramatiques que je vivais avec ces hommes m'étaient indispensables, n'était-ce que pour me sentir en vie. Avoir des ennuis avec la police, m'adonner à la drogue, être mêlée à des combines d'argent, à des gens dangereux et à des jeux sexuels dénaturés, tout cela était devenu très ordinaire pour moi. En fait, même avec tout cela, je ne ressentais pas grand-chose.

« Je continuai de voir la conseillère et, à sa suggestion, je me joignis aussi à un groupe de femmes. J'ai alors commencé à apprendre lentement des choses sur moi, sur mon attirance envers des hommes malades et inadaptés que je pouvais dominer grâce aux efforts que je déployais pour les aider. Bien qu'ayant été en analyse en Espagne, pendant des années et des années, évoquant sans cesse ma haine pour mon père et ma colère contre ma mère, je n'avais jamais fait de rapprochement avec mon obsession d'hommes impossibles. J'ai toujours cru que l'analyse me fit beaucoup de bien ; elle ne m'avait pourtant jamais aidée à modifier mon attitude. En fait, lorsque j'examine le comportement que j'avais pendant ces années-là, je me rends compte que je n'ai fait qu'empirer.

« Je commence à aller mieux, maintenant, grâce à mes séances de thérapie, et mes rapports avec les hommes s'améliorent aussi peu à peu. Il y a quelque temps, je sortais avec un diabétique qui refusait de prendre son insuline ; j'essayais de l'aider en le raisonnant sur le danger qu'il courait et en cherchant à améliorer son estime de lui-même. Cela peut sembler drôle à dire, mais la fréquentation de cet homme représentait un pas « en avant » ! Lui au moins n'était pas affligé d'une totale dépendance. Mais je jouais encore mon rôle habituel de femme forte qui s'occupe du bien-être d'un homme. Je laisse momentanément les hommes tranquilles, parce que j'ai enfin compris que je ne veux pas me rendre responsable d'un homme et parce que c'est encore le seul moyen d'interaction avec les hommes que je connaisse. Jusqu'ici, les hommes n'ont représenté pour moi qu'un moyen pour m'éviter d'avoir à m'occuper de moi. Pour une fois, je m'efforce d'apprendre à m'occuper de moi-même et à renoncer à ces diversions qu'ont été les hommes dans mon existence. C'est apeurant, toutefois, parce que je réussissais beaucoup mieux à m'occuper d'eux que de moi-même. »

Nous voilà de nouveau en présence des thèmes jumeaux : dénégation et contrôle. L'état émotionnel de la famille de Céleste était chaotique, mais ce chaos ne fut jamais admis ou exprimé. Même la révolte de Céleste contre les règles et les normes familiales n'était qu'une allusion très subtile à l'état profondément perturbé de sa famille. Elle avait beau crier, aucun de ses proches ne voulait écouter. Étant en butte à tant de frustration et d'isolation, elle s'est coupée de toutes ses sensations à l'exception d'une, la colère : contre son père, parce qu'il lui était inaccessible, et contre les autres membres de la famille qui refusaient de voir leurs problèmes et sa souffrance à elle. Mais sa colère était irraisonnée ; Céleste ne comprenait pas que celle-ci venait de son impuissance à changer la famille qu'elle aimait et dont elle avait besoin. N'ayant pu satisfaire ses besoins émotionnels d'amour et de sécurité dans ce milieu-là, elle a recherché des relations qu'elle « pouvait » contrôler, avec d'autres gens qui avaient moins d'éducation et d'expérience qu'elle et qui se trouvaient dans de moins bonnes conditions économiques et sociales qu'elle. Son besoin inné de ce genre de rapports se révèle dans l'extrême degré d'inadaptation de son dernier partenaire, un alcoolique quasi irrécupérable qui n'était pas très loin de correspondre à l'image stéréotypée d'ivrogne. Et là encore, Céleste, qui était intelligente, sophistiquée, instruite et expérimentée, ne s'inquiéta pas de tous les indices qui lui montraient combien cette liaison était malsaine et non appropriée. La dénégation de ses propres sentiments et perceptions et son besoin de contrôler cet homme et la relation qu'elle vivait avec lui l'emportaient de beaucoup sur son intelligence. Il importait, dans le processus de guérison de Céleste, qu'elle cesse son analyse intellectuelle d'elle-même et de sa vie et qu'elle commence à ressentir cette grande souffrance affective qui entourait le non moins grand isolement qu'elle endurait depuis son enfance. Ses nombreuses et exotiques expériences sexuelles étaient rendues possibles par le peu d'intimité qu'elle partageait avec d'autres êtres humains et avec elle-même. En fait, ces relations lui évitaient de risquer la moindre intimité avec les autres. Le drame qu'elle vivait et l'excitation qu'elle en tirait la protégeaient de la terrible menace de l'intimité. Sur le chemin de la guérison, il lui fallait envisager la situation calmement, froidement, sans se laisser distraire par un homme, et s'exposer à ses propres sensations, y compris l'isolement qui lui était douloureux ; il fallait aussi que d'autres femmes, qui comprennent son comportement et ses sentiments, valorisent les efforts qu'elle faisait en vue de changer. Pour guérir, Céleste devait apprendre à faire confiance à d'autres femmes ainsi qu'à elle-même.

Céleste doit d'abord entrer en relation avec elle-même avant de pouvoir interagir sainement avec un homme, et elle a encore beaucoup à faire dans ce domaine-là. Tous ses contacts antérieurs avec les hommes n'étaient au fond qu'un reflet de la colère, du chaos et de la révolte qu'elle vivait en elle, et les efforts qu'elle faisait pour contrôler ces hommes étaient également des efforts pour calmer les forces internes et les sentiments qui l'animaient. C'est désormais sur elle-même qu'elle doit concentrer ses efforts. Et la stabilité qu'elle acquerra peu à peu se manifestera dans ses interactions avec les hommes. Tant qu'elle n'aura pas appris à s'aimer et à se faire confiance, elle ne pourra ni éprouver d'amour et de confiance à l'égard d'un homme, ni acquérir l'amour et la confiance de cette homme.

Beaucoup de femmes font l'erreur de chercher un homme avec qui elles pourront développer une relation, sans avoir au préalable développé une relation avec elles-mêmes ; elles courent d'un homme à l'autre, à la recherche de ce qui leur manque. Cette recherche doit commencer en nous. Si nous ne nous aimons pas, il n'y a personne qui puisse nous donner suffisamment d'amour pour que nous nous sentions comblées. En effet, lorsque dans notre dénuement nous nous mettons en quête d'amour, nous ne pouvons trouver qu'un dénuement encore plus grand. Ce que nous manifestons dans nos vies est un reflet de ce qui est au fond de nous : nos croyances en notre propre valeur, en notre droit au bonheur et à ce qui nous revient dans la vie. Lorsque nos croyances changent, notre vie change aussi.

JANICE : trente-huit ans ; mariée ; mère de trois adolescents

« Il arrive parfois qu'à force de se donner des apparences il devient pratiquement impossible de laisser voir à d'autres ce qui se passe en nous réellement. C'est même difficile de le savoir soi-même. Pendant des années et des années, j'ai dissimulé ce qui se passait à la maison en faisant croire à autre chose. Très tôt déjà, lorsque j'allais à l'école, je prenais des responsabilités, je me faisais élire, je m'occupais de plusieurs choses. C'était sensationnel. Il y avait des moments où j'aurais voulu rester éternellement au collège. Là, j'étais quelqu'un qui était capable de réussir. J'y ai occupé de nombreuses fonctions prestigieuses, y compris le poste de vice-présidente de la classe des finissants. Robbie et moi avons même été élus le plus beau couple de l'année. Tout semblait aller pour le mieux.

« À la maison aussi tout avait l'air de bien aller. Mon père était représentant et il gagnait beaucoup d'argent. Nous avions une belle grande maison, avec une piscine et à peu près toutes les choses matérielles que nous pouvions désirer. C'est à l'intérieur que quelque chose manquait, là où ça ne se voyait pas.

« Mon père était presque toujours en voyage. Il aimait les motels et ramassait des femmes dans les bars. Chaque fois qu'il était à la maison, lui et ma mère se mettaient dans des colères terribles. Ensuite quiconque était présent à ce moment-là devait écouter les comparaisons qu'il faisait entre elle et toutes les autres femmes qu'il connaissait. Parfois aussi, ils en venaient aux mains. Quand cela arrivait, mon frère essayait de les séparer ou je devais appeler la police. C'était vraiment très moche.

« Après qu'il avait repris la route, ma mère nous parlait longuement, à mon frère et à moi, et elle nous demandait si elle devait quitter papa. Ni l'un ni l'autre ne voulions être responsables d'une telle décision, même si nous détestions leurs disputes ; c'est pourquoi nous essayions d'éviter de répondre. Elle n'est cependant jamais partie, parce qu'elle craignait de perdre la sécurité financière qu'il assurait. Au lieu de cela, elle se mit à consulter souvent le médecin et elle commença à se bourrer de pilules pour pouvoir endurer la situation. Puis elle cessa de se préoccuper de ce que papa faisait. Elle se retirait simplement dans sa chambre, avalait une ou deux pilules de plus et restait enfermée. Lorsqu'elle était dans sa chambre, je devais m'occuper d'une grande partie de ses tâches, mais cela ne m'ennuyait pas tellement. C'était mieux que d'entendre mes parents se disputer.

« Lorsque je fis connaissance avec mon époux, j'étais devenue une experte de la prise en charge.

« Robbie buvait déjà passablement quand nous nous sommes rencontrés en première année du secondaire. Il avait même un sobriquet ; parce qu'il buvait beaucoup de bière *Burgermeister*, on l'avait surnommé « Burgie ». Mais cela ne m'inquiétait pas. J'étais sûre d'être capable de m'occuper de n'importe quelle mauvaise habitude que Robbie pouvait avoir. On m'avait toujours dit que j'étais une personne sérieuse pour mon âge, et je le croyais.

« Il y avait quelque chose de très gentil en Robbie, qui m'a attirée immédiatement. Il me faisait penser à un cocker, plein de douceur et attachant, avec des grands yeux bruns. Nous avons commencé à sortir ensemble après que j'eus dit qu'il m'intéressait à son meilleur ami. C'est moi qui ai pratiquement organisé toute l'affaire. Il me semblait normal que je prenne l'initiative parce qu'il était très gêné. Nous avons commencé à sortir ensemble régulièrement à ce moment-là. Il lui arrivait parfois de ne pas être au rendez-vous que nous nous étions fixé. Le lendemain, il se montrait désolé et s'excusait humblement de s'être laissé aller à boire et d'avoir oublié. Alors je le sermonnais, le grondais et finalement je lui pardonnais. Il semblait presque reconnaissant que je sois là pour le maintenir dans le droit chemin. J'ai toujours été autant une mère qu'une bonne amie pour lui. Je faisais les ourlets de ses pantalons, lui rappelais la date d'anniversaire des membres de sa famille, le conseillais sur ses études et sur sa carrière. Robbie avait des parents sympathiques, mais ils avaient six enfants. Son grand-père, qui était malade, habitait aussi avec eux. Chacun était un peu distrait par tout cet encombrement et j'étais tout disposée à combler l'attention dont Robbie était privé chez lui.

« Il reçut son ordre de mobilisation deux ans après sa sortie de l'école secondaire. C'était au début de la guerre du Viêt-nam ; si un jeune homme était marié, il était exempt de service militaire. Je ne supportais pas l'idée de ce qui arriverait à Robbie au Viêt-nam. J'aurais pu dire que j'avais peur qu'il soit blessé ou tué, mais je dois admettre en toute honnêteté que je craignais bien davantage qu'il mûrisse là-bas et qu'à son retour il n'ait plus besoin de moi.

« Je lui ai laissé clairement comprendre que j'accepterais de l'épouser pour lui éviter d'être mobilisé, et c'est ce que nous avons fait. Nous avions tous les deux vingt ans lorsque nous nous sommes mariés. Je me souviens qu'il s'était tellement enivré à la réception de mariage que j'ai dû prendre le volant au moment de partir pour notre voyage de noce. Cela avait été marrant.

« Après la naissance de nos fils, son alcoolisme empira. Il m'expliquait qu'il avait besoin d'échapper à toute la tension qu'il ressentait et que nous nous étions mariés trop jeunes. Il faisait très souvent des sorties de pêche et passait de nombreuses soirées avec ses amis. Je n'arrivais pas à me fâcher vraiment, parce que j'avais tellement de peine pour lui. Chaque fois qu'il s'enivrait, je lui trouvais des excuses et je m'efforçais de rendre notre foyer plus agréable.

« J'imagine que nous aurions pu continuer ainsi indé-finiment, la situation empirant chaque année un peu. Cepen-dant, à son travail, on a commencé à s'apercevoir qu'il buvait. Son patron et ses collègues le confrontèrent avec son problème et il eut à choisir entre l'abstinence et la perte de son emploi. Eh bien il s'est abstenu.

« C'est là que les difficultés ont commencé. Pendant toutes ces années où Robbie buvait et causait des embêtements, je savais deux choses : premièrement, il avait besoin de moi ; deuxièmement, personne d'autre ne serait capable de l'en-durer. Et c'était là ma seule façon de me sentir en sécurité. C'est vrai, je devais supporter beaucoup de choses, mais cela m'était égal. J'avais eu un père qui s'était comporté beaucoup plus mal que Robbie. Il battait ma mère et couchait avec des douzaines de femmes qu'il rencontrait dans les bars. Par comparaison, je trouvais moins pénible de supporter un mari qui buvait trop. Sans compter que je tenais ma maison comme je l'entendais. Et lorsque Robbie dépassait vraiment les limi-tes, je le grondais et je pleurais ; alors il marchait droit pendant une semaine ou deux. Je n'avais vraiment pas besoin de plus que cela.

« Évidemment, je ne savais rien de tout cela avant que Robbie eût cessé de boire. Et voilà que tout d'un coup mon pauvre Robbie désemparé se rendait tous les soirs à des réunions des Alcooliques Anonymes, qu'il avait des entretiens sérieux au téléphone avec des gens que je ne connaissais même pas. Ensuite il eut un parrain chez les Alcooliques Anonymes et c'est vers cet homme qu'il se tournait chaque fois qu'il avait un problème ou une question à régler. C'était comme si on m'avait congédiée, et j'enrageais ! Une fois de plus, je dois admettre en toute honnêteté que je regrettais le temps où il buvait. Avant son abstinence, c'était moi qui appelais son patron et qui inventais des excuses fantaisistes lorsqu'il avait trop mal aux cheveux pour aller travailler. Je mentais à sa famille et à ses amis à propos des ennuis qu'il avait à son travail ou lorsqu'il avait conduit en état d'ébriété. En somme, je m'interposais entre lui et la vie. Et voilà que désormais j'étais exclue du jeu. Chaque fois qu'une situation difficile se présentait, il téléphonait à son parrain, et ce dernier insistait toujours pour que Robbie aborde le problème de front ; après y avoir fait face, quel que fut le problème, il rappelait son parrain pour lui faire un rapport. Et moi pendant ce temps-là j'étais laissée de côté.

« Bien que j'aie vécu pendant des années avec un homme irresponsable, indigne de confiance et de très mauvaise foi, ce n'est que lorsque Robbie eut été sobre depuis neuf mois et qu'il se fut amélioré en tout que nous nous sommes aperçus que nous nous querellions beaucoup plus qu'avant. Je me mettais très en colère lorsqu'il téléphonait à son parrain pour savoir comment il devait s'y prendre avec « moi ». Il semblait que c'était moi qui étais la plus grande menace à son abstinence !

« Je faisais les premières démarches en vue du divorce au moment où l'épouse de son parrain m'a téléphoné et qu'elle m'a proposé de prendre une tasse de café avec elle. J'ai accepté son invitation, mais à contrecœur. C'est alors qu'elle m'a tout expliqué. Elle me raconta combien cela avait été pénible pour elle lorsque son mari était devenu sobre, parce qu'elle ne pouvait plus diriger ni lui ni les divers aspects de leur vie commune. Elle évoqua la grande frustration que suscitait en elle ses réunions des Alcooliques Anonymes et spécialement son parrain, et elle ajouta que c'était un miracle qu'ils soient encore mariés et, en plus, heureux. Elle m'expliqua qu'Al-Anon l'avait aidée énormément et me conseilla d'assister à quelques réunions.

« Mais je n'écoutais qu'à moitié. Je croyais encore que j'étais normale et que Robbie me devait beaucoup parce que je l'avais supporté pendant des années. J'estimais qu'il devait me montrer de la reconnaissance au lieu d'aller continuellement à des réunions. Je ne me rendais pas compte à quel point il lui était difficile de rester sobre, et il n'aurait jamais risqué de me le dire parce qu'alors je lui aurais dit comment faire — comme si j'y connaissais quelque chose !

« C'est à cette époque qu'un de nos fils se mit à voler et à avoir des ennuis à l'école. Nous allâmes, Robbie et moi, à une conférence pour parents ; on y mentionna le fait que Robbie était un alcoolique sobre et qu'il fréquentait les Alcooliques Anonymes. La conseillère suggéra fortement que notre fils se joigne à Alateen et elle me demanda si j'appartenais à Al-Anon. Je me sentais prise au piège. Par bonheur cette femme, qui avait beaucoup d'expérience avec des familles comme la nôtre, se montra très gentille à mon égard. Tous mes fils commencèrent à assister à des réunions du Alateen, mais moi je continuai de bouder Al-Anon. Je poursuivais les procédures de divorce et j'emménageai avec les enfants dans un appartement. Quand vint le temps de régler tous les détails, les garçons m'annoncèrent calmement qu'ils voulaient vivre avec leur père. J'en fus bouleversée. Après avoir quitté Robbie, je leur avais consacré toute mon attention, et les voilà qui le préféraient à moi ! J'ai dû les laisser partir. Ils étaient en âge de décider tout seuls. C'est ainsi que je me retrouvai toute seule. Je n'avais jamais été seule auparavant. J'étais à la fois terrifiée, déprimée et hystérique.

« Après quelques jours où je suis restée dans un état de complet anéantissement, j'ai téléphoné à l'épouse du parrain de Robbie. J'en voulais à son mari et aux Alcooliques Anonymes d'avoir été la cause de mon malheur. Elle s'est laissé injurier pendant un long moment, puis elle est venue chez moi et s'est assise pendant que je pleurais, pleurais comme une Madeleine. Le lendemain, elle m'amena à une réunion du Al-Anon et, bien que terriblement en colère et apeurée, j'ai écouté ce qu'on y racontait. J'ai commencé très lentement à me rendre compte à quel point j'étais malade. Je suis allée à chacune des réunions qui ont eu lieu pendant trois mois. Ensuite j'y suis allée trois ou quatre fois par semaine pendant longtemps.

« J'ai appris, au cours de ces réunions, à rire des choses que j'avais tellement prises au sérieux, comme d'essayer de changer les autres et de diriger et de contrôler leur vie. Et j'ai écouté d'autres gens parler de la difficulté qu'ils avaient à s'occuper d'eux-mêmes au lieu de diriger tous leurs efforts sur l'alcoolique. Cela s'appliquait aussi à moi. J'ignorais ce dont j'avais besoin pour être heureuse. J'avais toujours cru que je serais heureuse dès que tout le monde irait bien. Je rencontrai là des gens merveilleux, et certains d'entre eux avaient des partenaires qui buvaient encore. Ils avaient appris à ne pas s'en faire et à mener leur propre existence. Mais je les ai aussi tous entendus dire combien c'était difficile de renoncer à ses vieilles habitudes de s'occuper de tout et de tous et de se conduire avec l'alcoolique en mère ou en père. D'entendre certains raconter comment ils avaient passé à travers la solitude et la sensation de vide m'a aidée à trouver ma propre solution. J'ai appris à ne plus avoir pitié de moi et à être reconnaissante de ce que la vie m'avait donné. Ce ne fut pas long que je cessai de pleurer pendant des heures ; et comme je disposais de beaucoup de temps libre, j'ai pris un emploi à temps partiel. Cela aussi m'a aidée. J'ai commencé à prendre plaisir à faire des choses toute seule. Cela n'a pas été long que Robbie et moi avons parlé de nous remettre ensemble. J'étais très impatiente de me retrouver près de lui, mais son parrain lui conseilla d'attendre quelque temps. L'épouse de son parrain me dit la même chose. Je ne comprenais pas pourquoi à cette époque-là, mais d'autres personnes du programme étaient aussi d'avis que nous devions attendre. Nous avons donc remis cela à plus tard. Je comprends maintenant qu'il était important que je me trouve avant d'aller retrouver Robbie.

« Au début, je sentais un tel vide en moi qu'on aurait cru que le vent passait à travers moi. Mais au fur et à mesure que je décidais et que je prenais ma vie en main, cet espace vide se remplissait. Il a fallu que j'apprenne qui j'étais, ce que j'aimais et n'aimais pas, ce que j'attendais de la vie. Je ne pouvais pas apprendre ces choses-là à moins d'être seule avec moi-même et de n'avoir personne d'autre à qui penser et de qui m'occuper, parce que lorsqu'il y avait quelqu'un de présent j'aimais beaucoup mieux diriger la vie de cette personne que la mienne.

« Quand nous avons songé, Robbie et moi, à nous remettre ensemble, je me suis rendu compte que j'appelais Robbie à propos de chaque petite chose et que je voulais que nous nous voyions pour discuter de chaque détail. Je pensais qu'à chaque fois que je l'appelais je revenais en arrière, de sorte que quand j'éprouvais le besoin de parler à quelqu'un j'avais pris l'habitude de me rendre à une réunion ou de téléphoner à quelqu'un du programme. C'était aussi dur que d'être sevrée, mais je savais qu'il me fallait apprendre à laisser les choses couler entre nous plutôt que de toujours intervenir et d'essayer de les forcer à aller dans mon sens. Ce changement d'attitude m'a été incroyablement pénible. Je crois qu'il a été plus difficile pour moi de laisser Robbie tranquille qu'il a été difficile pour lui de cesser de boire. Mais je savais qu'il me fallait le faire. Sinon je serais retombée dans mes vieilles habitudes. C'est drôle ; j'ai fini par comprendre que tant que je n'aimerais pas à vivre seule je ne serais pas prête à revenir au mariage.

« Pendant l'année suivante, j'ai retrouvé Robbie et les enfants. Robbie n'avait jamais voulu du divorce. Je me demande bien pourquoi ; j'exerçais un tel contrôle sur eux tous. De toute façon, j'allais mieux et je parvenais à les laisser tranquilles. Nous nous portons maintenant tous bien. Les garçons vont à Alateen, Robbie aux Alcooliques Anonymes et moi à Al-Anon. Je crois que chacun de nous se porte mieux que jamais parce que chacun vit sa propre vie. »

Il n'y a pas grand-chose à ajouter à l'histoire de Janice. Son très grand besoin d'être indispensable, d'avoir un homme faible et inadapté et de contrôler l'existence de cet homme étaient autant de moyens de nier et d'éviter le vide qui s'était installé inévitablement en elle pendant ses années de jeunesse dans sa famille. Il a déjà été dit que les filles de familles perturbées se sentent responsables des problèmes familiaux et des solutions qu'elles peuvent prendre pour y remédier. Ces enfants utilisent généralement un des trois moyens suivants pour tenter de « sauver » leur famille : se rendre invisibles, être méchantes ou être bonnes.

Se rendre invisible signifie ne jamais rien demander, ne causer d'ennui à personne, n'avoir aucune exigence. L'enfant qui choisit ce rôle évite scrupuleusement d'ajouter des soucis à sa famille déjà stressée. Elle reste dans sa chambre ou se perd dans le décor ; elle parle très peu et reste neutre dans ce qu'elle dit. À l'école, elle n'est ni mauvaise ni bonne ; en fait, il est rare qu'on se souvienne d'elle. Sa contribution à la famille est de ne rien exiger. Quant à ses propres chagrins, elle est insensible, elle ne ressent rien.

Être méchante signifie faire la révoltée, la délinquante juvénile, celle qui amène toujours des ennuis. Cette enfant se sacrifie en acceptant de devenir le bouc émissaire de la famille, le souci de la famille. Elle se fait le centre sur lequel toute la famille peut focaliser sa douleur, sa colère, sa peur et sa frustration. Malgré que les rapports entre ses parents soient en pleine désintégration, elle procure à ces derniers un sujet qu'ils peuvent aborder en toute sécurité. Par exemple, ils se demandent : « Qu'allons-nous faire de Joanie ? » au lieu de « Qu'allons-nous faire de notre mariage ? » C'est comme si l'enfant essayait de « sauver » la famille de cette façon. Et elle ne ressent qu'une chose : de la colère, sous laquelle elle dissimule sa peine et sa peur.

Être bonne, voilà le moyen qu'avait adopté Janice ; elle était quelqu'un qui réussissait et qui tentait, avec ses succès, de racheter la famille et de combler son vide intérieur. Ses airs heureux, radieux et enthousiastes servaient à cacher sa tension, sa peur et sa colère intérieures. Avoir les apparences d'aller bien devenait pour elle plus important que de se sentir bien — que de ressentir des émotions.

Janice éprouva éventuellement le besoin d'ajouter à son palmarès des exploits la prise en charge de quelqu'un, et Robbie, qui lui rappelait l'alcoolisme de son père et la dépendance passive de sa mère, était un choix tout désigné. Il devint (tout comme les enfants, après qu'il fût parti) son objectif de carrière, son projet et son moyen de fuir ses propres émotions.

Sans son mari ou sans ses fils, sur qui elle pouvait concentrer son attention, une dépression était inévitable, car ces derniers avaient été les moyens essentiels qui lui avaient permis de fuir sa peine, son vide et sa peur. Sans eux, elle se sentait étouffée par ses émotions. Janice s'était toujours perçue comme une personne forte, une personne qui aidait, encourageait et conseillait les gens qui l'entouraient ; et, cependant, son mari et ses fils remplissaient un rôle plus important auprès d'elle qu'elle auprès d'eux. Ils n'avaient ni sa « force » ni son esprit « mature » et ils étaient pourtant capables de vivre sans elle. Mais elle n'arrivait pas à vivre sans eux. Si cette famille a réussi à survivre intacte, c'est grâce surtout à leur heureuse initiative d'aller voir un thérapeute expérimenté, et aussi à l'honnêteté et à la sagesse du parrain de Robbie et de son épouse. Chacune de ces personnes avait reconnu que la maladie de Janice était aussi débilitante que celle de Robbie et que sa guérison était tout aussi importante.

RUTH : vingt-huit ans ; mariée ; mère de deux filles

« Je savais, même avant notre mariage, que Sam avait des difficultés dans la performance de l'acte sexuel. Nous avions essayé de faire l'amour quelques fois et cela n'avait jamais abouti ; nous avions attribué cela au fait que nous n'étions pas mariés. Nous avions tous les deux des convictions religieuses très profondes   en fait, nous nous sommes rencontrés à des cours du soir dans un collège confessionnel et nous sommes sortis ensemble pendant deux ans avant d'essayer d'avoir des relations sexuelles. Nous étions alors fiancés et la date du mariage était fixée ; aussi ne nous sommes-nous pas inquiétés outre mesure, pensant que Dieu voulait nous éviter de pécher avant notre mariage. J'ai tout simplement pensé que Sam était un jeune homme très gêné et que je serais capable de l'aider une fois que nous serions mariés. Je me faisais une joie de lui apporter mon concours. Sauf que les choses ne se sont pas passées ainsi.

« La nuit de nos noces, Sam était fin prêt lorsqu'il perdit son érection ; il me demanda calmement si j'étais encore vierge. Comme je tardais à répondre, il ajouta : « Je ne le pensais pas. » Il s'est ensuite levé, est allé à la salle de bain et a fermé la porte. Nous avons pleuré tous les deux, séparés par cette porte. Cette longue nuit fut un désastre, et il allait y en avoir encore bien d'autres.

« Avant de rencontrer Sam, j'avais été fiancée à un homme que je n'aimais d'ailleurs pas beaucoup, mais pour qui j'avais eu le coup de foudre. Nous avions couché ensemble et, de ce fait, je me crus obligée de l'épouser afin de me racheter. Mais il finit par se lasser et s'éloigna de moi peu à peu. Je portais encore son alliance quand je fis la connaissance de Sam. Je m'étais résignée, après cette expérience, à rester célibataire pour toujours ; mais comme Sam était très bon et qu'il ne me forçait pas à avoir des relations sexuelles, je me suis sentie rassurée et j'ai changé d'avis. Je me rendais compte que Sam était encore moins avancé et plus conservateur que moi en matière de sexualité, et cela m'a incitée à croire que je contrôlais la situation. Cela, de même que les convictions religieuses que nous partagions, m'assura que nous étions faits l'un pour l'autre.

« Une fois mariée et parce que je me sentais coupable, j'ai pris sur moi de guérir Sam de son impotence. Je lisais tous les livres que je pouvais trouver alors que lui refusait d'en lire même un seul. Je gardais tous ces livres dans l'espoir qu'il les lirait. Plus tard, j'ai découvert qu'il les avait tous lus pendant que je ne regardais pas. Il cherchait, lui aussi, désespérément à comprendre, mais je n'en savais rien puisqu'il ne voulait pas en parler. Il m'a demandé si j'étais d'accord que nous soyions juste amis et je lui ai menti en disant oui. Le pire pour moi n'était pas le manque de sexe dans nos vies ; cela ne m'intéressait d'ailleurs pas tellement. C'était plutôt ma mauvaise conscience, le sentiment que j'avais tout détruit dès le début.

« Il y avait une chose que je n'avais pas encore essayée : la thérapie. J'ai demandé à Sam s'il voulait aller voir un thérapeute. Il me répondit par un non catégorique. J'en étais arrivée à être obsédée par le sentiment que « je le » privais de cette sexualité merveilleuse qu'il aurait pu connaître s'il ne s'était pas marié avec moi. Je persistais à croire qu'un thérapeute aurait pu nous aider, nous dire quelque chose que les livres avaient omis. Je désespérais de ne pouvoir aider Sam. Je l'aimais encore. Je me rends compte maintenant qu'une grande part de l'amour que j'éprouvais pour lui à ce moment-là était en réalité un mélange de culpabilité et de pitié, mais il y avait aussi une sincère sollicitude. Sam était bon, doux et gentil.

« En tout cas, je suis allée à mon premier rendez-vous avec une thérapeute qui m'avait été recommandée par les gens de Planification familiale en tant qu'experte en sexualité. Le but de ma visite était d'aider Sam, et je le lui dis. Elle m'expliqua qu'elle ne pouvait pas aider Sam étant donné qu'il était absent, mais qu'elle pouvait travailler avec moi. Elle me demanda ce que je ressentais à propos de ce qui se passait et de ce qui ne se passait pas entre Sam et moi. Je ne m'attendais pas du tout à devoir parler de mes sentiments. Je ne savais même pas que j'en avais. Tout au long de cette première heure, je m'efforçais de ramener la conversation sur Sam, alors qu'elle retournait gentiment l'attention sur moi et mes sentiments. C'était la première fois que je me rendais compte à quel point j'étais experte à me fuir moi-même ; et c'est surtout parce qu'elle faisait preuve de tant d'honnêteté envers moi que j'ai accepté de la revoir, bien que, selon moi, nous ne travaillions pas à ce qui, j'en étais sûre, était le « véritable » problème, Sam.

« Entre la deuxième et la troisième séance, j'eus un rêve très vivide et angoissant dans lequel j'étais poursuivie et menacée par une silhouette dont je ne pouvais pas voir le visage. Lorsque je racontai ce rêve à ma conseillère, elle m'aida à y voir clair. Je finis par comprendre que la forme menaçante était mon père. J'avais fait le premier pas d'un long cheminement au bout duquel je réussis à me souvenir que mon père avait fréquemment abusé de moi sexuellement, lorsque j'avais entre neuf et quinze ans. J'avais complètement effacé ce souvenir de ma mémoire, si bien que lorsqu'il recommença à faire surface je ne pus le laisser surgir que par bribes tellement il était bouleversant.

« Mon père sortait souvent le soir et rentrait très tard. Pour le punir, je suppose, ces soirs-là ma mère fermait la porte de leur chambre à clé. Mon père était censé coucher sur le divan ; mais, après un certain temps, il prit l'habitude de venir dans mon lit. Il me cajolait et me menaçait en même temps pour que je ne révèle rien de tout cela. Je n'ai jamais rien dit tant j'avais honte. J'étais persuadée que ce qui arrivait était ma faute. Chez nous il n'était jamais question de sexualité, mais on sentait bien, à l'attitude générale, que le sexe était considéré comme quelque chose de honteux. J'étais sans aucun doute honteuse et je voulais que personne ne le sache.

« À l'âge de quinze ans, j'ai trouvé un emploi et je me suis mise à travailler la nuit, les fins de semaine et même en été. Je me tenais le plus possible éloignée de la maison. Je m'étais même acheté une serrure de sûreté pour ma porte. La première fois que mon père se heurta à ma porte verrouillée, il resta là à frapper pour que je lui ouvre. Je fis semblant de ne m'apercevoir de rien. Le bruit réveilla ma mère qui vint lui demander ce qu'il faisait. Il répondit alors : « Ruth a fermé sa porte à clé ! » Ma mère lui dit : « Et alors ? Va te coucher ! » et l'incident s'est arrêté là. Ma mère ne me posa pas de questions et je ne reçus plus de visites nocturnes de mon père.

« Il m'avait fallu beaucoup de courage pour poser une serrure à ma porte. Je craignais que cela ne fonctionne pas, que mon père entre et qu'il soit furieux que j'aie voulu l'empêcher d'entrer. Mais il y avait plus que cela ; j'étais presque disposée à me résigner plutôt que de courir le risque de voir quelqu'un découvrir ce qui se passait.

« J'avais dix-sept ans lorsque j'ai quitté la maison pour aller au collège, et dix-huit ans lorsque j'ai rencontré l'homme à qui je m'étais fiancée. Je partageais un appartement avec deux autres filles. Un soir qu'elles recevaient des amis que je ne connaissais pas, je m'étais couchée tôt, parce que je ne tenais pas à assister à la fumerie de « pot » qui était en train de s'organiser. La plupart des étudiants se moquaient des règlements très stricts du collège au sujet de l'alcool et des stupéfiants ; quant à moi, je ne m'étais jamais habituée à la présence de ces drogues et encore moins à leur usage. Je continue. La porte de ma chambre se trouvait juste à côté de celle de la salle de bain, au fond d'un long couloir. Un des invités, qui cherchait les toilettes, entra par mégarde dans ma chambre. Après s'être aperçu de son erreur et au lieu de s'en aller, il m'a demandé s'il pouvait rester causer avec moi. Je n'ai pas pu dire non. C'est difficile à expliquer pourquoi, mais je n'en étais tout simplement pas capable. Bref, il s'assit sur le bord de mon lit et se mit à parler. Ensuite il me dit de me mettre sur le ventre, qu'il allait me donner un massage de dos. Cela n'a pas pris de temps avant qu'il soit dans mon lit et que nous fassions l'amour. Et voilà comment je me suis retrouvée fiancée à lui. Fumeur de « pot » ou pas, je crois bien qu'il était aussi vieux jeu que moi et que, comme moi, il pensait qu'étant donné que nous avions couché ensemble nous devions rester attachés l'un à l'autre. Nous sommes sortis ensemble pendant environ quatre mois, jusqu'à ce qu'il se désintéresse de moi, comme je vous l'ai déjà dit. J'ai fait connaissance avec Sam un peu plus d'une année après. Je croyais comprendre que si nous ne parlions pas de sexe, ni lui ni moi, c'était à cause de nos convictions religieuses. Je ne me rendais pas compte que nous évitions le sujet parce que nous avions été tous les deux très perturbés sexuellement. J'aimais la sensation que j'éprouvais en aidant Sam, en m'appliquant avec lui pour parvenir à bout de notre handicap dans l'espoir que je tombe enceinte. J'aimais me sentir utile, compréhensive, patiente — et en contrôle de la situation. Il était essentiel que j'exerce ce contrôle total pour éviter que soient remuées toutes ces anciennes sensations du temps où mon père s'approchait de moi et me caressait, pendant des nuits et des nuits, et pendant toutes ces années.

« Lorsque ce qui s'était passé entre mon père et moi vint à la surface au cours de la thérapie, ma thérapeute me conseilla fortement d'aller aux réunions des Filles Unies, un groupe d'épanouissement personnel où se réunissent des femmes dont les pères ont abusé sexuellement lorsqu'elles étaient enfants.

J'ai longtemps tardé à me décider, mais j'y suis finalement allée. Ce fut une vraie bénédiction pour moi. D'apprendre qu'il y avait tant d'autres femmes qui avaient eu des expériences similaires aux miennes — et parfois bien pires que les miennes — eut sur moi un effet rassurant et curatif. Plusieurs de ces femmes étaient mariées à des hommes qui avaient eux-mêmes des problèmes d'ordre sexuel. Ces hommes également avaient formé entre eux un groupe d'entraide, et Sam trouva le courage de se joindre à eux.

« Les parents de Sam avaient été obsédés par l'idée de vouloir faire de leur fils, selon leurs propres mots, un garçon « pur », « propre ». S'il avait les mains posées sur ses jambes alors qu'il était à table, ils lui commandaient de les mettre sur la table « où nous pouvons voir ce que tu fais », lui disaient-ils. S'il restait trop longtemps aux toilettes, ils frappaient contre la porte et criaient : « Que fais-tu là-dedans ? » C'était toujours ainsi. Cela n'arrêtait pas. Ils fouillaient dans ses tiroirs à la recherche de magazines, et dans ses habits pour y déceler des taches. Il devint tellement craintif à l'idée d'éprouver des sensations sexuelles ou d'avoir des expériences qu'il en était finalement devenu incapable, même s'il avait essayé.

« Alors que nous commencions à aller mieux, notre vie de couple devint, d'une certaine façon, plus difficile ; j'avais encore toujours cet immense besoin de contrôler chacune des expressions sexuelles de Sam (comme l'avaient fait ses parents), parce que je me sentais menacée par toute avance sexuelle de sa part. S'il faisait spontanément un geste vers moi, je me dérobais, me retournais, m'éloignais, ou je me mettais à parler ou à faire quelque chose d'autre pour créer une diversion. Je ne pouvais pas supporter qu'il se penche sur moi lorsque j'étais au lit ; cela me rappelait la façon dont mon père s'approchait de moi. Cependant, sa guérison exigeait qu'il s'occupe de son corps et de ses sensations. Il fallait que je cesse de le contrôler, afin qu'il puisse, littéralement, éprouver sa propre virilité. Mais ma peur d'être forcée, dépassée, confuse constituait un autre gros problème. J'appris à dire : « J'ai peur, maintenant. » et Sam répondait alors : « Dis-moi ce que tu veux que je fasse. » Normalement cela suffisait — simplement de savoir qu'il respectait mes émotions et qu'il se montrait attentif.

« Nous nous sommes mis d'accord pour prendre à tour de rôle le contrôle de chacune de nos relations sexuelles. Nous avions tous les deux le droit de refuser la moindre chose que nous n'aimions ou ne voulions pas faire, mais il y en avait toujours un qui orchestrait toute la relation. Ce fut l'une des meilleures idées que nous ayons jamais eues, parce qu'elle répondait à notre besoin respectif d'être responsables de notre propre corps et de notre sexualité. Nous apprîmes à nous fier l'un à l'autre et à croire que nous étions capables de donner et de recevoir de l'amour au moyen de notre corps. Nous avions aussi le soutien de notre groupe respectif. Le fait que les difficultés et les sentiments de tout un chacun se ressemblaient beaucoup a vraiment contribué à ce que nous poursuivions nos efforts avec réalisme. Un jour, nos deux groupes se sont réunis, et nous avons passé la soirée à discuter de nos réactions personnelles aux mots « impuissant » et « frigide ». Il y eut bien des larmes et des rires et des sentiments émouvants de compréhension et de partage. Cela nous a ôté à tous une grande partie de notre honte et de notre souffrance.

« C'est peut-être parce que Sam et moi avions déjà vécu beaucoup de choses ensemble et aussi parce que nous avions une très grande confiance mutuelle que notre relation de couple s'est mise à fonctionner sur le plan sexuel. Nous avons maintenant deux superbes filles et nous sommes très heureux avec elles ; nous le sommes aussi avec nous-mêmes et l'un avec l'autre. Je suis beaucoup moins une mère pour Sam et beaucoup plus une partenaire. Il est moins passif et s'affirme beaucoup plus. Il n'a pas besoin que je dissimule son impuissance au monde, et je n'ai pas besoin qu'il soit asexué. Nous avons désormais de nombreuses alternatives et nous nous donnons l'un à l'autre de notre plein gré ! »

L'histoire de Ruth illustre un autre aspect de la façon dont se manifeste la dénégation et le besoin de contrôler. Comme tant d'autres femmes qui deviennent obsédées par les difficultés de leur partenaire, Ruth savait déjà, avant son mariage, quels étaient exactement les problèmes de Sam. Elle ne fut donc pas surprise de leur incapacité d'interagir sexuellement. En fait, cette inaptitude lui garantissait qu'elle n'aurait jamais plus à perdre le contrôle de sa propre sexualité. Elle pouvait être l'initiatrice, celle qui contrôlait, plutôt que de remplir le seul autre rôle sexuel qu'elle connut, celui de victime.

Ruth et Sam ont vraiment eu de la chance de recevoir une aide qui correspondait exactement à leurs besoins : Ruth fit partie du groupe de soutien les Filles Unies, une branche des Parents Unis, une fraternité qui contribue au rétablissement des familles qui ont connu l'inceste. Et par bonheur, un groupe parallèle avait été formé par les maris de ces victimes de l'inceste. C'est dans ce climat de compréhension, d'acceptation et d'expérience partagée que chacun de ces deux êtres perturbés a pu évoluer avec ménagement vers un sain épanouissement de leur expression sexuelle.

Pour guérir, chacune des femmes dont nous avons parlé dans ce chapitre a dû confronter la souffrance, passée et présente, qu'elle tentait d'écarter. Lorsqu'elles étaient enfants, ces femmes avaient adopté une stratégie de survie qui comprenait la pratique de la dénégation et un effort pour accéder au contrôle. Plus tard, lorsqu'elles ont atteint l'âge adulte, ces mêmes stratégies les ont desservies ; en fait, leurs moyens de défense étaient devenus des facteurs cruciaux de leur souffrance.

Chez la femme qui aime trop, la pratique de la dénégation — qu'on a rebaptisée magnanimement en « ne pas s'arrêter à ses défauts » ou « avoir une attitude positive » — lui fournit complaisamment la possibilité de jouer ses rôles familiers grâce aux défauts de son partenaire. Lorsque son besoin de contrôler se déguise en « se rendre utile » et en « prodiguer ses encouragements », il y a de nouveau dissimulation de son propre besoin de la supériorité et de la puissance qu'implique ce genre d'interaction.

Il est important que nous reconnaissions que la pratique de la dénégation et du contrôle n'apporte en définitive rien à notre existence et à nos relations. Au contraire, le mécanisme de la dénégation nous mène à des relations qui favorisent notre compulsion à revivre nos anciens conflits, et le besoin de contrôler nous maintient dans cette attitude où nous essayons de changer quelqu'un d'autre plutôt que nous-mêmes.

Retournons maintenant au conte de fée dont il était question au début de ce chapitre. Comme il a déjà été expliqué, le conte *La Belle et la bête* semble vouloir perpétuer la croyance qu'une femme a le pouvoir de transformer un homme si elle l'aime avec suffisamment de dévouement. À ce niveau d'interprétation, le conte semble préconiser la dénégation et le contrôle comme moyens d'accession au bonheur. L'héroïne — la Belle —, en aimant aveuglément (dénégation) l'affreux monstre, semble avoir le pouvoir de le changer (contrôle). Cette interprétation « semble » correcte, parce qu'elle correspond aux rôles sexuels dictés par notre culture. Mais, malgré cela, je crois qu'une interprétation aussi simpliste est très loin du sens véritable que véhicule ce conte depuis si longtemps populaire ; et s'il est aussi populaire, ce n'est sûrement pas dû à des préceptes ou à des stéréotypes qu'il tenterait d'illustrer dans une culture ou une autre. Ce conte survit parce qu'il renferme une importante loi métaphysique, une leçon essentielle sur l'art de vivre sagement et agréablement. C'est un peu comme s'il renfermait une carte secrète qui peut nous conduire, si nous sommes assez futés pour la déchiffrer et suffisamment courageux pour la suivre, à un trésor — notre propre « ...et ils vécurent toujours heureux ».

Quelle est donc la morale de *La Belle et la bête* ? C'est l'« acceptation », l'antithèse même de la dénégation et du contrôle. Accepter signifie reconnaître la réalité telle qu'elle est et la laisser être ce qu'elle est, sans essayer de la modifier. C'est en cela que réside une félicité issue non pas de la manipulation des conditions externes ou des gens, mais du développement de la paix intérieure, même en présence de défis et d'obstacles.

Souvenez-vous que dans le conte, la Belle n'avait pas besoin que le monstre change. Elle l'avait évalué avec réalisme, l'acceptait tel qu'il était et l'estimait pour ses bonnes qualités. Elle n'a pas essayé de transformer un monstre en un prince. Elle n'a pas dit : « Je serai heureuse quand il ne sera plus un monstre. » Elle ne l'a pas pris en pitié et n'a pas essayé de le changer. C'est là qu'est la morale. C'est parce qu'elle consentait à l'accepter tel qu'il était qu'il fut « libéré » et qu'il devint le meilleur de lui-même. Que sa nature véritable s'avère être celle d'un prince charmant (et un partenaire idéal pour elle) est la preuve symbolique qu'« elle » a été magnifiquement récompensée pour avoir su accepter. Sa récompense fut de pouvoir vivre une vie enrichie et satisfaisante ; elle fila le parfait bonheur avec le prince.

Accepter véritablement un être tel qu'il est, sans même tenter de le changer par des encouragements, des manipulations ou une coercition, est une forme sublime d'amour qui est très difficile à atteindre pour la plupart d'entre nous. À la base de tous nos efforts pour changer quelqu'un d'autre que nous se trouve la conviction fondamentalement égoïste que son changement nous rendra heureuse. Il n'y a pas de mal à vouloir être heureuse, mais si, au lieu de placer cette source de bonheur en nous-mêmes, nous la mettons entre les mains de quelqu'un d'autre, cela signifie que nous éludons notre capacité et notre responsabilité de changer notre propre vie pour le mieux.

Il est ironique que cette forme de consentement soit précisément ce qui aide quelqu'un d'autre à changer s'il le désire. Voici comment cela se passe. Par exemple, si le partenaire d'une femme est un bourreau de travail et qu'elle le harcèle et se dispute avec lui sur les longues heures qu'il passe hors de la maison, qu'arrive-t-il habituellement ? Il passe autant de temps loin d'elle, sinon davantage, en justifiant ses agissements par le besoin d'échapper à ses éternelles récriminations. En d'autres mots, c'est parce qu'elle le gronde, le supplie et essaie de le changer qu'elle l'amène à croire que le conflit entre eux n'est pas dû à sa compulsion à lui pour le travail, mais à son harcèlement à elle — en fait, son besoin de le changer risque de devenir une cause de la distance affective qui les sépare aussi importante que la compulsion au travail de son partenaire. Les efforts qu'elle déploie pour le forcer à rester davantage auprès d'elle contribuent en réalité à l'éloigner encore plus.

La compulsion au travail, comme tous les comportements compulsifs, est un problème grave. Elle joue un rôle dans la vie de son mari ; elle sert probablement à le protéger du rapprochement et de l'intimité qu'il craint, et empêche certaines émotions gênantes de faire surface, surtout l'anxiété et le désespoir. (La compulsion au travail est un moyen d'échapper à soi-même qu'emploient souvent les hommes venus de familles souffrant de dysfonctions, comme aimer trop est un des tout premiers moyens d'évasion qu'utilisent les femmes issues de telles familles.) Le prix qu'il paye pour cette évasion est une existence unidimensionnelle qui l'empêche de jouir pleinement de la vie. Mais il n'y a que lui qui peut décider si le prix en est trop élevé, et lui seul peut prendre les moyens et les risques nécessaires à son changement. Le devoir de son épouse ne consiste pas à corriger sa vie à lui, mais à s'épanouir elle-même.

Nous avons presque toutes l'aptitude à être beaucoup plus heureuses et épanouies que nous le croyons. Nous nous privons souvent de ce bonheur, parce que nous croyons que le comportement de « quelqu'un d'autre » nous en empêche. Nous nous détournons du souci de notre épanouissement personnel pour comploter, manœuvrer et manipuler en vue de changer quelqu'un d'autre. Et nous sommes en colère, découragées et déprimées lorsque nos efforts échouent. C'est frustrant et déprimant d'essayer de changer quelqu'un d'autre ; par contre, c'est stimulant d'utiliser notre aptitude à changer notre propre existence.

Pour que l'épouse d'un bourreau de travail soit libre de se réaliser, quoi que son mari fasse, il faut qu'elle soit consciente que le problème de son partenaire n'est pas son problème à elle et qu'elle n'a ni le pouvoir, ni le devoir, ni le droit de le changer. Elle doit apprendre qu'il a le droit d'être ce qu'il est, même si elle aimerait qu'il soit différent.

En agissant ainsi, elle est libre — libre du ressentiment provoqué par l'indisponibilité de son mari, libre de la culpabilité issue de son incapacité à le changer, libre de l'effort répété pour modifier ce qu'elle ne peut pas changer. Ayant moins de rancune et de blâme, elle peut alors éprouver pour lui davantage d'affection, grâce aux qualités qu'il a et qu'elle sait apprécier.

Aussitôt qu'elle renoncera à le changer et qu'elle réorientera ses énergies vers ses propres intérêts, elle pourra connaître le bonheur et la satisfaction, quoi qu'il fasse. Elle s'apercevra peut-être que ses occupations sont suffisamment intéressantes pour qu'elle puisse vivre une vie enrichissante et bien remplie, tout en arrivant à se passer de son mari. Ou encore, au fur et à mesure que son bonheur dépendra moins de lui, elle pourra décider qu'il n'est pas réaliste de se vouer à un partenaire absent et choisir de mener sa vie sans la contrainte d'un mariage improductif. Ces deux options lui resteront fermées aussi longtemps qu'elle aura besoin que son compagnon change pour être heureuse. Tant qu'elle ne l'« acceptera » pas tel qu'il est, elle restera figée dans l'inaction, attendant qu'il change pour qu'elle puisse vivre sa vie.

Lorsque la femme qui aime trop renonce à sa croisade pour changer l'homme de sa vie, celui-ci est amené à peser les conséquences de son propre comportement. Puisqu'elle n'est plus frustrée et malheureuse et qu'elle vit, au contraire, avec un enthousiasme grandissant, le contraste de sa propre existence à lui s'intensifie. Il peut choisir de lutter pour se débarrasser de son obsession et devenir plus disponible physiquement et affectivement, ou « ne rien faire ». Mais quoi qu'il choisisse, c'est en acceptant son conjoint tel qu'il est que la femme se rend libre, d'une manière ou d'une autre, de vivre sa propre vie — toujours heureuse, comme à la fin d'un conte de fée.

Chapitre VIII

LORSQU'UNE DÉPENDANCE
EN NOURRIT UNE AUTRE

*Il y a beaucoup de peines dans la vie et
la seule qu'on peut s'épargner, c'est celle
qu'on se donne pour éviter les peines.*
— R.D. Laing

Dans le pire des cas, nous les femmes qui aimons trop sommes des intoxiquées de relations, des « droguées d'hommes » qui nous accrochons à la souffrance, à la peur et au désir. Et comme si cela ne suffisait pas, il arrive que les hommes ne soient pas notre seule drogue. Pour mieux cacher les émotions qui nous ont le plus affecté dans notre enfance, certaines d'entre nous ont développé une dépendance à des substances intoxicantes. Nous avons peut-être pris l'habitude, dans notre jeunesse ou plus tard, lorsque nous avons atteint l'âge adulte, d'abuser de l'alcool, d'autres drogues ou de la nourriture — ce dernier abus est très fréquent chez les femmes qui aiment trop. Nous avons mangé trop ou trop peu, afin d'éloigner la réalité, de nous étourdir et d'oublier cet immense vide affectif qui est au plus profond de nous.

Ce ne sont pas toutes les femmes qui aiment trop qui abusent de la nourriture, de l'alcool ou des drogues ; néanmoins, si nous sommes de celles qui le font, nous devons faire en sorte que nos efforts en vue de guérir de notre dépendance à l'égard des relations aillent de pair avec nos efforts pour nous guérir de tout autre abus, de quelque nature qu'il soit. Voici pourquoi : Plus nous dépendons de l'alcool, des drogues ou de la nourriture, plus nous ressentons de la culpabilité, de la honte, de la peur et une aversion de nous-mêmes.

Étant de plus en plus seules et isolées, nous recherchons peut-être désespérément l'apaisement rassurant qu'une relation avec un homme semble promettre. Parce que nous sommes très mal dans notre peau, nous voulons un homme qui nous aide à aller mieux. Parce que nous ne nous aimons pas, nous voulons un homme qui nous convainque que nous sommes aimables. Nous pensons aussi que nous n'aurons plus besoin d'autant de nourriture, d'alcool ou de drogue si nous trouvons l'homme qu'il nous faut. Nous utilisons les relations amoureuses de la même façon que nous utilisons nos drogues : pour nous soustraire à la douleur. Lorsqu'une relation se dérobe, nous nous tournons avec une frénésie accrue vers la substance à laquelle nous nous sommes adonnées, une fois encore afin de nous soulager. Il se crée un cercle vicieux lorsque la dépendance physique d'une substance est exacerbée par la tension d'une relation malsaine, et la dépendance affective d'une relation est intensifiée par les sensations chaotiques qu'engendre la dépendance physique. Nous nous accrochons au fait de ne pas avoir d'homme ou d'être mal assorties pour expliquer et justifier notre dépendance physique. De même, en continuant d'abuser de la drogue, nous sommes capables de tolérer nos rapports de couple malsains en endormant notre souffrance et en nous privant de la motivation nécessaire pour changer. Nous rejetons la responsabilité de l'un sur l'autre. Nous nous servons de l'un pour affronter l'autre. Et nous développons une accoutumance de plus en plus grande aux deux.

Tant que nous persistons à fuir nos émotions et la souffrance, nous restons malades. Plus nous essayons et plus nous nous trouvons des échappatoires, plus nous nous rendons malades du fait que nous renforçons les états de dépendance par des obsessions. Nous finissons par nous apercevoir que nos solutions sont devenues notre problème le plus sérieux. Ayant un besoin désespéré de soulagement et n'en trouvant pas, il peut arriver que nous devenions un peu démentes.

« Je suis ici parce que c'est mon avocat qui m'y envoie. » avoue Brenda à voix basse, lorsque nous nous sommes rencontrées pour la première fois, à mon bureau. « Je... je... j'ai pris des petites choses et je me suis fait attraper ; il a pensé que ce serait une bonne idée que je vois un psychothérapeute, pour mettre le plus de chances de mon côté lorsque je paraîtrai en justice la prochaine fois et qu'ils apprendront que je me fais soigner. » Elle dit cela avec un air de conspiratrice. Puis elle ajouta précipitamment qu'elle ne croyait pas avoir vraiment des « problèmes ». « J'ai pris quelques articles dans une petite pharmacie et j'ai oublié de les payer, dit-elle. C'est tout à fait idiot qu'ils aient cru que je les avais volés ; c'était simplement un oubli. Le pire de tout, c'est l'embarras que cela m'a causé. Mais je n'ai pas « réellement » de problème, pas comme en ont certaines gens. »

Brenda présentait l'un des défis les plus difficiles qu'on rencontre en thérapie : elle n'était pas suffisamment motivée pour rechercher de l'aide et niait même en avoir besoin ; mais elle était là, dans mon bureau, envoyée par quelqu'un qui pensait que la thérapie pouvait lui faire du bien.

Pendant qu'elle continuait de bavarder à en perdre haleine, je détournai mon attention de cette avalanche de mots, afin de l'examiner avec soin. Elle était grande et mince comme un mannequin de mode ; elle mesurait au moins 1 m 70 et pesait 50 kg tout au plus. Elle portait une robe de soie corail foncé d'une élégance sobre, assortie de bijoux massifs ivoire et or. Avec ses cheveux blonds comme les blés et ses yeux vert émeraude, elle avait tout ce qu'il lui fallait pour être belle. Pourtant quelque chose clochait, manquait. Elle fronçait continuellement les sourcils, de sorte qu'un profond pli vertical s'était formé entre eux. Elle retenait souvent sa respiration et avait les narines toujours dilatées. Et, bien que ses cheveux fussent coupés et coiffés soigneusement, ils étaient secs et cassants. Sa peau était parcheminée et jaunâtre malgré un bronzage attrayant. Sa bouche aurait été belle et épanouie si elle n'avait pas toujours serré les lèvres, ce qui les faisait paraître minces et sévères. Lorsqu'elle souriait, elle dissimulait ses dents, et elle se mordait les lèvres quand elle parlait. En me basant sur l'état de sa peau et de ses cheveux, ainsi que sur son extrême minceur, je commençai à soupçonner qu'elle mangeait avec excès (boulimie) et qu'elle se faisait ensuite vomir ou qu'elle jeûnait (anorexie).

Les femmes qui s'alimentent anormalement ont aussi, très souvent, une envie irrésistible de voler ; je voyais là un autre indice. J'avais également la forte intuition qu'elle était une coalcoolique. De toutes les clientes que j'ai rencontrées et qui avaient des habitudes alimentaires désordonnées, la plupart étaient filles d'un ou de deux parents alcooliques (surtout celles qui étaient affectées de boulimie) ou d'un parent alcoolique et d'un autre boulimique. Les personnes qui souffrent de boulimie se marient souvent avec des alcooliques, et cela n'est pas surprenant, puisque tant de mangeuses compulsives sont des filles d'alcooliques et que les filles d'alcooliques ont tendance à épouser des alcooliques. La femme qui mange trop est bien décidée à contrôler son alimentation, son corps et son partenaire, par la force de sa volonté. Nous avions beaucoup de pain sur la planche, Brenda et moi.

« Parlez-moi de vous, » lui demandai-je avec le plus de ménagement possible, tout en sachant bien à quoi je pouvais m'attendre.

En effet, tout ce qu'elle me raconta ce premier jour était des mensonges : elle me dit qu'elle se portait bien, qu'elle était heureuse, qu'elle ne savait pas ce qui était arrivé dans le magasin, qu'elle était incapable de s'en souvenir et qu'elle n'avait jamais rien volé auparavant. Elle ajouta que son avocat était très gentil, tout comme je semblais l'être, moi aussi. Elle voulait que personne ne sache rien de cet incident, prétextant que personne ne serait, comme son avocat ou moi, capable de comprendre la situation dans laquelle elle se trouvait. La flatterie était destinée à assurer ma complicité pour affirmer qu'il n'y avait rien de vraiment anormal chez elle, et à la confirmer dans son mythe que son arrestation avait été une erreur, un petit caprice ennuyeux du destin et rien de plus.

Heureusement, il restait encore beaucoup de temps entre le premier rendez-vous et le moment où son cas allait être jugé ; sachant que son avocat gardait le contact avec moi, elle s'appliqua à être « une bonne cliente ». Elle ne manqua aucune séance et, après quelque temps, elle devint plus sincère, presque malgré elle. Elle ressentit alors le soulagement qu'on éprouve lorsqu'on renonce à vivre avec un mensonge. Elle ne tarda pas à s'intéresser à la thérapie, autant pour elle-même que pour l'effet que cela pourrait produire sur le juge qui allait se prononcer sur sa cause. Lorsque arriva le moment de sa condamnation (six mois de sursis et pleine restitution, plus quarante heures de travail communautaire qu'elle servit au *Girls' Club* de sa localité), elle faisait autant d'efforts pour être sincère qu'elle en faisait auparavant pour se dissimuler, elle et ses actions.

La véritable histoire de Brenda, qu'elle-même avait d'abord mis tant d'hésitation et de précaution à évoquer, commença à se révéler au cours de notre troisième rencontre. Brenda avait l'air fatiguée et les traits tirés. Je lui en fis la remarque et elle m'avoua qu'elle avait eu du mal à dormir cette semaine-là. Je lui demandai quelle était la cause de son insomnie.

Elle commença par l'attribuer à son procès qui approchait, mais comme cette explication me parut peu satisfaisante, j'insistai : « Y a-t-il quelque chose d'autre qui vous ait tracassée cette semaine ? »

Elle attendit un moment avant de répondre, se mordant les lèvres avec application ; d'abord la lèvre supérieure, puis la lèvre inférieure et de nouveau la lèvre supérieure. Elle laissa enfin échapper, comme malgré elle : « J'ai enfin demandé à mon mari de partir ; mais maintenant je préfèrerais n'en avoir rien fait. Je ne dors pas, je n'arrive pas à travailler, je suis à bout de nerfs. J'enrageais de le voir s'afficher avec cette fille du bureau, mais je trouve encore plus pénible de me passer de lui que d'endurer cela. Maintenant, je ne sais plus quoi faire et je me demande si ce n'est pas ma faute, après tout. Il m'a toujours reproché d'être froide et distante, pas suffisamment femme à son goût. Et je crois qu'il avait raison. J'« étais » très souvent en colère et renfermée ; mais il me critiquait tellement ! Je lui répétais : « Si tu veux que je sois chaleureuse envers toi, commence donc par me traiter affectueusement et parle-moi gentiment au lieu de me dire que je suis affreuse, stupide ou peu attrayante. » Puis elle prit peur. Ses sourcils remontèrent très haut et elle se mit à nier tout ce qu'elle venait de me confier. En gesticulant avec ses mains soignées, elle s'expliqua : « Nous ne nous sommes pas vraiment séparés ; nous prenons simplement congé l'un de l'autre pendant quelque temps. Et Rudy ne me critique pas autant que cela ; d'ailleurs, je crois bien que je le mérite. Il m'arrive parfois de rentrer fatiguée du travail et de ne pas avoir envie de faire à manger, d'autant plus qu'il n'aime pas ma cuisine. Il aime tellement mieux ce que sa mère fait qu'il lui arrive de quitter la table pour aller manger chez elle, et il ne rentre à la maison que vers deux heures du matin. Je n'ai pas du tout envie de faire des efforts pour le rendre heureux ; cela ne réussit jamais, de toute façon. Mais notre situation n'est pas si grave. Bien d'autres femmes connaissent pire que cela. »

Je lui demandai ce qu'il faisait, à son avis, jusqu'à deux heures du matin. J'ajoutai qu'il était impossible qu'il passe tout ce temps-là chez sa mère.

« Je ne veux même pas le savoir. » dit-elle. « Je pense qu'il est avec sa blonde. Mais je m'en fiche. Je préfère qu'il me laisse tranquille. Souvent, lorsqu'il finit par rentrer à la maison, il me cherche querelle. C'est surtout parce que lorsque cela se produit je suis fatiguée au travail le lendemain, et non à cause de ses absences, que je lui ai finalement demandé de partir. »

Brenda ne voulait absolument pas ressentir ses émotions ni en parler. Et, comme elles se faisaient de plus en plus pressantes, elle chercha à les étouffer en se créant d'autres difficultés.

J'ai appelé son avocat après notre troisième rencontre et je lui ai demandé de bien rappeler à Brenda qu'il était très important qu'elle poursuive sa thérapie avec moi. Je m'apprêtais à prendre un risque avec elle et je ne voulais pas la perdre. C'est au début de notre quatrième rencontre que je suis intervenue.

Je lui demandai, sur le ton le plus naturel : « Brenda, parlez-moi de vous et de la nourriture. » Ses yeux verts s'agrandirent, sa peau jaunâtre pâlit encore davantage, et elle se raidit visiblement. Puis elle plissa les yeux et me fit un sourire désarmant.

« Que voulez-vous dire, moi et la nourriture ? Voilà une question bien stupide ! »

Je lui dis ce qu'il y avait dans son apparence qui avait attiré mon attention et lui fis un exposé sur l'étiologie des troubles de consommation alimentaire. En apprenant qu'il s'agissait d'une maladie qui affectait d'innombrables femmes, Brenda considéra son comportement compulsif avec plus de réalisme. Il fallut moins de temps que ce que j'avais prévu pour qu'elle accepte de parler.

L'histoire de Brenda était longue et compliquée, et elle eut bien de la difficulté à faire le départ de la réalité et de son besoin de distorsion, de dissimulation et de prétention.

Elle était devenue experte en dissimulation et c'est pourquoi elle avait maintenant du mal à se dépêtrer des filets qu'elle avait fabriqués avec ses propres mensonges. Elle avait mis beaucoup de soin à se composer un masque à l'intention du monde extérieur, un masque pour dissimuler sa peur, sa solitude et son terrible vide intérieur. Il lui était très difficile d'évaluer correctement la situation dans laquelle elle se trouvait ; elle n'était donc pas en mesure de combler ses propres besoins. Et c'était cette sensation de dénuement qui provoquait sa compulsion à voler, à manger, vomir et manger de nouveau, et à mentir, en tentant désespérément de dissimuler chacun de ses gestes.

Sa mère aussi avait été une mangeuse compulsive et elle avait toujours eu un excès de poids énorme, aussi loin que remontaient les souvenirs de Brenda. Quant à son père, il était mince, nerveux et énergique. L'apparence physique et la religiosité excentrique de son épouse l'avaient depuis longtemps découragé. Il avait fait fi de ses vœux de mariage depuis plusieurs années. Dans la famille, personne n'ignorait ses infidélités et personne n'en parlait jamais. Le savoir était une chose, mais le reconnaître en était une autre et constituait une violation des accords tacites de la famille : ce que l'on refusait de voir n'existait pas et ne pouvait donc pas nuire. Brenda appliquait rigoureusement cette règle à sa propre existence. Tant qu'elle refusait de reconnaître que quelque chose n'allait pas bien, rien n'allait mal. Il n'y avait pas de problèmes tant qu'elle ne leur donnait pas de nom. Il n'était donc pas étonnant qu'elle s'accrochât avec ténacité à ces mensonges et à ces mythes qui la détruisaient. Et pas étonnant que la thérapie l'éprouvât autant.

Brenda avait grandi mince et nerveuse comme son père et c'est avec un immense soulagement qu'elle s'était aperçue qu'elle pouvait manger beaucoup sans pour autant être aussi grosse que sa mère. Mais à l'âge de quinze ans, son corps se mit soudainement à accuser les effets de ses excès alimentaires. Elle pesait 109 kg à dix-huit ans et elle était désespérée. Son père lui faisait des remarques désobligeantes ; elle était jadis son enfant favorite, mais elle était devenue comme sa mère. Il n'aurait peut-être pas parlé ainsi s'il avait été sobre ; mais il en était arrivé à boire presque continuellement, même lors de ses rares apparitions à la maison. Maman continuait de prier et de louer le Seigneur, papa continuait de boire et de faire des galipettes et Brenda continuait de manger pour ne pas ressentir la panique qui montait en elle.

Lorsqu'en entrant au collège elle se trouva pour la première fois éloignée de la maison, elle s'ennuya terriblement de sa mère et de son père. C'est alors qu'elle fit une découverte incroyable. Elle était seule dans sa chambre, au beau milieu d'une orgie, lorsqu'elle réalisa qu'elle pouvait vomir à peu près tout ce qu'elle venait de manger et s'éviter ainsi la pénalité d'une augmentation de poids malgré sa consommation immodérée d'aliments. Le fait d'être capable de contrôler son poids la ravit au point qu'elle prit l'habitude de jeûner et de vomir le peu qu'elle mangeait. Son état de mangeuse compulsive évolua du stade de la boulimie à celui de l'anorexie.

Au cours des années qui suivirent, Brenda alterna entre des périodes d'obésité et des périodes de minceur extrême, et son obsession alimentaire ne lui laissa aucun répit. Elle se réveillait chaque matin avec l'espoir que ce jour-là serait différent du précédent, et elle se couchait chaque soir bien résolue à faire en sorte que le lendemain soit « normal » ; mais elle était souvent saisie de fringale au milieu de la nuit.

Brenda ne se doutait pas de ce qui lui arrivait. Elle ignorait qu'elle était affligée de troubles de comportement alimentaire, comme le sont souvent les filles d'alcooliques et les enfants de parents victimes de boulimie. Elle ne savait pas qu'elle et sa mère souffraient toutes deux d'une dépendance à l'égard de certains aliments auxquels elles étaient allergiques, les hydrates de carbone raffinés principalement, et que cette dépendance correspondait à celle de son père. Ni Brenda, ni sa mère, ni son père ne pouvait ingérer la moindre quantité des aliments qui les intoxiquaient, sans déclencher en eux un mécanisme qui en réclamait insatiablement. Tel le comportement de son père à l'égard de l'alcool, le comportement de Brenda à l'égard de la nourriture, surtout des pâtisseries, était un incessant combat qu'elle menait pour contrôler sa nourriture, alors que c'était celle-ci qui contrôlait Brenda.

Elle eut recours au vomissement provoqué durant maintes années après qu'elle l'eut expérimenté au collège. Son isolation et sa réserve devinrent encore plus élaborées et extrêmes, un comportement suscité de diverses façons par sa famille ainsi que par sa maladie. Brenda n'osait dire que des choses auxquelles les membres de sa famille pouvait répondre : « Oh, c'est très bien, chère. » Il n'y avait pas de place pour la peine, la peur, la solitude et l'honnêteté, pas de place pour la vérité sur soi ou sur sa vie. Ils s'attendaient à ce qu'elle fasse comme eux, qu'elle élude la vérité et surtout qu'elle ne fasse pas de vagues. Avec la complicité silencieuse de ses parents, Brenda s'enfonça encore davantage dans le mensonge qu'était devenu son existence ; elle était sûre qu'en affichant une belle apparence extérieure tout irait pour le mieux intérieurement, ou du moins elle aurait la paix.

Elle ne pouvait pas ignorer son agitation intérieure, même pendant les périodes prolongées où elle gardait le contrôle de son apparence. Elle avait beau s'efforcer de bien paraître — toilettes originales assorties de maquillages et coiffures dernier cri —, cela n'était pas suffisant pour apaiser sa peur, pour combler le vide en elle. Confus, anxieux, morbide et obsessif, l'état d'esprit de Brenda était dû en partie à toutes les émotions qu'elle se défendait de reconnaître et en partie à la détérioration de son système nerveux à la suite de la malnutrition qu'elle s'imposait.

Utilisant le même moyen que sa mère pour se libérer de son agitation intérieure, elle chercha le soulagement dans un groupe de fervents religieux qui se réunissaient sur le campus de l'université qu'elle fréquentait. C'est là qu'elle rencontra, lors de sa dernière année d'études, celui qui allait devenir son mari, Rudy. C'était un homme du genre dissimulé, et ses airs mystérieux la fascinèrent. Brenda était habituée aux secrets, et il en était plein. Certains indices dans les histoires qu'il racontait et dans les noms qu'il citait laissaient deviner qu'il avait été mêlé à des truquages de courses et à d'autres activités de la pègre, dans sa ville natale du New Jersey. Il faisait de vagues allusions à d'importantes sommes d'argent qu'il avait gagnées et dépensées, à des voitures clinquantes, à des femmes du genre tape-à-l'œil, à des boîtes de nuit, à la boisson et à la drogue. Et voilà maintenant qu'il était métamorphosé en étudiant dans le cadre austère d'une université du Midwest, actif dans un groupe religieux pour jeunes gens, ayant laissé derrière lui son passé louche pour trouver mieux.

Il n'y avait pas de doute qu'il avait été forcé de se sauver précipitemment ; il avait même coupé tout contact avec sa famille. Brenda fut néanmoins impressionnée par son mystérieux et sombre passé, de même que par ses efforts apparemment sincères en vue de changer. Elle n'eut pas besoin d'explications détaillées sur ses exploits passés ; après tout, elle avait ses propres secrets à garder.

Ainsi, ces deux individus qui prétendaient être ce qu'ils n'étaient pas, lui, un hors-la-loi déguisé en enfant de chœur, et elle, une boulimique promenant une taille élégante, se sont naturellement amourachés de leur illusoire projection respective. Le sort de Brenda fut décidé à partir du moment où elle se sentit aimée pour ce qu'elle prétendait être. Dorénavant, elle devait continuer son imposture, avec en plus la contrainte de l'intimité. Davantage de pression et de tension, davantage de besoin de manger, vomir, dissimuler...

Rudy fut capable de s'abstenir de cigarettes, d'alcool et de drogues jusqu'au moment où sa famille lui apprit qu'elle avait déménagé en Californie. Ayant décidé que la distance géographique entre lui et son passé étant suffisante pour qu'il puisse retourner sans danger dans sa famille et à ses anciennes habitudes, il fit ses bagages et partit pour la Californie avec sa nouvelle épouse, Brenda. Il avait à peine franchi la première frontière d'État que déjà sa personnalité se mit à changer ; Rudy redevint tel qu'il était avant que Brenda ne le connaisse. Son camouflage à elle dura plus longtemps, jusqu'au moment où ils commencèrent à habiter chez les parents de Rudy. Il y avait trop de gens dans la maison pour qu'elle puisse se faire vomir sans être dérangée. Il devint beaucoup plus difficile pour elle de cacher ses orgies alimentaires, et sous la pression de ces circonstances nouvelles son poids ne tarda pas à monter. Elle prit une vingtaine de kilos en peu de temps. Ainsi, la mignonne épouse blonde de Rudy disparut sous les bourrelets d'une matrone imposante qui n'en finissait plus de grossir. Rudy se sentait lésé et il était furieux. Il la laissait à la maison pendant qu'il sortait pour boire et pour essayer de trouver quelqu'un qui lui plairait physiquement autant que Brenda lui avait plu au début. Désespérée, Brenda mangeait plus que jamais tout en promettant à Rudy et à elle-même qu'il leur suffirait d'avoir un logis à eux tout seuls pour qu'elle redevienne mince. En effet, aussitôt qu'ils eurent emménagé dans leur propre appartement, le poids de Brenda se mit à baisser aussi rapidement qu'il avait monté. Cependant, Rudy ne s'en aperçut pas, car il était rarement à la maison. Puis Brenda devint enceinte, mais quatre mois plus tard elle fit une fausse couche, toute seule, pendant que Rudy passait la nuit ailleurs.

Brenda était arrivée à la conclusion qu'elle était responsable de ce qui arrivait. L'homme droit et heureux qu'elle avait connu jadis et avec qui elle avait partagé ses principes et ses croyances était devenu une autre personne qu'elle ne connaissait pas et qu'elle n'aimait pas. Ils se disputaient à propos du comportement de l'un et des scènes de l'autre. Elle cessa de le harceler en espérant qu'il allait changer de comportement, ce qui ne se produisit pas. En comparant sa situation avec celle de ses parents, elle ne comprenait pas pourquoi Rudy draguait encore les filles, alors qu'elle n'était pas grosse. Son impuissance à mettre de l'ordre dans sa vie l'épouvantait.

Brenda avait déjà volé, lorsqu'elle était adolescente ; non pas avec des amies et dans l'intention de narguer le monde des adultes, mais seule, en secret, n'utilisant ou ne conservant presque jamais les articles qu'elle volait. Maintenant qu'elle était malheureuse en mariage, elle se remit à voler, s'appropriant de manière symbolique ce qui lui était refusé : amour, soutien, compréhension et approbation. Son comportement lui procura un sentiment d'isolement encore plus grand qu'avant ; ses vols ne lui apportaient qu'un secret de plus à conserver pour elle seule et une nouvelle source de honte et de culpabilité. Pendant ce temps-là, son apparence extérieure redevenait son déguisement le plus efficace pour dissimuler ce qu'elle était réellement, c'est-à-dire un être contraint, apeuré, vide et solitaire. Elle était redevenue mince — une fois de plus — et elle allait travailler surtout pour pouvoir se payer les toilettes coûteuses dont elle avait besoin. Elle en présenta quelques-unes dans des défilés de mode et crut que Rudy serait fier d'elle. Mais il se contenta de se vanter d'avoir une épouse mannequin et n'alla jamais la voir parader.

Brenda attendait de Rudy appréciation et approbation, mais l'incapacité de ce dernier de la satisfaire abaissa encore davantage le peu d'estime qu'elle avait d'elle-même. Moins elle obtenait de lui, plus elle en attendait. Elle s'appliquait à parfaire son « emballage », mais elle sentait qu'il lui manquait un mystérieux élément de séduction que dégageaient sans effort les maîtresses de Rudy. Elle s'efforça donc d'être encore plus mince, parce que, pour elle, être plus mince signifiait être plus parfaite. Elle devint également une perfectionniste dans les travaux ménagers et fut bientôt totalement absorbée par ses diverses compulsions obsessionnelles : faire le ménage, voler, manger et vomir. Pendant que Rudy faisait le don Juan dans les bars, elle travaillait à son ménage jusque tard dans la nuit ; mais dès qu'elle entendait la voiture de Rudy entrer dans le garage, comme elle avait mauvaise conscience, elle se précipitait dans son lit et faisait semblant de dormir.

Rudy se plaignit de cette méticulosité excessive. Tous les soirs, lorsqu'il rentrait à la maison, il faisait exprès de déranger cette belle ordonnance. Il s'en suivait chez Brenda une grande impatience de le voir sortir afin de pouvoir tout remettre en ordre. Elle se sentait soulagée au moment où il quittait la maison pour courir à ses débauches nocturnes. La situation devenait aberrante.

L'arrestation de Brenda à la pharmacie fut sans aucun doute bénéfique. Elle provoqua la crise qui l'amena en thérapie, où elle commença à prendre conscience de ce qu'était devenue sa vie. Brenda voulait quitter Rudy depuis longtemps, mais elle était incapable de renoncer à sa compulsion : vouloir à tout prix rendre leur relation viable en se perfectionnant. Plus elle chercha à s'en éloigner, plus il lui courut après ; il lui envoyait des fleurs, lui téléphonait souvent et lui rendait des visites inopinées à son lieu de travail, billets de concert en main. Ne le connaissant que dans ce rôle d'homme adorable et dévoué, les collègues de Brenda pensèrent qu'elle était folle de s'en débarrasser. Il lui fallut deux réconciliations, chacune pleine d'espoir, chacune suivie d'une rupture douloureuse, pour qu'elle comprenne que Rudy attendait l'impossible d'elle. Ils étaient à peine réconciliés que déjà Rudy courait les femmes. Lors de leur deuxième rupture, Brenda pensa qu'il avait un problème d'alcool et de drogue, et elle le lui dit. Il se mit en quête d'aide afin de se prouver qu'il n'en était rien. Il se conduisit de façon irréprochable et resta sobre pendant deux mois. Ils se réconcilièrent une nouvelle fois, mais eurent leur première dispute quelques jours après — il se remit à boire et ne rentra pas de la nuit. C'est à ce moment-là et grâce à la thérapie que Brenda comprit qu'ils se démenaient tous les deux dans un cercle vicieux. Rudy utilisait l'émoi provoqué intentionnellement dans ses rapports avec Brenda pour camoufler et justifier sa dépendance de l'alcool, des drogues et des femmes. De son côté, Brenda mettait à profit l'extrême tension générée par leur relation pour excuser sa capitulation et pour se laisser aller à sa boulimie et à ses autres comportements compulsifs. Chacun se servait de l'autre pour éviter de s'affronter soi-même et d'affronter aussi son intoxication respective. Après avoir enfin identifié et admis cet état de choses, Brenda parvint à renoncer à son espoir de rendre son mariage heureux.

Il y avait trois conditions très importantes à la guérison de Brenda. Elle continua la thérapie, fréquenta Al-Anon pour traiter son coalcoolisme de longue date et finalement, soulagée d'avoir abandonné la lutte, elle s'impliqua intensément dans le groupe de soutien Outremangeurs Anonymes* où on l'aida et l'encouragea dans le traitement de son problème de comportement alimentaire. L'implication de Brenda dans le groupe Outremangeurs Anonymes fut pour elle le plus important facteur de sa guérison ; c'est aussi ce à quoi elle avait résisté le plus vigoureusement. Ses compulsions à manger, vomir et jeûner relevaient de son problème le plus grave et le plus profondément ancré, son principal processus maladif. Son obsession de la nourriture drainait toute l'énergie dont elle avait besoin pour établir des rapports valables avec elle-même et avec les autres. Tant qu'elle ne cessait pas d'être obsédée par son poids, sa consommation alimentaire, les calories, les diètes, etc., elle ne pouvait ressentir aucune véritable émotion à propos d'autre chose que de la nourriture, pas plus qu'elle ne pouvait être honnête envers elle-même et les autres.

Aussi longtemps que ses sensations étaient paralysées par ses problèmes alimentaires, elle ne pouvait pas commencer à s'occuper d'elle-même, à prendre des décisions judicieuses ou à mener sa vie à sa guise. Son existence continuait à tourner entièrement autour de la nourriture ; et, de toute façon, c'est le seul genre de vie qu'elle voulait mener. Tout désespéré

---

* Outremangeurs Anonymes est un groupe de soutien pour mangeurs compulsifs. (*N.d.T.*)

que fut son combat pour le contrôle de son alimentation, c'était moins menaçant que de se battre contre elle-même, sa famille, son mari. Elle avait décidé des limites de nourriture qu'elle pouvait manger en une heure, certes, mais elle ne s'était jamais fixé de limites relativement à ce que les autres pouvaient lui faire ou lui dire. Sa guérison exigeait qu'elle définisse le point où les autres cessaient d'intervenir et où elle devenait un être autonome. Elle devait également s'octroyer le droit de se fâcher contre les autres, pas seulement contre elle-même comme elle l'avait toujours fait.

Sous l'influence des Outremangeurs Anonymes, Brenda entreprit de devenir honnête, pour la première fois en bien des années. Après tout, il n'y avait aucune raison de mentir au sujet de son comportement à des gens qui la comprenaient et acceptaient ce qu'elle faisait. En retour de son honnêteté, elle bénéficia de l'effet curatif que lui procura l'approbation de ses pairs. Cela lui donna le courage d'étendre le cercle de son honnêteté au-delà du programme des Outremangeurs Anonymes, à sa famille, à ses amis et à ses partenaires éventuels.

Al-Anon l'aida à remonter aux sources de ses difficultés avec sa famille et lui donna également les moyens de comprendre à la fois la nature des troubles compulsifs de ses parents et la manière dont elle en avait été affectée. Elle y apprit comment entretenir de meilleurs rapports avec eux.

Rudy se remaria dès que le divorce fut prononcé, même si à la veille de son nouveau mariage il téléphona à Brenda pour lui dire qu'elle était la seule qu'il désirât vraiment avoir. Cette conversation permit à Brenda de mieux comprendre l'inaptitude de Rudy à respecter ses engagements et son besoin de toujours trouver un moyen d'éviter toute interaction avec ses relations. Tout comme son père, c'était un errant qui voulait avoir aussi une épouse et un foyer.

Brenda apprit aussi qu'elle devait mettre une distance considérable, à la fois géographique et émotive, entre elle et sa famille. Deux visites qu'elle rendit à sa famille, et qui réactivèrent son syndrome boulimique et purgatif, lui apprirent qu'elle n'était pas encore prête à se retrouver en famille sans qu'elle recoure à ses anciennes méthodes pour apaiser la tension.

Être en santé est devenu la grande priorité de sa vie, mais elle s'étonne encore toujours du défi énorme que cela représente et de son manque d'aptitudes pour y parvenir. Elle a appris graduellement à s'occuper à un travail qu'elle aime et à développer de nouvelles amitiés et de nouveaux intérêts. Ayant peu connu le bonheur, le bien-être et la paix, elle a dû s'efforcer avec rigueur de ne pas créer des situations qui lui aurait rappelé son ancienne et familière folie.

Brenda continue de fréquenter les Outremangeurs Anonymes et Al-Anon ; elle va occasionnellement à des séances de thérapie lorsqu'elle en sent le besoin. Elle n'est plus ni aussi mince ni aussi grosse qu'elle l'a déjà été. « Je suis normale ! » dit-elle en se moquant d'elle-même et en sachant qu'elle ne le sera jamais. Son dérèglement alimentaire est une affection qui sera toujours présente et dont elle doit tenir compte, bien qu'elle ne présente plus de danger pour sa santé physique et morale.

La guérison de Brenda est une chose fragile. Il faut beaucoup de temps aux attitudes nouvelles et plus saines devant l'existence pour s'intégrer agréablement et non de façon contrainte. Brenda pourrait revenir à sa manie de se fuir elle-même et d'échapper à ses sensations par le biais d'une alimentation excessive ou d'une obsession à propos d'une relation malsaine. C'est donc en connaissance de cause qu'elle adopte pour l'instant un mode d'interaction prudent avec les hommes. Par exemple, elle n'accepte pas d'invitation à sortir si cela l'oblige à manquer une réunion des Outremangeurs Anonymes ou du Al-Anon. Sa guérison revêt pour elle une extrême importance, et elle n'a aucune intention de la compromettre. Comme elle dit : « J'ai pris l'habitude de ne plus garder de secrets, car c'est cela qui est à l'origine de ma maladie. Lorsque je rencontre maintenant un homme nouveau et que notre relation semble prometteuse, je le mets au courant de ma maladie et de la place importante que tiennent les programmes Anonymes dans ma vie. S'il est incapable d'accepter la vérité à mon sujet ou s'il ne se montre pas compréhensif, j'en conclus que c'est son problème et non le mien. Je ne me fais pas de mauvais sang pour plaire à un homme. Mes priorités d'aujourd'hui sont très différentes. Ma guérison doit venir en premier, sinon il ne me reste plus rien à offrir à personne. »

Chapitre IX

MOURIR D'AMOUR

Nous sommes, tous sans exception, pleins de frayeur. Si vous vous mariez pour vous débarrasser de la vôtre, vous ne ferez que marier votre frayeur à la frayeur de quelqu'un d'autre ; une fois vos deux frayeurs mariées, vous saignerez et vous appellerez cela de l'amour.

— *Ombres chinoises sur toile de fond matrimoniale*
(par Michael Ventura)*

Margot allumait une cigarette après l'autre ; les épaules hautes et droites, elle croisait et décroisait nerveusement les jambes en agitant son pied à chaque mouvement. Rigide sur son siège, le torse penché en avant, elle pouvait voir, par la fenêtre de la salle d'attente, l'un des plus beaux panoramas au monde. Les toits aux tuiles rouges de Santa Barbara montaient à l'assaut des collines bleues et pourpres qui dominent l'océan ; délicatement teinté de rose et d'or, ce paysage exudait la sérénité chaleureuse d'un après-midi d'automne, mais ne parvenait cependant pas à détendre le visage de Margot. Elle avait l'air d'une femme pressée, et de fait elle l'était.

À mon invitation, elle se dirigea avec un bruit saccadé de talons vers mon bureau, s'assit, toujours sur le bord de la chaise, puis me regarda droit dans les yeux. « Qu'est-ce qui

---

* Dans sa version originale, cette œuvre s'intitule *Shadow Dancing in the Marriage Zone.* (*N.d.T.*)

me prouve que vous pouvez m'aider ? » me demanda-t-elle. « Il ne m'est jamais encore arrivé d'aller voir quelqu'un pour lui raconter ma vie. Comment savoir si cela en vaut le temps et l'argent ? »

Je devinais qu'elle essayait aussi de me poser la question suivante : « Comment être sûre que vous allez vous occuper de moi si je me confie à vous ? » J'ai donc essayé de répondre aux deux questions à la fois.

« La thérapie exige temps et argent. Mais les gens ne viennent jamais, même au premier rendez-vous, à moins que leur vie ne soit affectée par quelque chose d'effrayant ou de très douloureux, quelque chose qu'ils ont déjà essayé de maîtriser sans succès. Personne ne consulte un thérapeute à la légère. Vous avez longuement réfléchi avant de venir, j'en suis persuadée. »

Elle sembla soulagée par la pertinence de cette explication, poussa un léger soupir et s'installa plus confortablement sur son siège.

« J'aurais probablement dû faire cela il y a quinze ans, ou même avant, mais comment savoir si j'avais besoin d'aide ? Je pensais m'arranger assez bien, du moins dans certains domaines — d'ailleurs, je m'y débrouille encore relativement bien. J'ai un emploi intéressant et je fais un bon salaire comme fidéicommissaire. » Elle s'arrêta, puis continua sur un ton plus réfléchi : « J'ai parfois l'impression de mener deux existences. À mon travail, je fais montre d'intelligence, d'efficacité et je suis respectée. On me demande conseil et on me confie beaucoup de responsabilités. Je suis sérieuse, compétente et sûre de moi. » Elle leva un instant les yeux au plafond et avala sa salive pour s'éclaircir la voix. « De retour à la maison, ma vie se transforme en roman de quatre sous que personne n'aurait envie de lire, tellement c'est minable et ennuyeux. C'est cela, ma vie. J'ai déjà été mariée quatre fois et j'ai trente-cinq ans à peine. À peine ! dis-je. Je me sens si âgée... Je vois le temps filer et je commence à douter d'être un jour capable d'organiser mon existence. Je ne suis plus ni aussi jeune ni aussi jolie qu'avant. Je crains de ne plus intéresser personne, d'avoir épuisé toutes mes chances et de devoir vivre seule le restant de mes jours. » L'inquiétude perçait dans sa voix et creusait des rides à son front. Elle avala plusieurs fois sa salive et retint ses larmes avec effort. « J'aurais du mal à dire lequel de mes mariages fut le pire ; tous se sont avérés catastrophiques, mais de manières différentes.

« J'avais vingt ans à mon premier mariage. Je savais que mon mari était frivole au moment où j'ai fait sa connaissance. Il m'a trompée avant le mariage et aussi après. J'avais pensé que le mariage l'assagirait, mais il n'en fut rien. J'eus un nouvel espoir de le voir se calmer à l'occasion de la naissance de notre fille, mais c'est le contraire qui se produisit. Il s'absenta encore davantage. À la maison, il se montrait méchant. J'arrivais à supporter ses insultes, mais je m'interposai lorsqu'il prit l'habitude de punir la petite Autumn à propos de tout et de rien. Et lorsque cela s'avéra inutile, je partis avec l'enfant. Ce fut très pénible. Autumn était très jeune et je devais me chercher un emploi. Il ne m'a jamais versé un sou, et comme j'avais très peur de lui, j'ai évité de faire appel aux autorités. Je ne pouvais pas retourner vivre dans ma famille, la situation y était tout aussi intenable. Ma mère ainsi que nous, les enfants, subissions la violence physique et verbale de mon père. Lorsque j'étais enfant, je me sauvais souvent de la maison. Je me suis finalement enfuie pour de bon et me suis mariée pour être sûre de ne jamais retourner chez moi.

« J'ai dû attendre deux ans pour avoir le courage suffisant de divorcer de mon premier mari. Je n'ai pas pu me résoudre à l'abandonner avant d'avoir trouvé un autre homme. L'avocat qui s'occupa de mon divorce devint mon deuxième époux. Passablement plus âgé que moi, il était également divorcé depuis peu. Je ne pense pas avoir été amoureuse de lui, mais j'espérais le devenir ; j'avais la conviction qu'il serait capable de s'occuper d'Autumn et de moi. Il désirait beaucoup recommencer sa vie, fonder une nouvelle famille avec quelqu'un vraiment digne de son amour. J'étais flattée qu'il m'ait choisie. Nous nous sommes mariés le jour suivant l'obtention de mon divorce. J'étais convaincue que tout irait dorénavant. Je confiai Autumn à une maternelle et je repris mes études. Je passais les après-midi avec ma fille, ensuite je préparais le souper et je retournais à l'école pour suivre des cours du soir. Le soir, Dwayne restait à la maison avec Autumn et travaillait à ses dossiers. Puis, un matin où nous étions seules, je devinai à certains propos d'Autumn qu'il se passait entre elle et Dwayne des choses affreuses, de nature sexuelle. De plus, j'étais à peu près sûre d'être enceinte à ce moment-là. J'attendis jusqu'au lendemain, comme si de rien n'était, et quand Dwayne fut parti à son travail, je pris ma fille, mis dans ma voiture tout ce qu'elle pouvait contenir et je disparus. Je lui laissai un mot au sujet des révélations d'Autumn et je l'avertis que s'il cherchait à nous retrouver je raconterais tout aux autorités. J'étais tellement terrifiée à l'idée qu'il pouvait nous retrouver et nous ramener que je pris la décision, dans le cas où j'étais enceinte, de ne rien lui dire et de ne jamais rien lui demander. Je voulais simplement me débarrasser de lui.

« Il a évidemment découvert où nous habitions et m'écrivit une lettre sans faire aucune mention d'Autumn. Il me blâmait d'avoir été froide et indifférente à son égard, de l'avoir laissé seul pour aller à mes cours le soir. J'eus longtemps beaucoup de remords ; je me sentais responsable de ce qui était arrivé à la petite. En croyant faire tout ce qu'il fallait pour qu'elle soit en sécurité, je l'avais exposée à des risques épouvantables. » À ce souvenir, le visage de Margot s'assombrit.

« J'eus la chance de trouver une chambre dans la maison où habitait une autre jeune femme. » dit-elle. « Nous avions beaucoup en commun. Nous nous étions toutes deux mariées trop jeunes et avions grandi dans des foyers malheureux. Nos pères se ressemblaient beaucoup, ainsi que nos premiers époux — elle n'en avait eu qu'un seul. » Margot secoua la tête et continua : « Nous gardions nos enfants à tour de rôle ; cela permettait à chacune de continuer ses études et aussi de sortir. Je ne m'étais jamais sentie aussi libre, même lorsque ma grossesse se confirma. Dwayne n'en sut jamais rien. Je me souvenais de toutes ses histoires d'avocat, des mille et un problèmes légaux qu'il pouvait soulever, et je le savais capable de me faire du tort. Avant de l'épouser, ses prouesses en matière de litiges légaux m'épataient ; à présent, elles m'inspiraient la crainte de lui.

« Suzie, avec qui je cohabitais, m'apprit la technique de l'accouchement sans douleur et c'est ainsi que je donnai naissance à ma deuxième fille, Darla. Cela peut sembler étrange, mais cette période de ma vie fut l'une des plus belles que j'ai vécues. Nous étions pauvres, Suzie et moi ; nous allions à nos cours, travaillions, nous occupions de nos bébés, achetions nos vêtements dans les magasins à rabais et notre épicerie avec des bons de nourriture*. Nous étions libres à notre façon. » Elle haussa les épaules puis continua à parler. « Pourtant, je ne tenais pas en place. Il me fallait un homme. J'espérais en dénicher un avec qui je pourrais mener une vie à mon goût. J'y pense toujours. Voilà pourquoi je suis ici aujourd'hui. Je veux apprendre la bonne recette pour trouver l'homme qui me conviendra. Je n'ai pas tellement bien réussi, jusqu'ici. »

Le visage tendu de Margot, encore joli bien que très émacié, se faisait suppliant. Pouvais-je l'aider à découvrir et à conserver l'homme idéal ? C'était la question qui se lisait clairement sur son visage, la raison qui l'avait amenée à la thérapie.

Elle poursuivit son récit. Elle me parla de Giorgio, la troisième vedette de son cirque matrimonial. Il roulait en Mercedes blanche décapotable et gagnait sa vie comme fournisseur de cocaïne auprès de gens très en vue, à Montecito. Avec Giorgio commença une course effrénée du genre montagnes russes, au point que Margot en vint à ne plus savoir ce qui la stimulait le plus — ses rapports avec cet homme ténébreux et dangereux ou la drogue qu'il lui prodiguait. Elle se mit soudainement à vivre une existence trépidante et pleine de sensations et ne tarda pas à en subir les conséquences physiques et émotives. Son humeur devint changeante. Elle réprimandait ses enfants pour des broutilles. Ses fréquentes disputes avec Giorgio dégénérèrent bientôt en affrontements physiques. Après s'être longuement plainte à son amie du manque de considération, de l'infidélité et des activités illicites de son amant, Margot fut estomaquée par l'ultimatum que Suzie lui lança — renoncer à Giorgio ou quitter la maison. Suzie était excédée par cette situation et bien décidée à y mettre un terme, car après tout cela n'était bon ni pour Margot ni pour les enfants. Furieuse, Margot se précipita dans les bras de Giorgio. Celui-ci lui permit, à titre temporaire seulement, d'emménager avec ses deux filles dans la maison qui lui servait de bureau d'« affaires ». Il fut arrêté peu de temps après pour trafic de drogues. Il épousa Margot avant son

---

* Aux États-Unis, forme d'aide sociale gouvernementale. (*N.d.T.*)

procès, même si leurs rapports s'étaient déjà considérablement détériorés.

Elle décida de se marier une troisième fois, sur l'insistance de Giorgio, parce qu'en devenant son épouse elle ne pourrait pas être appelée à témoigner contre lui, chose qu'elle aurait été peut-être tentée de faire étant donné la nature explosive de leurs relations et la persistance du procureur. Lorsqu'ils furent mariés, Giorgio refusa d'avoir des rapports sexuels avec elle ; il prétendait se sentir contraint. Leur mariage fut déclaré nul, mais pas avant que Margot eût fait la connaissance du numéro quatre dans sa vie amoureuse, un homme de quatre ans son aîné, qui n'avait jamais travaillé, parce qu'il avait toujours étudié. Après ses déboires avec Giorgio, Margot était terrifiée à l'idée de se retrouver seule, et cet étudiant sérieux lui inspirait la plus grande confiance. Elle travailla et subvint seule aux besoins du ménage, jusqu'au moment où il la quitta pour entrer dans une secte religieuse. Au cours de ce quatrième mariage, Margot avait hérité une somme assez considérable, à la mort d'un membre de sa parenté ; elle mit cet argent à la disposition de son époux pour lui prouver sa loyauté, sa confiance et son amour (qu'il persistait à mettre en doute). Il donna la majeure partie du legs à sa communauté, puis fit clairement comprendre à Margot qu'il ne désirait plus être marié avec elle et ne voulait pas qu'elle le rejoigne ; il l'accusait d'avoir empoisonné leur mariage par son « matérialisme ».

Ces événements avaient inspiré à Margot une profonde terreur, et pourtant elle ne désespérait pas de rencontrer le numéro cinq, persuadée que tout irait bien cette fois pour autant qu'elle découvre son type d'homme. À sa première séance de thérapie, elle avait l'air hagard, le regard perdu ; elle était hantée par la pensée d'avoir perdu sa beauté et de ne plus être capable de séduire un autre homme. Elle ne se doutait pas le moindrement qu'elle subissait depuis très longtemps les effets de son accoutumance à entrer en relation avec des hommes impossibles, des types en qui elle n'avait même pas confiance ou qu'elle n'aimait pas. Certes, elle reconnaissait n'avoir pas eu de chance dans le choix de ses époux, mais elle n'était pas consciente de la manière dont ses propres besoins avaient causé l'échec de chacun de ses mariages.

Margot fit un exposé alarmant de son état. En plus d'être trop maigre (ses ulcères la torturaient les rares fois qu'elle avait de l'appétit), elle présentait d'autres symptômes nerveux associés au stress. Elle était pâle (elle confirma qu'elle était anémique), ses ongles étaient rongés et secs, ses cheveux cassants. Elle souffrait aussi d'eczéma, de diarrhée et d'insomnie. Sa tension artérielle était trop élevée pour son âge, et son niveau d'énergie, terriblement bas.

« Je dois parfois faire un effort surhumain pour me rendre au travail. » dit-elle. « J'ai déjà utilisé tous mes congés de maladie à rester seule à la maison pour pleurer. Je me sens coupable lorsque je pleure devant mes enfants, c'est pourquoi je préfère m'abandonner à mon chagrin pendant qu'elles sont à l'école. Cela me fait du bien. Je me demande si je serai capable de tenir le coup encore bien longtemps... »

Elle expliqua que ses deux filles éprouvaient, à l'école, des difficultés d'ordre scolaire et social. À la maison, elles passaient leur temps à se disputer, et Margot était prompte à sévir. Elle recourait encore souvent à la cocaïne pour l'effet « remontant » auquel elle s'était habituée du temps de Giorgio, un stimulant que ni ses moyens financiers ni son état physique ne lui permettaient de s'offrir.

Cependant, aucun de ces facteurs ne l'affligeait autant que son célibat forcé. Pour la première fois depuis son adolescence, elle se retrouvait sans compagnie masculine. Enfant, elle avait affronté son père. Adulte, elle s'était mesurée d'une manière ou d'une autre à chaque homme qu'elle avait connu. Maintenant seule depuis quatre mois, elle hésitait à se « remettre en campagne », non pas pour s'accorder un temps de réflexion, mais plutôt par dépit, à la suite de ses échecs.

Beaucoup de femmes ont besoin d'un homme en raison de la sécurité matérielle qu'il leur procure ; ce n'était pas le cas de Margot. Elle avait un emploi bien rémunéré et intéressant. Aucun de ses quatre maris n'avait contribué à l'entretenir, elle et ses enfants. Le besoin qu'elle éprouvait d'avoir un homme dans sa vie était de nature différente. Elle était affligée d'une dépendance de relations et, plus précisément, de relations malsaines.

Dans sa famille, sa mère avait été maltraitée, ainsi que ses frères, ses sœurs et elle-même. Ils avaient connu des problèmes d'argent, l'insécurité et la souffrance. La tension émotionnelle qu'elle avait vécue dans son enfance avait laissé des traces profondes dans sa psyché.

Pour commencer, Margot souffrait d'une grave dépression de nature fondamentale, souvent présente chez les femmes qui ont vécu des expériences semblables à celles de Margot. C'est à cause de cette dépression et aussi de sa faculté d'adapter son comportement habituel à chacun de ses partenaires que Margot se sentait attirée vers des hommes impossibles parce qu'imprévisibles, violents, irresponsables ou insensibles. Ce type de relations suscitait beaucoup de disputes, parfois même de violentes empoignades, des sorties et des réconciliations dramatiques, le tout assorti de périodes d'attente pleines de tension et d'appréhension. Il pouvait également survenir de sérieux problèmes d'argent et même des démêlés avec la loi. Bref, il y avait beaucoup de drame, de chaos, d'excitation et de stimulation.

Cela semble bien épuisant, ne trouvez-vous pas ? Naturellement, ça le devient à la longue. Cependant, un peu comme le font la cocaïne ou tout autre stimulant puissant, ces relations procurent dans l'immédiat un moyen d'évasion, une excellente diversion, et parviennent à masquer la dépression de façon très efficace. Il est presque impossible de se sentir déprimées dans les moments d'intense excitation soit positive, soit négative ; cela est dû à la stimulation provoquée par notre sécrétion abondante d'adrénaline. Cependant, si le corps est exposé à trop d'excitations, sa capacité à réagir s'épuise et la dépression s'aggrave encore davantage ; elle revêt dorénavant un aspect à la fois physique et émotionnel.* En raison des antécédents traumatisants causés par des épisodes de tension continue ou grave vécus dans leur enfance (et souvent aussi parce qu'elles ont hérité, d'un parent alcoolique ou biochimiquement déficient, une vulnérabilité de nature biochimique à la dépression), beaucoup de femmes comme Margot sont fondamentalement dépressives avant même

---

* On distingue deux types de dépression, l'exogène et l'endogène. La dépression exogène se développe en réaction à des événements extérieurs ; elle est associée au chagrin. La dépression endogène résulte d'une anomalie de la fonction biochimique et semble génétiquement reliée à la boulimie ou à la dépendance de l'alcool et des drogues ; en fait, ces trois états de besoin sont peut-être des manifestations différentes de troubles biochimiques identiques ou similaires.

d'entreprendre des relations amoureuses à l'adolescence ou à l'âge adulte. Ces femmes ont souvent tendance inconsciemment à rechercher les effets très stimulants d'une relation difficile et dramatique afin d'activer leur sécrétion d'adrénaline — c'est le même genre de procédé qui consiste à fouetter un cheval qui est à bout de force pour le faire avancer d'encore quelques kilomètres. C'est la raison pour laquelle ces femmes s'enfoncent dans la dépression lorsque le puissant effet stimulant d'une relation malsaine disparaît, soit à la suite d'une rupture, soit parce que leurs partenaires décident de se prendre sérieusement en main pour régler leurs problèmes. Lorsqu'une femme comme celles-là se trouvera à court d'hommes, elle tentera de renouer avec sa dernière « mésaventure » ou se mettra frénétiquement à la recherche d'un homme difficile qui pourra combler son besoin impérieux de stimulation. Si son homme essaie de s'améliorer, elle réagira peut-être en soupirant après quelqu'un de plus passionnant, de plus stimulant, après un homme qui lui permettra de se dérober devant ses sentiments propres et ses problèmes.

Ici encore, le parallèle entre l'usage de la drogue et le repli est évident. La femme se « drogue à l'homme » pour échapper à ses propres sensations, comme d'autres recourent à la drogue pour s'évader. Pour se sortir de l'impasse, elle doit d'abord parvenir à se calmer et laisser émerger ses sensations douloureuses, après quoi ses émotions et son corps aspireront d'eux-mêmes à guérir. Il n'est pas exagéré de comparer ce processus au sevrage d'un toxicomane. La peur, la souffrance et le malaise ressentis se ressemblent et la tentation de recourir à un autre homme, à une autre dose, est tout aussi grande.

Une femme qui utilise ses relations comme une drogue niera ce fait énergiquement, comme le ferait tout intoxiqué ; de même, sa résistance et sa peur seront très grandes à l'idée d'abandonner ses pensées obsessionnelles et son mode hyperémotif d'interaction avec les hommes. Mais d'habitude, si la confrontation est à la fois modérée et ferme, elle prendra conscience de l'impact de sa dépendance à l'égard des relations et elle comprendra qu'elle est emprisonnée dans une attitude.

En tout premier lieu, il faut amener la femme souffrant de ce problème à réaliser qu'elle est affligée, comme tout toxicomane, d'une réaction maladive identifiable, susceptible de progresser en l'absence de traitement ou de réagir avec succès au traitement approprié. Elle doit être consciente de sa dépendance de la souffrance et de l'habitude d'une relation improductive, un mal qui affecte un très grand nombre de femmes et dont les racines plongent dans les relations troublées de l'enfance.

On ne peut pas espérer que Margot comprenne d'elle-même son état de femme qui aime trop, un mal qui peut empirer au point même de lui coûter la vie. Cela est aussi irréaliste que de s'attendre à ce qu'une patiente, mise au courant des symptômes de n'importe quelle maladie, soit capable de deviner elle-même son diagnostic et le traitement correspondant. Pour prendre un exemple concret, Margot face à sa maladie (assortie de la dénégation habituelle), n'est guère plus apte à faire son propre diagnostic que le serait un alcoolique malade au même degré. Ni l'un ni l'autre n'est capable de se rétablir seul, ou simplement avec l'assistance d'un médecin ou d'un thérapeute, parce que la guérison exige qu'il (ou elle) renonce à ce qui lui apparaît comme un soulagement.

La thérapie seule n'est pas un soutien adéquat dans le traitement de l'intoxication à l'alcool, aux drogues, ou de la dépendance de relation d'une femme à l'égard d'un homme. Lorsqu'une personne tente de mettre un terme à la pratique d'une dépendance, il se crée dans la vie de cette personne un vide énorme — trop grand pour qu'une séance d'une heure avec un thérapeute, une ou deux fois par semaine, puisse le combler. L'interruption d'une dépendance génère un formidable état d'anxiété ; elle nécessite un accès continu au soutien, à l'action rassurante et à la compréhension que peuvent prodiguer des anciens intoxiqués qui ont vécu eux-mêmes le douloureux processus du sevrage.

Un autre défaut de la thérapie traditionnelle dans le traitement des différentes sortes de dépendance est de considérer celle-ci simplement comme un « symptôme » alors qu'elle est en fait une réaction maladive primaire, qui doit être traitée « en premier » si l'on veut que la thérapie suive son cours et progresse. Mais au lieu de cela, le patient est habituellement laissé à son comportement de dépendance, tandis que l'on consacre les sessions de thérapie à la recherche des « raisons » de ce comportement. Cette approche est totalement rétrograde et le plus souvent inefficace. Au moment où une personne atteint le stade d'éthylisme, le problème fondamental qui se pose est la dépendance de l'alcool, et c'est à cela qu'il faut aviser ; autrement dit, il faut d'abord que la personne cesse de boire pour pouvoir améliorer d'autres aspects de sa vie. La recherche de raisons sous-jacentes à l'abus d'alcool en vue d'identifier la « cause » de cet abus ne permettra pas d'y mettre un terme. La « cause » de la consommation excessive réside dans la maladie du patient, l'alcoolisme, qu'il faut soigner en premier lieu sans quoi les chances de guérison sont nulles.

Chez la femme qui aime trop, le mal primordial réside dans sa dépendance de la souffrance et de l'habitude d'une relation improductive. Il est vrai que cela est relié à des attitudes qu'elle a acquises dans son enfance, mais elle « doit » d'abord s'attaquer à ses attitudes présentes pour rendre possible son rétablissement. Peu importe le degré de maladie, de cruauté ou d'impuissance qu'a atteint son partenaire, elle doit comprendre, de même que son médecin ou son thérapeute, que toute tentative de le changer, de l'aider, de le contrôler ou de le blâmer est une manifestation de sa maladie à elle, et qu'elle doit cesser d'agir ainsi afin de laisser l'amélioration s'étendre à d'autres aspects de sa vie. Son seul véritable effort doit être dirigé vers elle-même. Dans le prochain chapitre, nous exposerons les étapes spécifiques que doit suivre, pour guérir, une femme dépendante de relation.

Les tableaux suivants reproduisent les caractéristiques des phases actives et régressives de l'alcoolisme et de la dépendance à l'égard de relations ; ils indiquent clairement la similitude des comportements propres à ces maladies. Toutefois, un tableau n'est pas suffisant pour montrer la grande analogie entre les luttes qui doivent être menées respectivement pour guérir de ces deux maladies. Il est aussi difficile de se remettre de sa dépendance d'une relation (ou de trop aimer) que de s'arracher à l'alcoolisme. Et pour ceux qui souffrent de l'une ou l'autre maladie, cette guérison peut faire la différence entre la vie et la mort.

CARACTÉRISTIQUES DE LA PHASE ACTIVE

LES ALCOOLIQUES...	LES FEMMES DÉPENDANTES DE RELATIONS...
• sont obsédés par l'alcool	• sont obsédées par la relation
• nient la gravité du problème	• nient la gravité du problème
• mentent pour dissimuler l'excès de consommation	• mentent pour dissimuler ce qui se passe dans la relation
• évitent les gens pour dissimuler les problèmes d'alcool	• évitent les gens pour dissimuler les problèmes de relation
• font des efforts répétés pour contrôler la consommation	• font des efforts répétés pour contrôler la relation
• ont des changements d'humeur inexplicables	• ont des changements d'humeur inexplicables
• éprouvent de la colère, du remords et du ressentiment	• éprouvent de la colère, du remords et du ressentiment
• sont dépressifs	• sont dépressives
• posent des actes irrationnels	• posent des actes irrationnels
• sont violents	• sont violentes
• ont des accidents dus à l'intoxication	• ont des accidents dus à leurs préoccupations
• ont horreur d'eux-mêmes et s'autojustifient	• ont horreur d'elles-mêmes et s'autojustifient
• souffrent de maladies physiques causées par l'abus de l'alcool	• souffrent de maladies physiques reliées à la tension

CARACTÉRISTIQUES DE LA PHASE RÉGRESSIVE (GUÉRISON)

• admettent leur impuissance à contrôler la maladie	• admettent leur impuissance à contrôler la maladie
• cessent de tenir les autres responsables de leurs problèmes	• cessent de tenir les autres responsables de leurs problèmes
• se tournent vers eux-mêmes et prennent la responsabilité de leurs propres actes	• se tournent vers elles-mêmes et prennent la responsabilité de leurs propres actes
• cherchent de l'aide auprès d'anciens intoxiqués en vue de guérir	• cherchent de l'aide auprès d'anciennes intoxiquées en vue de guérir
• commencent à affronter leurs propres sentiments au lieu de les ignorer	• commencent à affronter leurs propres sentiments au lieu de les ignorer

- se constituent un cercle d'amis stables et se trouvent de nouvelles sources valorisantes d'intérêt

- se constituent un cercle d'amis stables et se trouvent de nouvelles sources valorisantes d'intérêt

La guérison d'une personne atteinte d'une maladie grave dépend souvent de l'identification correcte du processus spécifique de cette maladie, afin de pouvoir y appliquer le traitement approprié. Les professionnels que cette personne consulte ont, entre autres responsabilités envers elle, celle d'être familiarisés avec les signes et les symptômes des affections spécifiques les plus courantes, et ce afin d'être en mesure de diagnostiquer sa maladie et de la soigner de façon adéquate, en recourant aux moyens disponibles les plus efficaces.

Je veux démontrer ci-après que le concept de maladie s'applique aussi à l'accoutumance à trop aimer. C'est là un projet ambitieux, et, s'il vous rebute, j'espère au moins vous amener à constater l'analogie frappante entre une maladie comme l'alcoolisme (dépendance d'un produit toxique) et celle qui afflige les femmes qui aiment trop (dépendance de leurs partenaires).

Ce qui affecte les femmes qui aiment trop ne « ressemble » pas, j'en suis convaincue, à une réaction maladive ; « c'est » une réaction maladive réclamant un diagnostic précis et un traitement approprié.

Pris au sens littéral, le mot « maladie » signifie : tout écart de santé accompagné d'un ensemble particulier et progressif de symptômes communs à la population des victimes, cette dernière étant susceptible de réagir à des formes spécifiques de traitement.

Cette définition n'exige pas la présence de virus, de microbe ou d'agent physique causal ; il suffit que l'état de la victime empire selon un processus identifiable et prévisible propre à cette maladie et que la guérison soit possible suivant l'application de certaines mesures appropriées.

Cela reste toutefois un concept difficile d'application pour beaucoup de membres de la profession médicale, lorsque la maladie présente des manifestations behavioristes plutôt que physiques, dans les phases initiale et intermédiaire. De ce fait, la plupart des médecins ne peuvent pas détecter l'alcoolisme, sauf dans sa phase avancée, alors que la détérioration physique est évidente.

Il peut s'avérer encore plus difficile de reconnaître une maladie dans le fait de trop aimer, parce qu'il s'agit de dépendance à l'égard d'une personne et non d'un produit. Cependant, le plus grand obstacle qui empêche de l'identifier à un état pathologique exigeant un traitement réside dans certaines convictions profondes partagées par les médecins, les thérapeutes et nous tous au sujet des femmes et de l'amour. Nous sommes tous portés à voir dans la souffrance une marque d'amour et dans le refus de souffrir une preuve d'égoïsme ; et si un homme a un problème, nous croyons qu'il incombe à une femme de l'aider. Ces attitudes contribuent à perpétuer les deux maladies — l'alcoolisme et le trop aimer.

L'alcoolisme et le trop aimer sont, à leur stade initial, des affections subtiles. Lorsque la présence et la progression d'un agent hautement destructeur deviennent évidentes, on est tenté d'examiner et de soigner les manifestations physiques — le foie ou le pancréas chez l'alcoolique, les nerfs et la tension artérielle élevée chez la femme dépendante de relation — sans évaluer vraiment l'ensemble des symptômes. Il est vital de considérer ces derniers dans le contexte général des processus maladifs qui les ont suscités et de reconnaître l'existence de ces maladies le plus tôt possible, afin d'enrayer la destruction progressive de la santé affective et physique.

Le parallèle entre l'évolution respective de ces deux maladies, l'alcoolisme et le trop aimer, est clairement mis en lumière dans les tableaux qui suivent. Chaque tableau décrit comment la dépendance, soit d'une substance hallucinogène, soit d'une relation malheureuse, affecte chacun des aspects de la vie du toxicomane de façon progressivement désastreuse. De nature affective à l'origine, les effets évoluent et deviennent physiques, impliquant non seulement d'autres individus (enfants, voisins, amis, collègues), mais parfois aussi, dans le cas de femmes dépendantes de relations, d'autres réactions maladives tels la compulsion à manger, à voler ou à travailler. Les tableaux illustrent également les aspects parallèles de rétablissement propres à ces deux affections. Il est utile de mentionner que le tableau détaillant la progression et la guérison de l'alcoolisme est davantage le portrait d'un patient masculin que celui d'une alcoolique ; de même, la femme est plus présente que l'homme dans le tableau représentant une personne qui aime trop. Les variations dues au sexe ne sont pas majeures et elles sont susceptibles d'être facilement repérées à l'examen des deux tableaux. Nous n'avons, cependant, pas l'intention d'explorer ici en détail ces différences. Notre objectif principal est de parvenir à mieux comprendre comment les femmes qui aiment trop en deviennent malades et comment elles peuvent en guérir.

Souvenez-vous aussi que le cas de Margot n'est pas basé sur le tableau, pas plus que le tableau n'a été élaboré à partir de son histoire. Avec plusieurs partenaires dans sa vie, elle a parcouru les mêmes étapes de la maladie qu'une autre femme aimant trop et n'ayant eu qu'un seul partenaire. Si la dépendance de la relation (aimer trop) est une maladie similaire à l'alcoolisme, il en résulte que ses phases d'évolution sont également identifiables, et sa progression, tout aussi prévisible.

Dans le chapitre suivant, nous examinerons en détail la phase de réhabilitation dont il est question dans le tableau. Pour l'instant, concentrons brièvement notre attention sur les sentiments et les comportements exposés dans la partie du tableau consacrée à la présence et à la progression de la maladie d'aimer trop.

Dans chacune des histoires présentées dans ce livre, il a été expliqué que les femmes qui aiment trop viennent de familles où elles se sentaient très seules et étaient isolées, rejetées ou chargées de responsabilités trop lourdes, à la suite de quoi elles sont devenues trop protectrices et dévouées ; ou encore elles ont été exposées à des conditions chaotiques, de sorte qu'elles ont développé un besoin très prononcé de contrôler les gens autour d'elles et les situations dans lesquelles elles se trouvaient. Il s'ensuit naturellement qu'une femme ayant besoin de protéger, de contrôler, ou de faire les deux à la fois ne sera capable d'agir ainsi qu'en présence d'un partenaire qui va à tout le moins permettre, sinon inviter, ce genre de comportement. Elle entrera inévitablement en rapport avec un homme faisant preuve d'irresponsabilité dans certaines circonstances importantes de son existence parce qu'il a un besoin évident de son aide, de sa solitude et de son contrôle. C'est ici qu'elle entreprend sa lutte en vue de le transformer, grâce à la force et à la persuasion de son amour de femme.

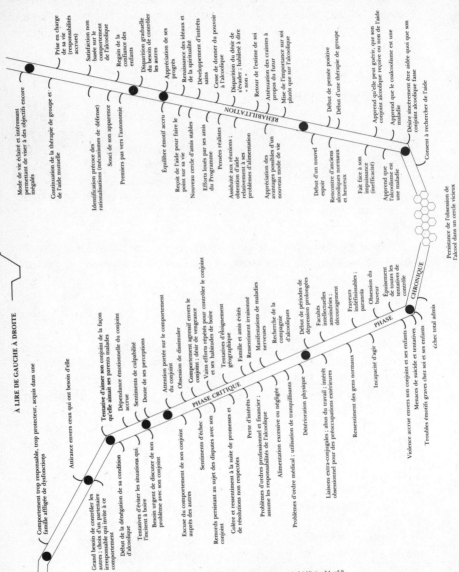

Source : M.M. Glatt, M.D., D.P.M., *The British Journal of Addiction* 54, n° 2.

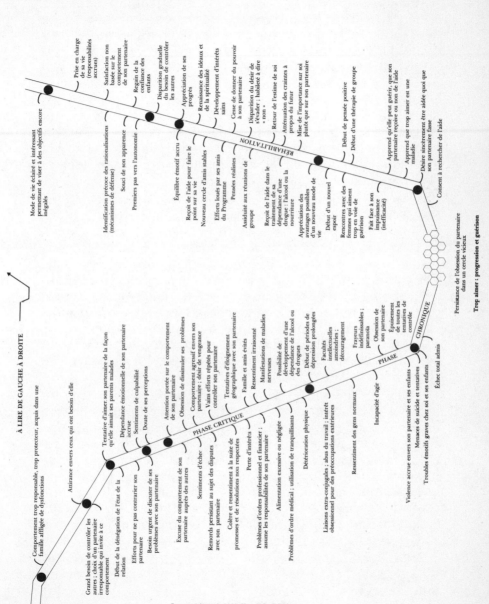

Source : Adapté de M.M. Glatt, M.D., D.P.M.

C'est à ce stade précoce que l'on peut déjà entrevoir l'aspect irrationnel de la relation, alors que la femme commence à nier la réalité de ladite relation. Il faut se souvenir que la dénégation est un processus inconscient, automatique et insidieux. La vision qu'a la femme de ce qui pourrait être et ses efforts pour y parvenir déforment sa perception de ce qui est en réalité. Les déceptions, les échecs et les trahisons dans la relation sont soit ignorés, soit rationalisés : « Cela n'est pas si terrible. » « Vous ne le comprenez pas. » « Il ne l'a pas fait exprès. » « Ce n'est pas sa faute. » Il existe beaucoup d'autres phrases du même genre dont la femme qui aime trop se servira à ce stade-ci de sa maladie, afin de défendre son partenaire et leur relation.

Au moment même où cet homme la trompe et se dérobe, elle devient encore plus dépendante de lui affectivement. Cela est imputable à la grande préoccupation qu'elle a à son sujet, au sujet de ses problèmes, de son bien-être et peut-être par-dessus tout à propos des sentiments qu'il éprouve pour elle. Elle consacre presque toute son énergie à essayer de le changer. Elle ne tarde pas à faire de lui la seule source de joie dans son existence. Si elle ne se sent pas bien en sa compagnie, elle cherche à y remédier en essayant de l'adapter ou de s'adapter elle-même. Elle ne veut pas trouver de gratification émotive ailleurs. Elle est bien trop préoccupée à essayer de rendre leur relation viable.

Elle est persuadée que si elle contribue à le rendre heureux il la traitera avec plus de considération et elle sera heureuse à son tour. En renouvelant ses efforts pour lui plaire, elle se fait la gardienne attentive du bien-être de son partenaire. Elle se sent responsable et éprouve du remords chaque fois qu'il a une contrariété — elle croit qu'elle n'a pas su atténuer ses misères, compenser ses insuffisances. Mais elle se reproche surtout d'être elle-même malheureuse. Sa dénégation lui dit qu'« il » n'est pas vraiment à blâmer, que ce doit être entièrement sa faute à elle.

Pour réduire son désespoir, qu'elle attribue à des tracasseries et à des reproches mesquins, elle sent le besoin oppressant de s'entretenir avec son partenaire pour tenter de résoudre leurs différends. Ils ont alors de longues discussions (s'il est disposé à lui parler), mais n'abordent pas pour autant les problèmes véritables. S'il boit avec excès, elle ne peut s'en rendre compte du fait de sa dénégation, et elle le supplie de lui dire pourquoi il est si malheureux ; ce n'est pas la consommation d'alcool mais plutôt l'affliction de son homme qui lui importe le plus. S'il lui est infidèle, elle veut savoir pourquoi elle n'est pas suffisamment femme pour lui ; elle s'estime seule responsable. Et ainsi de suite.

Les choses vont en empirant. Mais son partenaire, ayant peur de la voir se décourager et s'éloigner de lui (car il a besoin de son aide affective, matérielle, sociale ou pratique), lui dit qu'elle se trompe et s'imagine des choses, qu'il l'aime et que leur situation s'améliore sans qu'elle s'en rende compte parce qu'elle est trop pessimiste. Elle le croit parce qu'elle a tellement besoin de le croire. Elle lui donne raison, pense vraiment qu'elle exagère leurs problèmes et, ce faisant, s'éloigne encore davantage de la réalité.

Elle a fait de lui son baromètre, son radar, son indicateur d'émotions. Elle l'observe constamment. Toutes ses sensations résultent du comportement de son partenaire. En même temps qu'elle lui donne le pouvoir de la ballotter émotivement, elle s'interpose entre lui et le monde. Elle essaie de le faire paraître mieux qu'il n'est et de faire passer le couple qu'ils forment pour plus heureux qu'en réalité. Elle rationalise chacun de ses échecs à lui, chacune de ses déceptions à elle, et pendant qu'elle cache la vérité au monde, elle se la cache aussi à elle-même. Incapable d'accepter qu'il soit comme il est et que ses problèmes appartiennent à lui et non à elle, elle a la conviction d'avoir échoué malgré tous ses efforts énergiques pour le changer. Sa frustration se transforme en colère, et c'est alors qu'éclatent des querelles, souvent de nature physique, engendrées par sa rage impuissante en croyant qu'il contrecarre délibérément tous ses efforts pour lui venir en aide. Alors que jadis elle excusait chacun de ses défauts, tout devient maintenant pour elle autant de sujets de vexation. Elle comprend qu'elle est seule à se soucier du bon fonctionnement de leur relation. Sa culpabilité s'accroît alors qu'elle s'étonne de cette rage en elle et du fait qu'elle ne soit pas suffisamment aimable pour qu'il « ait envie » de changer pour elle, pour eux.

Plus déterminée que jamais à le changer, elle est prête à faire n'importe quoi. Ils échangent des promesses. Elle ne le harcèle plus s'il cesse de boire, de rentrer tard, de draguer, etc. Ni l'un ni l'autre n'est capable de respecter l'engagement, et elle éprouve l'impression d'avoir perdu tout contrôle — non seulement sur lui mais aussi sur elle-même. Elle ne peut s'empêcher de rouspéter, de chercher querelle, de câliner, de supplier. Le respect qu'elle a d'elle-même fond comme neige au soleil.

Peut-être vont-ils déménager, en tenant leurs amis, leur emploi ou leur famille responsables de leurs problèmes. Par la suite, il se pourrait que les choses aillent mieux pendant un certain temps — mais pas longtemps, car toutes les anciennes attitudes ne tarderont pas à se manifester à nouveau.

Elle finit par être tellement absorbée par cette lutte opiniâtre, qu'elle n'a plus de temps ni d'énergie à consacrer ailleurs. Les enfants, quand il y en a, souffrent certainement de négligence affective et parfois physique. Les activités sociales cessent complètement. Sortir et voir du monde devient un véritable supplice, tant l'acrimonie dans le couple est grande et tant il y a de secrets à garder. Et le manque de contact social contribue à isoler encore davantage de la réalité la femme qui aime trop. Sa relation est devenue tout son univers.

Il fut un temps où elle était attirée par l'irresponsabilité et le dénuement de son partenaire. À cette époque, elle était sûre de pouvoir le changer, l'« arranger ». Elle se trouve désormais écrasée par des responsabilités que celui-ci devrait assumer ; cependant, si elle se révolte contre cette tournure des événements, elle ne jouit pas moins de l'emprise qu'elle a sur lui en gérant son argent et en prenant l'entier contrôle des enfants.

Vous remarquerez, en vous reportant au tableau précédent, que nous sommes rendus dans la phase dite « critique », où l'on assiste à une détérioration rapide, d'abord affective, puis physique. La femme qui a été obsédée par sa relation est maintenant susceptible d'ajouter à ses autres problèmes un dérèglement du comportement alimentaire, si elle n'en a pas déjà un. En cherchant une récompense à ses efforts et en essayant d'atténuer la colère et le ressentiment qui grondent en elle, elle peut avoir recours à la nourriture comme tranquillisant. Ou encore néglige-t-elle sérieusement de se nourrir par suite d'ulcères ou de dérangements chroniques d'estomac, avec peut-être en sus une attitude de martyr (ex. : « Je n'ai pas le temps de manger. »). Il est aussi possible qu'elle veuille contrôler rigoureusement son alimentation pour compenser les sensations incontrôlables de son vécu quotidien. Cette phase encourage l'abus d'alcool ou d'autres « drogues délassantes », et il est très fréquent que les médicaments sur ordonnance viennent grossir son arsenal de moyens d'endurer la situation intenable dans laquelle elle se trouve. Les médecins, ne parvenant pas à diagnostiquer correctement son mal qui s'aggrave, peuvent contribuer à exacerber son état en lui prescrivant des tranquillisants pour calmer l'anxiété générée par les circonstances de son existence et sa façon d'y réagir. Mettre à la portée d'une femme ainsi affligée ce genre de drogue très susceptible de créer une dépendance équivaut à lui servir de grandes rasades de gin. Le gin ou un tranquillisant vont endormir la douleur temporairement, mais leur usage peut créer des problèmes nouveaux et n'en régler aucun.

Quand une femme atteint ce degré dans la progression de sa maladie, des problèmes d'ordre physique autant qu'émotionnel surgissent inévitablement. Tous les troubles reliés à une exposition prolongée et intense à la tension peuvent se manifester. Comme il a été dit précédemment, une dépendance de la nourriture, de l'alcool ou d'autres drogues peut alors se développer. Des troubles de digestion ou des ulcères peuvent également se manifester, de même que toutes sortes d'allergies, problèmes de peau, tension artérielle élevée, tics nerveux, insomnie, constipation ou diarrhée, ou les deux en alternance. Des périodes de dépression peuvent apparaître ou, si la femme a déjà souffert de dépression, comme il arrive si souvent, les épisodes se prolongent et s'aggravent de façon alarmante.

C'est ici, au moment où la santé physique commence à se détériorer sous les effets de la tension, que nous entrons dans la phase dite « chronique ». L'aspect le plus caractéristique de la phase chronique réside peut-être dans le fait que l'aptitude à penser de la femme est maintenant tellement affaiblie qu'il est difficile pour elle d'évaluer objectivement son état. Il y a un type d'insanité propre à l'action de trop aimer qui est progressif et qui atteint son plein développement à ce stade-ci. Cette femme est désormais dans l'incapacité totale de diriger sa vie avec le moindre discernement. Sa conduite dépend presque exclusivement de son partenaire, y compris ses incartades amoureuses, sa compulsion au travail ou à d'autres choses, ou son dévouement à des « causes » dans lesquelles elle essaie encore d'aider, de contrôler la vie et la condition des gens autour d'elle. Il est triste que son intérêt pour des gens et des choses en dehors de sa relation fasse dorénavant partie de son obsession.

Elle est devenue très envieuse des gens, parce qu'ils n'ont pas les mêmes problèmes qu'elle, et elle se défoule de plus en plus sur son entourage, s'en prenant violemment à son partenaire et souvent aussi à ses enfants. Elle peut aller jusqu'à le menacer de se suicider, et même se suicider, dans une ultime tentative de le contrôler en le culpabilisant. Il est inutile d'ajouter qu'elle et tous ceux qui l'entourent sont devenus très malades affectivement et souvent aussi physiquement.

Considérons un instant comment un enfant dont la mère souffre de trop aimer pourrait en être affecté. Parmi les femmes dont vous avez lu l'histoire, il y en a beaucoup qui ont grandi dans de telles conditions.

Quand une femme qui a commencé par aimer trop parvient finalement à admettre que tous ses efforts pour changer son partenaire ont échoué, elle se rend compte parfois qu'elle a besoin d'aide. Elle se tourne habituellement vers quelqu'un d'autre, peut-être un professionnel, dans une dernière tentative de changer son homme. Il est très important que la personne consultée l'aide à reconnaître que c'est elle-même qui doit changer, que sa guérison doit commencer par elle.

Comprenez bien ceci, car comme nous l'avons démontré clairement, trop aimer est un mal progressif. Une femme comme Margot est en train de mourir. Son décès sera peut-être causé par un trouble relié à la tension, telle une défaillance ou une crise cardiaque, ou par toute autre maladie physique engendrée ou exacerbée par la tension. Cette femme peut aussi être victime de la violence qui fait maintenant partie intégrante de sa vie, ou encore mourir d'un accident qui ne serait pas arrivé si elle n'avait pas été distraite par son obsession. Elle peut succomber rapidement ou aller en se détériorant progressivement pendant des années. Peu importe la cause apparente du décès, je vous répète que l'on peut mourir de trop aimer.

Revenons maintenant à Margot. Déconcertée par la tournure des événements dans sa vie, elle est décidée, tout au moins pour le moment, à chercher de l'aide. Elle n'a vraiment que deux choix. Il faut l'amener à différencier clairement ces choix pour qu'elle opte ensuite pour l'un ou l'autre.

Elle peut continuer à chercher le partenaire idéal ; étant donné sa prédilection pour des hommes hostiles et peu fiables, elle sera à nouveau et inévitablement attirée par des hommes du type même de ceux qu'elle a déjà connus. Mais elle peut aussi s'attaquer à la tâche ardue et exigeante qui consiste à prendre conscience de son attitude malsaine à l'égard des relations, en scrutant avec objectivité les divers éléments qui ont contribué à produire cette « attraction » entre elle et différents types d'hommes. Elle a le choix entre continuer à chercher son bonheur chez un homme plutôt qu'en elle, et entreprendre un cheminement lent et laborieux (mais beaucoup plus bénéfique en fin de compte), c'est-à-dire apprendre à s'aimer et à se soigner avec l'aide et l'appui de ses semblables.

Malheureusement, la grande majorité des femmes qui se trouvent dans le cas de Margot choisiront de continuer à pratiquer leur dépendance, soit en cherchant l'homme magique qui les rendra heureuses, soit en s'entêtant à essayer de contrôler et d'améliorer leurs partenaires.

Cela semble tellement plus facile et c'est tellement plus rassurant de continuer à chercher la source de son bonheur en dehors de soi que de s'imposer la discipline nécessaire à l'élaboration de ses propres ressources intérieures, que d'apprendre à combler le vide à partir de l'intérieur et non de l'extérieur. Mais pour celles d'entre vous qui sont suffisamment averties, suffisamment lasses ou suffisamment désespérées pour préférer guérir plutôt que vouloir façonner votre homme ou en trouver un nouveau — pour celles d'entre vous qui veulent vraiment se changer « elles-mêmes » —, vous trouverez dans les pages suivantes les étapes qui conduisent à la guérison.

Chapitre X

LA VOIE DE LA GUÉRISON

> *Si un individu est capable d'aimer de manière productive, il s'aime aussi lui-même ; s'il ne peut aimer que les autres, il n'est pas capable d'aimer du tout.*
> — *L'Art d'aimer* (par Erich Fromm)*

Après avoir lu l'histoire de ces femmes, toutes semblables par la nature morbide de leur mode d'interaction, vous serez peut-être convaincue qu'il s'agit bien là d'une maladie. Quel traitement faut-il alors appliquer ? Comment une femme peut-elle se sortir d'un tel cercle vicieux ? Comment fait-elle pour renoncer à ces sempiternels affrontements entre elle et « lui » et consacrer son énergie à s'organiser une vie enrichissante et satisfaisante ? Et en quoi est-elle différente des innombrables autres femmes qui n'en guérissent pas, qui ne peuvent pas se dégager de ce marécage et de cette misère que sont les relations improductives ?

Ce n'est sûrement pas la gravité de ses problèmes qui détermine si une femme peut s'en sortir ou non. Avant la guérison, les femmes qui aiment trop se ressemblent beaucoup par leur caractère, et ce malgré la disparité des circonstances actuelles ou passées qui leur sont propres. Mais la personnalité et la santé d'une femme qui a réussi à surmonter sa compulsion à trop aimer se retrouvent profondément transformées.

C'est peut-être le hasard ou le destin qui a déterminé jusqu'ici lesquelles de ces femmes s'en sortiraient et lesquelles

---

* Dans sa version originale, cette œuvre s'intitule *The Art of Loving*. (*N.d.T.*)

n'y parviendraient pas. J'ai toutefois observé, chez les femmes qui s'en remettent, le recours à certains moyens communs à toutes. C'est à force de tâtonnements, et souvent sans aucune indication, qu'elles ont néanmoins toutes fini par suivre le programme de rétablissement que je vais vous décrire dans ses grandes lignes. Du reste, mon expérience personnelle et professionnelle m'a démontré qu'aucune femme ne guérissait jamais à moins d'utiliser ces moyens. Voilà qui ressemble à une garantie et c'en est une, en effet. Les femmes qui sont prêtes à suivre ces étapes se rétabliront.

Les dites étapes sont simples, mais pas faciles pour autant. Elles sont toutes d'importance égale. Les voici énumérées dans l'ordre chronologique le plus courant :

1. Cherchez de l'aide.
2. Faites de votre guérison une priorité vitale.
3. Trouvez-vous un groupe de soutien formé de personnes compréhensives qui se trouvent dans votre situation.
4. Développez votre vie spirituelle par la pratique journalière.
5. Cessez de diriger et de contrôler les autres.
6. Apprenez à ne pas vous laisser prendre « aux jeux ».
7. Envisagez courageusement vos problèmes et vos défauts.
8. Cultivez ce qui cherche à s'épanouir en vous.
9. Devenez « égoïste ».
10. Partagez avec les autres les expériences que vous avez vécues et ce qu'elles vous ont appris.

Voyons maintenant ces étapes une à une, ce qu'elles signifient et exigent, pourquoi elles sont nécessaires et ce qu'elles impliquent.

1. Cherchez de l'aide

Signification

Il y a bien des façons de s'y prendre pour chercher de l'aide, en passant de l'emprunt d'un livre sur le sujet qui nous intéresse à la bibliothèque (cela peut exiger beaucoup de courage ; tout le monde semble avoir les yeux fixés sur nous !) au rendez-vous avec un thérapeute. Vous pouvez faire un appel anonyme à une ligne ouverte pour parler de ce que vous vous êtes toujours efforcée de garder secret, ou communiquer avec une agence communautaire se spécialisant dans les problèmes du genre de celui auquel vous êtes confrontée — l'alcoolisme, un cas d'inceste, un partenaire qui vous bat, ou autre chose. Vous pouvez vous renseigner au sujet d'un groupe pour l'amélioration de soi et faire l'effort d'y aller, prendre un cours d'éducation permanente ou vous rendre à un centre de consultation où l'on s'occupe des problèmes comme le vôtre. Vous pouvez même appeler la police. En fait, chercher de l'aide signifie « faire quelque chose », agir, poser un premier geste, prendre une initiative. Il est très important de comprendre que cela ne signifie pas menacer son partenaire de son intention d'en chercher. Une telle approche constitue généralement un chantage pour l'obliger à changer s'il ne veut pas que vous exposiez publiquement sa vilenie. Ne le mêlez pas à cela, sinon chercher de l'aide (ou menacer de le faire), pour vous, revient tout simplement à essayer une autre fois de le manipuler et de le contrôler. Souvenez-vous que vous faites cela pour « vous ».

Ce qu'il faut faire quand vous cherchez de l'aide

Pour chercher de l'aide, il faut renoncer, au moins temporairement, à l'idée que vous êtes capable de vous débrouiller toute seule. Il vous faut comprendre qu'avec le temps bien des choses dans votre existence se sont détériorées, non améliorées, et qu'en dépit de tous vos efforts vous êtes incapable de résoudre le problème. Cela implique de reconnaître honnêtement combien la situation est devenue grave. Malheureusement, nous ne sommes capables d'une telle honnêteté que lorsque nous avons eu un ou plusieurs coups durs dans notre vie, alors que nous sommes sur les genoux à essayer de reprendre notre souffle. Mais cette situation étant habituellement passagère, nous nous remettons à agir comme par le passé dès que nous sommes à nouveau en état de « fonctionner » — nous nous sentons fortes, nous dirigeons, nous contrôlons et nous nous débrouillons toute seule. Ne vous contentez pas d'un soulagement temporaire. Si dans votre recherche la première action que vous posez est de lire un livre sur le problème qui vous concerne, n'en restez pas là ; passez à l'étape suivante qui consiste probablement à entrer en contact avec quelques-uns des organismes qui vous auront été recommandés dans votre livre.

Si vous prenez rendez-vous avec un professionnel, renseignez-vous afin de savoir s'il comprend la dynamique de votre problème particulier. Par exemple, si vous avez été victime d'inceste, une personne qui n'a ni la formation ni l'expertise requises dans ce domaine ne pourra pas vous aider aussi efficacement qu'une autre sachant ce que vous avez vécu et comment cela vous a probablement affectée.

Consultez un professionnel capable de vous poser des questions du genre de celles qui sont soulevées dans ce livre, sur l'histoire de votre famille. Vous voudrez peut-être savoir si votre thérapeute éventuel souscrit au concept de maladie progressive, dans le cas de femmes qui aiment trop, et s'il endosse le traitement esquissé ici.

J'ai la ferme conviction que la femme qui aime trop devrait consulter une conseillère plutôt qu'un conseiller. Nous partageons l'expérience fondamentale d'être des femmes dans cette société, et cela crée entre nous un climat de compréhension tout particulier. De plus, cela permet d'éviter les petits jeux homme/femme presque inévitables auxquels une patiente serait tentée de se livrer, ou que le thérapeute pourrait lui-même jouer.

Cependant, il ne suffit pas de consulter une femme ; encore faut-il qu'elle soit au courant des méthodes de traitement les plus efficaces en fonction des facteurs spécifiques de votre histoire et qu'elle veuille vous recommander un groupe de soutien approprié — c'est-à-dire de faire de votre participation dans un tel groupe un élément essentiel de votre traitement.

Par exemple, je ne conseillerai pas une coalcoolique si elle ne fait pas partie d'un groupe Al-Anon. Si après quelques séances de thérapie elle refuse de se joindre à un tel groupe, je lui signifie que je ne continuerai de m'occuper d'elle que si elle accepte cette condition. L'expérience m'a enseigné qu'à moins de s'impliquer dans Al-Anon les coalcooliques ne se rétablissent pas. Elles persistent dans leur comportement habituel et leurs idées pernicieuses, et la thérapie seule n'est pas suffisante pour remédier à cela. Cependant, la thérapie combinée avec Al-Anon permet un rétablissement beaucoup plus rapide ; ces deux aspects du traitement se complètent, en effet, très bien.

Votre thérapeute devrait vous inciter à vous joindre également à un groupe de croissance personnelle, à défaut de quoi elle vous laisse libre de gémir sur votre situation alors que vous devriez faire tout votre possible pour vous aider vous-même.

Quand vous aurez trouvé la conseillère qui vous convient, vous devrez continuer de la voir et suivre ses recommandations. On ne peut pas changer ses habitudes de toute une vie en matière de relations seulement en allant voir un professionnel une ou deux fois.

Chercher de l'aide peut entraîner des dépenses, mais ce n'est pas toujours le cas. Beaucoup d'agences ont des tarifs proportionnés à vos moyens, et il n'y a aucune corrélation entre la thérapeute qui se fait payer le plus cher et le traitement le plus efficace. De nombreux professionnels très compétents et dévoués travaillent pour de telles agences. Efforcez-vous de trouver une personne expérimentée et chevronnée avec qui vous vous sentirez à l'aise. Fiez-vous à vos impressions et n'hésitez pas, si cela est nécessaire, à voir plusieurs thérapeutes afin de trouver celle qui vous convient.

Il n'est pas absolument nécessaire que vous entrepreniez une thérapie pour que vous vous rétablissiez. En fait, si vous consultez une thérapeute inadéquate, cela vous fera plus de tort que de bien ; cependant, si vous vous adressez à une conseillère qui est au courant du processus maladif spécifique des femmes qui aiment trop, celle-ci peut vous être d'un secours inestimable.

Si vous vivez présentement une relation avec quelqu'un, il n'est pas nécessaire que vous y mettiez un terme, pas plus au moment où vous cherchez de l'aide que durant le processus de rétablissement. Cette relation s'ajustera d'elle-même au fur et à mesure que vous passerez par chacune des dix étapes énumérées plus haut. Souvent, lorsqu'une femme vient me consulter, elle veut cesser la relation qu'elle a avec son partenaire avant d'être prête à le faire, courant ainsi le risque de reprendre cette relation ou d'en commencer une nouvelle tout aussi malsaine que l'autre. Sa perspective évolue au cours des dix étapes, quant à l'opportunité de continuer ou de changer. Rester avec son partenaire cesse d'être « le problème », et le quitter n'est plus « la solution ». La relation qu'elle vit avec lui devient l'un des nombreux aspects qu'elle doit considérer en fonction de l'ensemble de sa vie.

Pourquoi chercher de l'aide ?

Cela est nécessaire, parce que vous avez déjà fait de très grands efforts sans obtenir de résultat durable. Bien sûr, vous vous êtes sentie soulagée pendant un certain temps, mais votre état a continué de se détériorer progressivement. La difficulté provient de ce que vous n'êtes pas consciente de la gravité de la situation dans laquelle vous vous trouvez, parce que vous recourez souvent à la dénégation dans votre vie. Voilà la nature de la maladie. Par exemple, la majorité de mes clientes, pour ne pas dire toutes, affirment que leurs enfants ignorent l'existence de difficultés dans le ménage et qu'ils dorment pendant les disputes nocturnes. Cela constitue un très bon exemple de dénégation auto-protectrice. Si ces femmes acceptaient de voir la souffrance de leurs enfants, elle se sentiraient coupables et seraient accablées de remords. Par ailleurs, leur dénégation les empêche de bien se rendre compte de la gravité du problème et de chercher l'aide nécessaire.

Supposez votre situation comme étant plus mauvaise que vous êtes prête à l'admettre aujourd'hui et soyez consciente de la nature progressive de votre maladie. Comprenez la nécessité d'un traitement et votre incapacité à vous en sortir toute seule.

Ce qu'implique le fait de chercher de l'aide

L'une des implications les plus redoutées est de voir la relation, s'il y en a une, cesser. Cela n'est pas forcément vrai, mais je peux vous garantir que si vous suivez ces étapes votre relation s'améliorera ou prendra fin. Elle ne sera plus pareille, ni vous non plus.

Il y a aussi la crainte que le secret soit éventé. Lorsqu'une femme décide sincèrement de chercher de l'aide, il est rare qu'elle ait à le regretter ; cependant, la peur qui l'envahit avant qu'elle décide d'agir dans ce sens peut être colossale. Que ses problèmes soient déplaisants, gênants, gravement préjudiciables ou même susceptibles de mettre sa vie en danger, elle peut décider de chercher de l'aide ou n'en rien faire. Ce n'est pas la gravité de ses problèmes qui détermine le choix de ses actions ; c'est l'ampleur de sa peur et parfois aussi sa fierté.

De nombreuses femmes ne considèrent même pas la quête de secours comme une option, mais plutôt comme un risque non essentiel dans leur situation déjà si précaire. « Je ne voulais pas le mettre en colère » est la réponse classique de la femme battue quand on lui demande pourquoi elle n'a pas appelé la police. La peur très vive de voir sa situation s'aggraver et, aussi ironique que cela paraisse, la conviction d'être encore capable d'en garder le contrôle lui interdisent de s'adresser aux autorités ou à des gens susceptibles de l'aider. Cela vaut également dans des circonstances moins dramatiques. Une épouse frustrée ne veut pas faire de remous, parce qu'après tout la froide indifférence de son mari à son égard « n'est pas aussi terrible ». Elle se dit qu'au fond cet homme est bon et qu'il n'a pas tous les défauts des maris de ses amies. Elle se résigne ainsi à l'absence de rapports sexuels, à son attitude négative chaque fois qu'elle s'enthousiasme, ou à son obsession des sports chaque fois qu'ils sont ensemble. Cela n'est pas de la tolérance ; c'est un manque de confiance en la survie de la relation dans le cas où elle refuse d'attendre patiemment mais en vain qu'il s'occupe d'elle, et c'est surtout aussi le fait qu'elle n'est pas convaincue de son droit d'être plus heureuse. Voilà le concept fondamental du rétablissement. Avez-vous le droit d'aspirer à mieux ? Qu'êtes-vous disposée à faire pour améliorer votre sort ? Commencez donc par le commencement ; cherchez de l'aide.

2. Faites de votre guérison une priorité vitale

Signification

Faire de votre guérison une priorité vitale consiste à vouloir suivre les dix étapes énumérées plus haut en vue de votre rétablissement, quelles que soient les exigences. Si cela vous semble excessif, songez un instant aux efforts que vous êtes prête à faire pour changer votre partenaire, pour l'aider à guérir, et dirigez cette énergie sur vous-même. C'est en cela que réside la formule magique : en dépit de votre impuissance à « le » changer malgré tous vos efforts ardus, vous

« pouvez », avec la même dépense d'énergie, vous changer vous-même. Donc, appliquez votre potentiel là où il peut s'avérer efficace — à votre propre vie !

Ce qu'il faut faire pour faire de votre guérison une priorité vitale

Cela exige votre engagement total. Pour la première fois de votre vie, peut-être, vous vous sentez véritablement importante et suffisamment digne de vous occuper de vous-même. Vous trouvez cela probablement très difficile à faire, mais si vous vous appliquez à respecter vos rendez-vous, à participer à un groupe de soutien et ainsi de suite, cela vous aidera à prendre conscience de votre valeur et vous incitera à rechercher votre propre bien-être. Donc, efforcez-vous pendant quelque temps de vous prendre au sérieux, et le processus de guérison s'amorcera. Vous vous sentirez bientôt tellement mieux, que vous voudrez continuer.

Afin de favoriser le processus, soyez disposée à vous instruire au sujet de votre problème. Par exemple, si vous avez grandi dans une famille d'alcooliques, lisez des livres sur ce sujet, allez à des conférences qui traitent de cette question et renseignez-vous sur les effets connus pouvant découler de l'alcoolisme. Cela sera parfois pénible et même douloureux de vous exposer à cette connaissance, mais pas aussi désagréable que de perpétuer vos attitudes sans comprendre comment votre passé contrôle votre existence. La compréhension va de pair avec la possibilité de choisir, de sorte que plus votre connaissance est vaste, plus votre liberté de choix est grande.

Il est également nécessaire de vouloir « continuer » de passer du temps et peut-être aussi de dépenser de l'argent pour vous rétablir. Si vous hésitez à consacrer temps et argent à votre guérison, si cela vous paraît excessif, pensez au temps et à l'argent que vous avez sacrifiés pour vous épargner la souffrance occasionnée par votre relation, soit en la vivant, soit en la rompant. Boire, prendre de la drogue, manger avec excès, partir en voyage pour vous évader, remplacer des choses (celles de votre partenaire ou les vôtres) que vous avez cassées dans vos moments de colère, manquer à votre travail, faire des appels interurbains onéreux dans l'espoir que votre partenaire ou quelqu'un d'autre vous comprendrait, lui acheter des cadeaux pour vous réconcilier avec lui, vous faire des cadeaux à vous-même pour oublier, passer vos jours et vos nuits à pleurer à cause de lui, négliger votre santé au point de devenir gravement malade, voilà quelques-unes des dépenses de temps et d'argent que vous avez consenties à l'« entretien » de votre maladie ; la liste en est probablement assez longue pour vous causer une sensation très désagréable si vous l'examinez honnêtement. Votre guérison exige que vous fassiez un investissement au moins aussi important. Et c'est là un investissement qui vous rapportera des dividendes considérables.

L'engagement total à votre rétablissement exige aussi que vous limitiez ou cessiez entièrement votre consommation d'alcool ou d'autres drogues durant le processus thérapeutique. L'usage de produits modifiant l'état de conscience, à ce stade-ci, diminue votre perception des émotions que vous découvrirez, et c'est seulement en les ressentant profondément que vous bénéficierez de l'effet curatif accompagnant leur émergence. La crainte de ces émotions et le malaise qui en résulte peuvent vous inciter à vouloir les atténuer par un moyen quelconque (y compris l'usage de nourriture comme drogue), mais je vous conseille vivement de n'en rien faire. La majeure partie du « travail » thérapeutique se fait pendant les heures où vous n'êtes pas dans un groupe ou en session. J'ai constaté chez mes clientes que les associations de toute nature qui se présentent pendant ou entre les séances de thérapie ont une valeur durable seulement si la conscience est dans un état inaltéré pendant qu'elle absorbe cette information.

Pourquoi faut-il faire de votre guérison une priorité vitale ?

Il le faut, sinon vous n'aurez jamais le temps de guérir. Vous serez trop occupée à faire toutes ces choses qui entretiennent votre maladie.

Lorsqu'on apprend une langue, on doit s'exposer fréquemment à des sons nouveaux et à des comportements de langage contraires à nos habitudes de parler et de penser ; cette langue nous restera étrangère si l'on ne s'y expose que rarement ou de manière sporadique. Il en va de même de la guérison. Si vous ne posez que des gestes occasionnels et peu motivés, ils ne suffiront pas à affecter des attitudes bien enracinées de penser, de ressentir et d'interagir. La force de l'habitude les ranimerait en l'absence de mesures de redressement.

Pour une perception plus lucide, songez aux sacrifices que vous seriez prête à faire si vous aviez le cancer et que l'on vous donnait un espoir de guérison. Ayez la volonté de lutter avec autant d'ardeur afin de guérir de votre maladie, qui détruit la qualité de la vie et peut-être la vie elle-même.

Ce qu'implique l'acte de faire de votre guérison une priorité vitale

Vos rendez-vous chez votre thérapeute et le temps que vous consacrez à votre groupe sont prioritaires. Ils passent avant tout :

— accepter une invitation à déjeuner ou à dîner avec l'homme de votre vie ;

— aller parler de vos différends avec lui ;

— éviter ses critiques et sa colère ;

— le rendre heureux (lui ou n'importe qui d'autre) ;

— rechercher son approbation (ou celle de n'importe qui d'autre) ;

— faire un voyage pour fuir tous les problèmes pendant quelque temps (pour ensuite revenir et les endurer à nouveau) ;

— etc.

3. Trouvez-vous un groupe de soutien formé de personnes compréhensives qui se trouvent dans votre situation

Signification

Trouver un tel groupe de soutien peut exiger un effort. Si vous avez présentement ou avez déjà eu une relation avec un alcoolique ou un toxicomane, assistez aux réunions du Al-Anon destinées aux adultes dont les parents étaient alcooliques ou toxicomanes ; si vous avez déjà été victime d'inceste (même si votre père n'était pas l'agresseur), allez aux réunions des Filles Unies ; si vous êtes ou avez été victime de violence, adressez-vous aux refuges pour femmes de votre région au sujet des groupes de soutien qu'ils ont mis sur pied. Si vous n'appartenez à aucune de ces catégories, ou si le groupe correspondant à vos besoins n'existe pas dans la région où vous habitez, trouvez-vous un groupe de soutien dans lequel des femmes s'occupent de leur problème de dépendance émotive à l'égard des hommes, ou créez votre propre groupe. Vous trouverez, à l'Appendice I, des instructions sur la façon de vous y prendre.

Les groupes de soutien formés de personnes se trouvant dans une situation similaire à la vôtre ne sont pas que des réunions désorganisées où des femmes discutent de tous les sévices qu'elles ont subis aux mains des hommes, ou du mauvais sort que la vie leur a imparti. De tels groupes existent pour vous permettre de travailler à votre propre guérison. Il est important de parler des expériences traumatisantes que l'on a eues ; néanmoins, si vous vous apercevez que vous-même ou d'autres racontez de longues histoires pleines de « il a dit... et puis j'ai dit... », vous faites probablement fausse route, et peut-être n'êtes-vous même pas dans le groupe approprié. L'empathie n'est pas suffisante pour induire le processus de guérison. Un bon groupe de soutien se consacre à aider toutes les personnes qui y participent et comprend quelques membres qui ont atteint un certain degré de réta-blissement et qui peuvent partager, avec les nouvelles venues, les principes qui leur ont permis d'y parvenir. Il n'y a pas pour cela de meilleur exemple qu'Al-Anon. Que vous ayez été affectée ou non par l'alcool, vous pouvez assister à une ou plusieurs réunions pour voir comment fonctionnent les principes de guérison. Ils sont fondamentalement les mêmes pour nous toutes, quelles que soient nos expériences passées ou présentes.

Ce qu'exige un groupe de soutien

On exigera que vous vous engagiez envers vous-même et envers votre groupe à participer à un minimum de six réunions avant de décider que vous n'en tirez aucun profit, si tel est le cas. C'est le temps dont vous aurez besoin pour commencer à sentir que vous faites partie du groupe, pour apprendre son jargon, s'il y a lieu, et pour comprendre le processus de guérison. Si vous fréquentez Al-Anon, où il y a souvent plusieurs assemblées chaque semaine, essayez de ne pas toujours vous y rendre les mêmes jours. Il y a plusieurs groupes qui présentent différentes caractéristiques, bien que la formule de chacun soit à peu près identique. Trouvez-vous un ou deux groupes qui vous conviennent et restez avec eux, quitte à aller à des réunions supplémentaires, si vous en sentez le besoin.

Vous devez assister à ces réunions régulièrement. Bien que votre présence soit importante pour les autres, c'est vous surtout qui en êtes la bénéficiaire. Le groupe ne peut vous apporter aucun secours si vous êtes absente.

Dans le meilleur des cas, vous éprouverez un certain degré de confiance, et même si vous n'en êtes pas encore là, vous avez la « possibilité » d'être honnête. Parlez de votre manque de confiance dans les gens en général, dans le groupe, dans le processus ; aussi curieux que cela paraisse, votre confiance commencera alors à grandir.

Pourquoi faut-il un groupe de soutien formé de personnes semblables à vous ?

En écoutant les histoires d'autres femmes dans votre situation, vous pourrez vous identifier à elles et à leurs expériences. Elles vous aideront à vous souvenir de ce que vous avez occulté de votre conscience — à la fois des événements et des émotions. Vous entrerez davantage en contact avec vous-même.

En vous identifiant aux autres et en les acceptant malgré leurs défauts et leurs secrets, vous deviendrez capables d'avoir plus de tolérance envers ces mêmes caractéristiques et émotions présentes en vous. C'est ici que débute le développement de l'acceptation de soi, une condition absolument vitale de votre guérison.

Une fois prête, vous partagerez avec les autres quelques-unes de vos expériences, et ce faisant vous deviendrez plus honnête, moins réservée et moins craintive. Grâce au groupe qui accepte ce qui était pour vous inacceptable, vous vous accepterez davantage.

Vous verrez les autres utiliser dans leur vie des techniques efficaces que vous pourrez essayer vous-même. Vous observerez également des gens essayer des choses qui ne réussissent pas et vous pourrez tirer un enseignement utile de leurs erreurs.

En plus de l'empathie et de l'expérience partagée, le groupe apporte à ses membres un élément humoristique également essentiel à la guérison. Les sourires compréhensifs lorsqu'on reconnaît une autre tentative de diriger quelqu'un, l'acclamation joyeuse quand un membre a franchi un obstacle important, les éclats de rire provoqués par des idiosyncrasies communes, toutes ces manifestations d'humour sont très curatives.

Vous vous sentirez bientôt à votre place au sein du groupe. Cela est très important, surtout si vous venez d'une famille souffrant de dysfonctions, étant donné les sentiments prononcés d'isolement causés par cette expérience. Le fait d'être avec d'autres personnes qui comprennent et partagent votre vécu produit une sensation de sécurité et de bien-être dont vous avez besoin.

Ce qu'implique le fait de trouver un groupe de soutien approprié et de vous y joindre

Le secret est éventé. Bien sûr, tout le monde n'est pas au courant de vos problèmes, mais certaines personnes le sont. En effet, votre venue à Al-Anon implique que vous avez déjà été affectée par l'alcoolisme ; votre présence aux Filles Unies indique que vous avez été victime, jusqu'à un certain point, d'avances sexuelles indécentes venant d'une personne en qui vous aviez confiance... et ainsi de suite.

La peur que d'autres découvrent leur secret empêche beaucoup de gens de chercher l'aide qui pourrait sauver leur vie et leur relation. Souvenez-vous que dans un groupe de soutien valable, votre présence et ce qui y est discuté ne sont jamais divulgués hors du groupe. Votre vie privée y est respectée et protégée, et si elle ne l'est pas, trouvez-vous un autre groupe où elle le sera.

Par contre, n'aller à une réunion qu'une fois amène les autres à penser que vous avez un problème. Il est à espérer qu'étant arrivée à ce stade-ci de votre lecture vous vous rendiez compte qu'en vous confiant à d'autres, spécialement à des personnes qui partagent le même problème que vous, vous

vous donnez un moyen de sortir de votre douloureux isolement.

4. Développez votre vie spirituelle par la pratique journalière

Signification

Cela peut revêtir une signification différente selon les gens. Vous êtes peut-être une de ces personnes qui éprouvent immédiatement de l'aversion pour cette idée et vous songez probablement à passer à l'étape suivante. Pas de « bondieu-series » pour vous. À votre avis, de telles notions relèvent de l'immaturité et de la naïveté, et vous êtes trop évoluée pour les prendre au sérieux.

Par contre, il s'en trouve d'autres parmi vous qui prient avec détermination un Dieu qui ne semble pas les écouter. Elles lui ont dit ce qui n'allait pas et qui devrait être réparé, et elles sont encore malheureuses. Ou elles ont peut-être prié si longtemps et si fort, sans obtenir de résultats tangibles, qu'en désespoir de cause elles se sont fâchées, elles ont renoncé à insister, ou elles se sont senties trahies ; elles se demandent quel méfait épouvantable elles ont commis pour être ainsi punies.

Que vous croyiez ou non en Dieu et que, dans le cas affirmatif, vous soyez en contact avec Lui ou non, vous pouvez mettre cette quatrième recommandation en pratique. Vous pouvez développer votre vie spirituelle de la manière que vous le voulez. Même si vous vous dites athée, il se peut que vous tiriez du plaisir et du réconfort à vous promener tranquillement ou à admirer un coucher de soleil ou tout autre phénomène de la nature. Cette étape consiste à vous amener, de quelque façon que ce soit, à vous dépasser vous-même afin d'acquérir une meilleure vision des choses. Appliquez-vous à découvrir ce qui vous procure la paix et la sérénité et consacrez-y un peu de temps tous les jours, au moins une demi-heure. Quel que soit votre désarroi, cette discipline peut vous apporter le soulagement, même le bien-être.

Si vous hésitez à admettre l'existence d'une puissance supérieure dans l'univers, essayez d'agir comme si vous y croyiez, même s'il n'en est rien. Transférer à une puissance plus grande que vous ce que vous êtes incapable de maîtriser peut vous soulager énormément. Si en faisant cela vous vous sentez forcée d'agir contre votre gré, pourquoi ne pas utiliser votre groupe de soutien comme puissance supérieure ? Il est sûrement plus fort que n'importe quelle participante prise isolément. Tournez-vous vers votre groupe pour y puiser la force et le soutien dont vous avez besoin, ou prenez la décision de rencontrer individuellement un des membres qui en font partie ; il vous aidera à passer à travers les mauvais moments lorsqu'il s'en présentera. Sachez que vous n'êtes plus seule désormais.

Si vous êtes pratiquante et que vous priez fréquemment, développer votre vie spirituelle pourrait consister à admettre que les événements dans votre existence ont leur propre raison d'être et que Dieu est responsable de votre partenaire, non pas vous. Prenez le temps de méditer et de prier. Demandez conseil afin d'apprendre à vivre « votre » vie et laissez les autres vivre la leur.

Développer votre vie spirituelle, quelle que soit votre orientation religieuse, consiste essentiellement à « renoncer à vous obstiner », à vouloir que les choses se fassent comme vous pensez qu'elles doivent se faire. Au lieu de cela, acceptez qu'il puisse arriver, dans certaines situations, que vous n'ayez pas la solution la plus avantageuse pour vous ou pour une autre personne. Il y a peut-être des issues et des solutions auxquelles vous n'avez jamais pensé ; peut-être que celles que vous craigniez le plus et auxquelles vous vous êtes opposée sont précisément les remèdes susceptibles d'améliorer la situation. Vous obstiner signifie que vous seule connaissez les bonnes réponses. Renoncer à vous obstiner signifie que vous êtes disposée à patienter, à vous ouvrir et à attendre qu'on vous conseille ; cela signifie apprendre à renoncer à la peur (tous les « que se passe-t-il si... ? ») et au désespoir (tous les « si seulement... ») et à les remplacer par des pensées et des affirmations positives au sujet de votre vie.

Ce qu'il vous faut pour développer votre vie spirituelle

Il vous faut de la volonté, un certain enthousiasme, pas forcément la foi. Souvent, la foi accompagne l'enthousiasme. Si vous ne voulez pas de la foi, vous ne la trouverez probablement pas ; il est possible, toutefois, que vous acquériez davantage de sérénité.

Le développement de votre vie spirituelle exige aussi que vous vous serviez d'affirmations pour surmonter de vieilles habitudes de penser et de vous émouvoir et pour remplacer d'anciennes convictions. Les affirmations peuvent changer votre vie, que vous croyiez ou non à une puissance supérieure. Utilisez celles qui vous sont proposées à l'Appendice II, ou mieux encore, créez-en vous-même. Faites-les très positives et répétez-les, en silence ou à voix haute, si cela est possible, aussi souvent que vous le pouvez. En voici une, histoire de vous mettre en train : « Je ne souffre plus. Ma vie est remplie de joie, de prospérité et de contentement. »

Pourquoi faut-il que vous développiez votre vie spirituelle ?

Il est presque impossible sans cela de renoncer à diriger et à contrôler et d'avoir confiance que tout ira pour le mieux.

Tout exercice d'ordre spirituel vous calme ; vous cessez de vous prendre pour une victime et vous vous élevez spirituellement. C'est, de plus, une source de force en temps de crise, car vos propres ressources ne suffisent pas lorsque les émotions ou les circonstances vous accablent.

En l'absence de développement de sa vie spirituelle, il est presque impossible de cesser de s'obstiner. Vous devez à tout prix abandonner votre attitude obstinée avant de passer à l'étape suivante. Sinon, vous serez incapable de renoncer à diriger et à contrôler votre partenaire, parce que vous vous croirez encore dans l'obligation de le faire ; vous n'arriverez pas à passer le contrôle de sa vie à une force au-dessus de vous.

Ce qu'implique le développement de votre vie spirituelle

Vous vous libérez de la terrible responsabilité de tout arranger, de contrôler votre partenaire et d'empêcher les catastrophes de se produire.

Vous avez des moyens de soulagement qui n'exigent pas que vous manipuliez quelqu'un d'autre pour l'amener à faire et à être ce que vous voulez. Personne n'a besoin de changer pour que vous vous sentiez mieux. Ayant accès aux ressources spirituelles, votre vie et votre bonheur commencent à dépendre davantage de vous et deviennent moins vulnérables aux actions des autres.

5. Cessez de diriger et de contrôler les autres

Signification

Cesser de diriger votre partenaire et de le contrôler signifie ne pas l'aider et ne pas lui donner de conseils. Admettons un instant que cet autre adulte que vous aidez et conseillez ait autant d'aptitude que vous à se trouver un emploi, un appartement, un thérapeute, une assemblée des Alcooliques Anonymes ou toute autre chose dont il a besoin. Il est possible qu'il ne soit pas « motivé » autant que vous pour trouver ces choses lui-même et pour se débrouiller seul. Mais lorsque vous entreprenez de résoudre ses problèmes à sa place, vous le libérez de la responsabilité de sa propre vie. Vous êtes responsable de son bien-être, et lorsque les efforts que vous faites pour lui échouent, c'est « vous » qu'il blâme.

Voici un exemple qui illustre bien comment cela fonctionne : Je reçois souvent des appels d'épouses ou d'amies désirant prendre rendez-vous pour leur partenaire. J'insiste toujours pour que ces hommes prennent eux-mêmes rendez-vous avec moi. Si les supposés clients n'ont pas la motivation suffisante pour choisir leur propre thérapeute et demander eux-mêmes un rendez-vous, où trouveront-ils la motivation nécessaire pour rester en thérapie et travailler à leur propre guérison ? Au début de ma carrière de thérapeute, j'avais l'habitude d'accepter que d'autres prennent rendez-vous pour eux. Mais ensuite, les épouses ou les amies m'appelaient pour me dire que celui-ci avait changé d'idée et ne voulait plus voir personne, ou que celui-là ne voulait pas d'une femme-thérapeute, ou qu'il voulait quelqu'un avec d'autres références. Ces femmes me demandaient alors de leur recommander quelqu'un « d'autre » à qui elles pourraient demander un rendez-vous, toujours pour leur partenaire. J'ai appris à ne jamais donner de tels rendez-vous et à demander à ces épouses ou amies de venir me consulter pour elles-mêmes.

Ne pas diriger son partenaire ni le contrôler signifie également renoncer à l'encourager et à le louanger. Il est très possible que vous utilisiez aussi ces deux moyens pour essayer de l'amener à faire ce que vous voulez, des moyens qui sont devenus des outils pour le manipuler. En le louant et en l'encourageant, vous le poussez dans le dos et, ce faisant, vous essayez encore de prendre sa vie en charge. Pourquoi le félicitez-vous d'avoir fait quelque chose ? Pensez-y. Est-ce afin de promouvoir son estime de lui-même ? C'est de la manipulation. Le complimentez-vous parce que vous voulez qu'il continue d'avoir le même comportement ? C'est de la manipulation. Est-ce pour qu'il sache que vous êtes fière de lui ? Cela peut devenir un fardeau qu'il devra porter. Laissez-le décider lui-même lesquelles de ses actions sont dignes de sa fierté. Sinon, votre rôle ressemble dangereusement à celui d'une mère. Il n'a pas besoin d'une autre mère (aussi méchante que la sienne ait pu être !), et ce qui est plus important encore, vous n'avez pas besoin qu'il soit votre enfant.

Cela signifie que vous devez cesser de le surveiller. Prêtez moins d'attention à ce qu'il fait et préoccupez-vous davantage de votre propre vie. Parfois, lorsque vous commencez à relâcher votre surveillance, votre partenaire « en rajoute », exprès pour que vous continuiez de l'observer et de vous rendre responsable des conséquences. Les choses peuvent soudainement aller de mal en pis pour lui. N'y changez rien ! C'est à lui de se débrouiller avec ses difficultés, non à vous. Qu'il assume la pleine responsabilité de ses problèmes et qu'il goûte le plein mérite des solutions qu'il aura lui-même trouvées. Ne vous en mêlez pas. (Si vous vous occupez de votre propre existence et si vous vous efforcez de développer vos ressources spirituelles, il vous sera plus facile de le quitter des yeux.)

Cela signifie être détachée, et pour y parvenir vous devez désengager votre égo des émotions de votre partenaire et spécialement de ses actions et de leurs résultats. Cela exige que vous le laissiez affronter lui-même les conséquences de sa conduite, que vous ne lui épargniez « aucun » de ses désagréments. Vous pouvez continuer de vous « intéresser » à lui, mais vous ne devez pas « prendre soin » de lui. Laissez-le chercher sa propre voie, tout comme vous cherchez la vôtre.

Ce qu'il vous faut pour cesser de le diriger et de le contrôler

Il vous faut apprendre à ne « rien dire » et à ne « rien faire ». C'est là un des efforts les plus difficiles que vous aurez à faire pour guérir. Quand il perd le contrôle de sa vie, lorsque vous avez irrésistiblement envie de le prendre en main, de le conseiller et de l'encourager, de manipuler la situation soit d'une manière, soit d'une autre, vous devez apprendre à vous tenir tranquille, à respecter cette autre personne suffisamment pour lui laisser mener le combat qui est le sien, non pas le vôtre.

Cela exige que vous confrontiez vos propres craintes au sujet de ce qui pourrait arriver à lui et à votre relation si vous cessiez de tout diriger ; ensuite, plutôt que de le manipuler, il vous faudra travailler à éliminer vos peurs.

Cela exige que vous pratiquiez votre épanouissement spirituel, parce que vous y trouvez le soutien nécessaire quand vos craintes vous assaillent. Le développement de vos ressources spirituelles s'avère particulièrement important dès l'instant où vous apprenez à vous défaire de ce besoin de tout diriger. Vous pouvez éprouver l'impression de tomber dans un précipice quand vous commencez à renoncer à contrôler les autres. La sensation de perdre le contrôle de vous-même, au moment où vous cessez de vouloir diriger les autres, peut être angoissante. C'est ici que vos ressources spirituelles peuvent être utiles, car au lieu d'abandonner au néant le contrôle de ceux que vous aimez, vous pouvez le confier à une puissance supérieure.

Cela exige que vous voyiez les choses telles qu'elles sont et non comme vous voudriez qu'elles deviennent. En arrêtant de diriger et de contrôler, vous devez aussi renoncer à l'espoir « d'être heureuse quand il changera ». Il ne changera peut-être jamais et vous devez cesser de vous y employer. Vous devez apprendre à être heureuse en dépit de tout.

Pourquoi est-il nécessaire de renoncer à le diriger et à le contrôler ?

Tant que vous vous consacrez à changer quelqu'un sur qui vous n'avez aucun pouvoir (et nous sommes tous impuissants à changer quelqu'un d'autre que soi), vous ne pouvez pas employer votre énergie à vous aider vous-même. Malheureusement, la perspective de changer quelqu'un d'autre nous attire plus que celle de nous occuper de nous-même, de sorte qu'à moins de renoncer à la première notion nous ne serons jamais capables de travailler à la seconde.

La majeure partie de l'aliénation et du désespoir qui vous affectent est directement causée par vos efforts pour diriger et pour contrôler, deux choses qu'il n'est pas en votre pouvoir

de faire. Pensez à toutes vos tentatives : les discours interminables, les supplications, les menaces, les incitations, peut-
être même la violence, tous les moyens que vous avez essayés
sans succès. Et souvenez-vous comment vous vous sentiez après
chaque échec. Votre propre estime baissait d'un cran et vous
deveniez encore plus anxieuse, plus impuissante, plus en
colère. La seule façon de vous sortir de tout cela consiste à
cesser de tenter l'impossible — le contrôler lui et sa vie.

Enfin, il faut cesser parce qu'il est presque impossible
qu'il change si vous essayez de l'y forcer. Ce qui devrait être
« son » problème devient peu à peu le vôtre, et vous finissez
par en être complètement prisonnière si vous n'abandonnez
pas. Même s'il tente de vous impressionner par la promesse
de s'amender, il retournera probablement à son ancien
comportement, souvent en ayant beaucoup de ressentiment
à votre endroit. Souvenez-vous que si vous êtes la raison pour
laquelle il abandone son comportement, vous serez également la raison pour laquelle il le reprendra.

Voici un exemple : J'ai deux jeunes gens dans mon
bureau. Celui-ci m'a été adressé par son agent de probation,
à la suite de délits d'alcool ou de drogue ; il est là parce qu'il
a enfreint la loi. Sa compagne est là parce qu'elle va partout
où il va. Elle s'est donné comme mission de le maintenir dans
le droit chemin. Ainsi qu'il arrive fréquemment dans des
situations comme celle-là, ils viennent tous les deux de familles
où l'un des parents au moins était alcoolique. Assis en face
de moi, se tenant par la main, ils m'annoncent qu'ils vont se
marier.

« Je pense que le mariage va l'aider. » dit la jeune femme
sur un ton de compassion et de détermination. « Ouais ! »
dit-il, en hochant la tête d'un air penaud. « Elle m'aide pour
que je ne fasse pas trop le fou. Elle m'aide beaucoup. » Il y
a une note de soulagement dans sa voix, et son amie se réjouit
visiblement de la confiance qu'il lui témoigne, de savoir qu'il
la rend responsable de sa vie.

J'essaie alors de leur expliquer gentiment, par respect
pour leur espoir et leur amour, que s'il a un problème d'alcool
ou de drogue et que c'est à cause d'elle qu'il diminue ou cesse
sa consommation ce sera aussi à cause d'elle qu'il recom-
mencera plus tard à s'intoxiquer. Je les avertis tous les deux

qu'un jour, dans un moment de colère, il lui dira : « J'ai arrêté pour toi et qu'est-ce que cela m'a donné ? Tu n'es jamais contente ; pourquoi faudrait-il que je continue de me forcer ? » Ils seront bientôt déchirés par ces mêmes forces qui les unissent maintenant.

Ce qu'implique le fait de cesser de le diriger et de le contrôler

Il peut devenir très irrité et vous accuser de ne plus l'aimer. Cette colère est causée par la panique de devoir être lui-même responsable de sa vie. Tant qu'il peut se disputer avec vous, vous faire des promesses ou essayer de vous reconquérir, sa lutte est extérieure, avec vous, et pas à l'intérieur de lui. (Cela vous rappelle-t-il quelque chose ? Cela s'applique à vous également, tant que vous êtes aux prises avec lui.)

Vous ne trouverez plus grand-chose à vous dire quand toutes les cajoleries, les discussions, les menaces, les disputes et les réconcialiations auront pris fin. Ne vous affolez pas ; ce n'est pas grave. Récitez calmement et en silence vos affirmations.

Il est probable que dès le moment où vous cesserez de le diriger et de le contrôler une bonne partie de votre énergie sera libérée et pourra être consacrée à vous explorer, à vous développer et à vous épanouir. Il est important toutefois de savoir qu'il vous arrivera encore de vouloir chercher en dedans de vous une raison d'être. Mettez un frein à cette tentation et restez concentrée sur vous-même.

Je dois cependant vous avertir qu'en renonçant à lui faciliter les choses votre situation peut devenir chaotique, et il se peut que les gens qui ne comprennent pas ce que vous faites (ou ne faites pas) vous critiquent. Essayez de ne pas vous défendre et ne vous donnez pas la peine d'entrer dans des explications détaillées. Vous pourriez, par exemple, leur recommander la lecture de ce livre et changer ensuite de sujet. S'ils insistent, évitez-les pendant quelque temps.

En général, ce genre de critique est beaucoup moins fréquent et moins intense que ce qu'on appréhende. Nous sommes nos pires critiques et nous projetons sur ceux qui nous entourent notre crainte de jugement négatif — partout nous sentons et entendons la critique. Faites-vous confiance et le monde se montrera plus tolérant, comme par magie.

Votre renoncement à diriger et à contrôler les autres implique, entre autres choses, que vous abandonniez votre rôle de « personne secourable », et c'est justement ce fait de renoncer qui est souvent la façon la plus eficace d'aider ceux que vous aimez. Se croire secourable revient, une fois de plus, à se faire plaisir. Si vous voulez vraiment être secourable, ne vous occupez plus des problèmes de votre partenaire ; occupez-vous de vous-même.

6. Apprenez à ne pas vous laisser prendre « aux jeux »

Signification

Le concept de jeux tels qu'ils s'appliquent au dialogue entre deux personnes a été développé par la forme de psychothérapie dite analyse transactionnelle. Les jeux sont des moyens d'interaction structurés que l'on utilise pour éviter l'intimité. Tout le monde a parfois recours à des jeux, mais dans les liaisons malsaines les jeux abondent. Ce sont des modes stéréotypés de communication pour contourner tout échange véritable d'information et d'émotions et pour permettre aux participants de se transférer réciproquement la responsabilité de leur bien-être ou de leur détresse. Il est typique des femmes qui aiment trop et de leur partenaire de jouer des versions des rôles du sauveur, du persécuteur ou de la victime. Lors d'un échange type, chacun à son tour, les deux partenaires jouent ces trois rôles à plusieurs reprises. Nous allons désigner le rôle de sauveur par (S) avec le signifiant « qui essaie d'aider » ; le rôle de persécuteur par (P) pour « qui essaie de blâmer » ; et le rôle de victime par (V) pour « celui ou celle qui est sans reproche et impuissant(e) ». Le dialogue suivant illustre bien le déroulement de ce jeu :

Thomas, qui rentre chez lui souvent tard, vient de pénétrer dans la chambre à coucher. Il est 23:30. Le jeu commence, avec Marie, l'épouse de Thomas.

Marie *(en larmes)* : (V) Où étais-tu ? J'étais si inquiète. Je ne pouvais pas dormir tant j'avais peur qu'il te soit arrivé un accident. Tu sais comme je m'inquiète. Comment peux-tu me laisser ainsi attendre sans au moins me téléphoner pour me dire que tu es encore en vie ?

Thomas *(rassurant)* : (S) Oh, chérie, je regrette. Je croyais que tu dormais et je ne voulais pas te réveiller en appelant. Ne sois pas fâchée. Je suis là maintenant et je téléphonerai la prochaine fois, c'est promis. Dès que je serai prêt à me mettre au lit, je te ferai un massage de dos et tu te sentiras mieux.

Marie *(se fâchant)* : (P) Je ne veux pas que tu me touches ! Tu dis que tu appelleras la prochaine fois ! C'est une farce ! La dernière fois que c'est arrivé, tu m'avais dit que tu téléphonerais, mais l'as-tu fait ? Non ! Tu te moques bien de savoir que je me ronge les sangs en te croyant mort sur la route. Tu ne penses « jamais » à quelqu'un d'autre que toi-même, voilà pourquoi tu ne sais pas ce que c'est que de se faire du souci pour quelqu'un qu'on aime.

Thomas *(impuissant)* : (V) Chérie, ce n'est pas vrai. Je pensais à toi. Je ne voulais pas te réveiller. Je ne savais pas que tu serais inquiète. J'essayais d'être prévenant. Il semble que j'aie tort quoi que je fasse. Et si j'avais téléphoné et que tu dormais ? J'aurais alors été un sans-cœur de t'avoir réveillée. Il n'y a pas moyen de savoir quoi faire pour bien faire.

Marie *(se calmant)* : (S) Ce n'est pas vrai. C'est parce que je tiens beaucoup à toi. J'ai besoin de savoir que tu es sain et sauf, que tu n'as pas été renversé par une voiture. Je n'essaie pas de te culpabiliser ; je veux simplement que tu saches que si je m'inquiète de toi c'est parce que je t'aime tant. Je regrette de m'être emportée.

Thomas *(flairant une opportunité)* : (P) Mais alors, si tu te fais tant de souci pour moi, comment se fait-il que tu n'es pas contente de me voir quand je rentre ? Pourquoi m'assommes-tu avec toutes ces pleurnicheries pour savoir où j'étais ? N'as-tu pas confiance en moi ? Je commence à en avoir assez de devoir te donner continuellement des explications. Si tu avais confiance en moi, tu te coucherais, et lorsque je rentrerais tu te réjouirais de me voir au lieu de me sauter dessus ! Il m'arrive de croire que tu aimes te quereller juste pour le plaisir.

Marie *(élevant la voix)* : (P) Contente de te voir ! Après m'être inquiétée ici pendant deux heures à me demander où tu étais ? Si je n'ai pas confiance en toi, c'est parce que tu ne fais jamais rien pour m'inspirer cette confiance. Tu n'appelles pas, tu m'en veux d'être anxieuse, ensuite tu m'accuses de ne pas être gentille avec toi lorsque tu finis par rentrer ! Pourquoi ne retournes-tu pas là d'où tu viens, là où tu as passé toute la soirée.

Thomas *(conciliant)* : (S) Écoute, je sais que tu es contrariée et j'ai une grosse journée en perspective. Veux-tu que je te fasse une tasse de thé ? Cela te remettra. Je prendrai ensuite ma douche et je viendrai me coucher. D'accord ?

Marie *(en larmes)* : (V) Tu ne t'imagines pas combien c'est éprouvant d'attendre et d'attendre, sachant que tu pourrais téléphoner mais que tu ne le fais pas, parce que je ne compte pas assez pour toi...

Nous allons nous arrêter ici. Comme vous pouvez le constater, ces deux joueurs pourraient continuer de changer de place à l'intérieur de leur triangle sauveur-persécuteur-victime pendant des heures ou des jours, même pendant des années. Si vous vous surprenez à réagir aux commentaires ou aux actions d'une personne placée à n'importe quel angle de ce triangle, méfiez-vous ! Vous vous engagez dans un duel sans issue — accusations, réfutations, blâmes et contre-blâmes, autant de paroles dénuées de sens, futiles et dégradantes. Arrêtez-vous. Renoncez à vouloir que les choses se passent comme vous l'entendez, par le biais de votre gentillesse, de votre colère ou de votre impuissance. Ne changez que ce que vous pouvez changer, c'est-à-dire vous-même ! Ne vous croyez pas obligée de gagner. Renoncez même au besoin de lutter, à forcer votre partenaire à vous donner une raison ou une excuse valable pour sa conduite ou sa négligence. Cessez d'avoir besoin de le culpabiliser.

Ce qu'il faut pour ne pas que vous vous laissiez prendre « aux jeux »

Lorsque vous êtes tentée de réagir avec l'un des moyens susceptibles de vous entraîner dans un jeu, il faut que vous vous absteniez de le faire. Vous devez réagir de façon à mettre un terme au jeu. C'est un peu compliqué au début, mais vous y parviendrez facilement, avec un peu de pratique (si vous maîtrisez déjà votre besoin de vous livrer aux jeux, ce qui fait partie de l'étape précédente, soit renoncer à diriger et à contrôler).

Revenons à la mise en situation dont il est question plus haut et voyons comment Marie pourrait rester en dehors de ce « triangle vicieux » avec Thomas. Elle a maintenant commencé à développer sa vie spirituelle et elle sait qu'elle ne doit pas essayer de diriger et de contrôler son partenaire. Étant donné son application à se prendre en main, nous pouvons supposer qu'elle a agi différemment. Alors qu'il commençait à se faire tard ce soir-là, au lieu de s'énerver et de s'inquiéter à propos du retard de Thomas, elle a appelé une amie de son groupe de soutien. Elles ont parlé de son inquiétude grandissante et cela a contribué à la calmer. Marie avait besoin de partager ses émotions et son amie l'écouta avec bienveillance sans, toutefois, lui donner de conseils. Après avoir raccroché, Marie récita l'une de ses affirmations préférées : « Ma vie est guidée par la volonté divine et je sens grandir en moi la paix, la sécurité et la sérénité à chaque jour, à chaque heure. » Comme on ne peut pas entretenir deux pensées différentes à la fois, elle s'est aperçue qu'en dirigeant son attention vers les mots réconfortants qu'elle prononçait, elle devenait calme et détendue. Lorsque Thomas rentra à 23:30, elle dormait. Il la réveilla en pénétrant dans la chambre, et elle sentit immédiatement monter en elle le dépit et la colère ; mais elle répéta son affirmation deux ou trois fois, puis dit : « Bonsoir, Thomas. Je suis contente que tu sois rentré. » Mais Thomas, qui s'attend toujours à une querelle dans de telles circonstances, resta interdit par cet accueil inattendu. Sur un ton défensif, il dit : « Je voulais t'appeler, mais... » Marie attend qu'il ait fini son explication et dit : « Nous pouvons en parler demain matin, si tu veux. Je suis trop endormie en ce moment. Bonne nuit. » Si Thomas se sentait coupable en raison de sa rentrée tardive, une querelle avec Marie aurait atténué ses remords. Il aurait pu se dire qu'elle le harcelait comme une mégère, et c'est sur elle que le blâme serait tombé, à cause de son harcèlement, au lieu de peser sur lui, du fait de son retard. Dans ce cas-ci, Thomas continue de se sentir coupable et Marie ne souffre pas à cause de lui. C'est ainsi que cela devrait être.

Lorsque vous jouez au jeu du sauveur-persécuteur-victime, c'est un peu comme si vous faisiez une partie de ping-pong. Vous renvoyez la balle quand elle vous arrive. Afin de ne pas vous laisser prendre au jeu, il faut que vous appreniez à la laisser passer sans la toucher. Une des meilleures méthodes pour y parvenir est de recourir au mot « Oh ! » Par exemple, en réaction à l'excuse de Thomas, Marie peut répondre « Oh ! » et se rendormir. C'est une expérience stimulante que de ne pas se laisser entraîner dans la confrontation implicite à ce genre d'échange — sauveur-persécuteur-victime. Ne pas se laisser entraîner, garder la tête haute et conserver sa dignité, voilà qui procure une sensation délicieuse. Et cela signifie que vous avez parcouru une nouvelle étape vers votre guérison.

Pourquoi est-il nécessaire de ne pas vous laisser prendre « aux jeux » ?

Pour commencer, il faut comprendre que les rôles que nous tenons dans ces jeux ne sont pas limités aux simples échanges verbaux. Ils s'étendent à l'ensemble du personnage que nous incarnons dans le théâtre de la vie, et chacun de nous a peut-être un rôle que nous privilégions spécialement.

Votre rôle préféré peut être celui de sauveur. C'est courant et réconfortant pour beaucoup de femmes qui aiment trop de se soucier (diriger et contrôler) d'une autre personne. Elles ont choisi ce moyen de se sécuriser et de s'accepter afin d'échapper au chaos ou au dénuement de leur passé. Elles jouent ce rôle avec des amis, des membres de la famille et souvent aussi avec leurs collègues de travail.

Peut-être jouez-vous au persécuteur, à la femme décidée à trouver le défaut, à le pointer du doigt et à rectifier les choses ? Encore et toujours, la femme qui joue ce rôle doit raviver sa lutte avec les forces obscures qui l'ont vaincue quand elle était enfant. Étant adulte, elle espère pouvoir maintenant combattre à forces égales. En colère depuis son enfance et cherchant dans le présent à se venger du passé, elle lutte, se bagarre, discute et se rend insupportable. Elle exige des excuses et demande réparation.

Finalement, vous pourriez avoir la malchance d'être une victime, le plus débilitant des trois rôles, celui qui vous met à la merci du comportement d'autrui. Lorsque vous étiez enfant, vous n'aviez peut-être pas d'autre choix que d'être une victime, mais ce rôle est devenu suffisamment familier avec le temps pour que vous soyez désormais à même d'en tirer profit. Il existe une tyrannie de la faiblesse qui se nomme « culpabiliser » ; c'est la monnaie d'échange qu'utilise la victime dans ses relations.

Tant que vous continuez d'être l'un ou l'autre des pions de ce jeu, que ce soit dans une conversation ou dans la vie, vous évitez de faire face à votre propre réalité et vous perpétuez l'attitude que vous avez acquise dans votre enfance — peur, rage ou impuissance. Vous ne pouvez pas vous épanouir en tant qu'être humain, devenir une adulte responsable de sa vie, si vous ne renoncez pas à ces rôles restrictifs, à ces comportements obsessifs vis-à-vis de ceux qui vous entourent. Aussi longtemps que vous resterez empêtrée dans ces rôles, ces jeux, il vous semblera qu'une autre personne s'interpose entre vous et votre bonheur. À partir du moment où vous abandonnez les jeux, vous avez l'entière responsabilité de votre comportement, de vos propres choix et de votre existence. En fait, lorsque le jeu cesse, vos choix (ceux que vous avez déjà fait et ceux qui s'ouvrent à vous maintenant) deviennent plus clairs, plus difficiles à éluder.

Ce qu'implique le fait de ne pas vous laisser prendre « aux jeux »

Il importe maintenant que vous développiez de nouveaux moyens pour entrer en communication avec vous-même et avec les autres, de manière à montrer que vous désirez sincèrement prendre votre vie en main. Moins de « S'il n'y avait pas de... » et beaucoup plus de « Je décide maintenant de... » seront nécessaires.

Au moment où vous entreprendrez cette étape, vous aurez besoin de toute l'énergie libérée par votre renoncement à diriger et à contrôler, afin de ne pas vous laisser prendre à des jeux (même quand vous dites « je ne joue pas », vous jouez). Cela deviendra beaucoup plus facile avec la pratique et, au bout d'un certain temps, la chose ira de soi.

Vous devrez vous habituer à vivre sans l'excitation des violentes querelles, ces drames dans lesquels vous partagez la vedette et qui vous font gaspiller tant d'énergie et de temps. Cela n'est pas facile à faire. Bien des femmes qui aiment trop ont enterré leurs émotions si profondément qu'elles ont besoin du bouleversement des affrontements, des ruptures et des réconciliations pour se prouver qu'elles sont bien en vie. Faites attention ! Cela peut être ennuyeux au début de n'avoir à vous occuper que de votre vie intérieure. Mais si vous êtes capable de le supporter, votre ennui se métamorphosera en connaissance intime de vous-même. Et vous serez prête à passer à la prochaine étape.

7. Envisagez courageusement vos problèmes et vos défauts

Signification

Ayant abandonné les jeux et renoncé à diriger et à contrôler les autres, vous pouvez vous attaquer maintenant à vos propres problèmes, parce que rien ne distrait plus votre attention en ce qui a trait à votre propre existence, à vos ennuis et à vos souffrances. C'est le moment où vous devez descendre en vous-même et vous examiner, en faisant appel à vos ressources spirituelles, à votre groupe de soutien et à votre thérapeute, si vous en avez une. Ce processus n'exige pas toujours l'intervention d'une conseillère. Dans les programmes Anonymes, par exemple, les femmes dont l'état s'est beaucoup amélioré peuvent parrainer les nouvelles venues et ainsi contribuer à les aider pendant cette phase d'examen introspectif.

Cela signifie également que vous scrutez de très près votre présente existence, pour en dégager à la fois ce qui vous valorise et ce qui vous gêne ou vous rend malheureuse. Faites une liste de tous ces points et notez-les sur papier. Regardez aussi derrière vous. Épluchez tous les bons et les mauvais souvenirs, les réussites, les échecs, les occasions où vous avez été blessée et celles où vous avez blessé. Passez ainsi toute votre vie en revue, toujours par écrit. Insistez sur les domaines particulièrement difficiles. Par exemple, si la sexualité est l'un de ces domaines, écrivez un rapport complet de votre passé sexuel. Si les hommes ont toujours été un problème pour vous, notez d'abord vos premières relations avec des hommes et faites à nouveau un rapport détaillé. Vous devez parler de vos relations avec vos parents ? Procédez de la même façon. Commencez par le commencement et notez vos souvenirs et vos impressions. Certes, cela fait beaucoup d'écriture, mais c'est un outil d'une valeur inestimable qui vous aide à fouiller votre passé et à commencer à distinguer les attitudes et les thèmes récurrents dans vos conflits avec vous-même et avec les autres.

Une fois engagée dans ce processus, ne vous arrêtez pas avant d'avoir fait une exploration aussi complète que possible.

C'est une technique à laquelle vous recourrez plus tard lorsque des difficultés surgiront. Vous pouvez commencer par les relations. Ce sera peut-être ensuite l'histoire de vos emplois que vous écrirez en détaillant vos sensations à propos de chaque travail — avant, pendant et après l'avoir quitté. Donnez libre cours à vos souvenirs, à vos pensées et à vos émotions. Ne vous arrêtez pas pour chercher des comportements types pendant que vous êtes occupée à faire cet inventaire ; vous y reviendrez plus tard.

Ce qu'il faut que vous fassiez pour envisager courageusement vos propres problèmes et défauts

Vous aurez beaucoup à écrire et vous devrez y consacrer le temps et l'énergie nécessaires. Il se peut que l'écriture ne soit pas votre moyen d'expression préféré ; elle reste néanmoins la meilleure technique pour cet exercice. Ne vous inquiétez pas si votre travail n'est pas très bien exécuté. Faites simplement en sorte que vous vous y retrouviez.

Il vous faut être aussi honnête que possible envers vous-même, dans tout ce que vous écrivez. Lorsque vous aurez terminé ce travail, partagez-le avec une personne qui vous aime et en qui vous avez confiance. Cette personne devrait être à même de comprendre ce que vous vous efforcez de faire pour guérir, et écouter simplement ce que vous avez à raconter sur l'histoire de votre sexualité, de vos relations, de vous et de vos parents, sur vos sentiments vis-à-vis de vous-même et sur ce qui se passe dans votre existence, que ce soit bon ou mauvais. Naturellement, votre auditeur doit être compatissant et compréhensif. Il ne doit faire aucun commentaire sur ce qu'il entend, cela devrait être convenu dès le début. Il ne doit ni vous conseiller ni vous encourager ; il doit seulement écouter.

À ce stade-ci de votre rétablissement, il « ne faut pas » que la personne à qui vous racontez votre histoire soit votre partenaire. Beaucoup plus tard, si vous le désirez, vous pourrez partager avec lui ce que vous avez écrit. Mais il n'est pas indiqué de vous ouvrir à lui maintenant. Vous le dites à quelqu'un afin de vous entendre raconter votre histoire et d'être approuvée. Ceci n'est pas un moyen d'aplanir les difficultés à l'intérieur de votre relation avec votre partenaire. Cet exercice vise à la découverte de soi, un point, c'est tout.

Pourquoi faut-il que vous envisagiez courageusement vos problèmes et vos défauts ?

Presque toutes les femmes qui aiment trop ont l'habitude de tenir les autres responsables de leurs malheurs, en refusant d'admettre leurs propres fautes et leurs propres choix. C'est là une attitude morbide qui doit être décelée et éliminée, et le meilleur moyen d'y parvenir est de s'examiner soi-même attentivement et sans complaisance. Ce n'est qu'après avoir identifié vos problèmes et vos défauts (sans oublier vos bons points et vos succès) comme étant proprement « vôtres » et non pas reliés à votre partenaire, que vous pourrez entreprendre de faire les changements nécessaires.

Ce qu'implique le fait d'envisager courageusement vos problèmes et vos défauts

Premièrement, vous vous débarrasserez sûrement de remords secrets reliés aux événements et aux émotions du passé. Cela mettra davantage de joie dans votre existence et suscitera des attitudes plus saines.

Ensuite, parce que vos pires secrets ont été entendus par quelqu'un et que vous n'en êtes pas morte, vous allez vous sentir plus en sécurité devant la vie.

Lorsque vous cessez de blâmer les autres et prenez la responsabilité de vos propres choix, vous pouvez profiter d'un tas d'opportunités qui ne vous étaient pas ouvertes tant que vous vous croyiez victime des autres. Cela vous prépare aux changements que vous allez apporter à toutes ces choses dans votre vie qui sont mauvaises pour vous, insatisfaisantes ou frustrantes.

8. Cultivez ce qui cherche à s'épanouir en vous

Signification

Cultiver ce qui cherche à s'épanouir en vous signifie qu'il ne faut pas attendre que votre partenaire change pour faire progresser votre vie. Cela signifie qu'il ne faut pas compter sur son soutien — matériel, émotif ou de nature pratique — pour entreprendre votre carrière ou pour en changer, pour retourner aux études ou pour faire ce qui vous importe. Au lieu d'élaborer vos plans en vous basant sur sa collaboration, faites-les comme si vous ne pouviez compter que sur vous-même. Prévoyez tout soigneusement — les besoins des enfants, l'argent, le transport — sans avoir recours à lui comme ressource (ou comme excuse !). Si vous protestez en lisant ceci, parce qu'il vous semble impossible de planifier sans sa coopération, réfléchissez, seule ou avec une amie, à la manière dont vous vous y prendriez s'il n'avait même jamais existé. Vous découvrirez que c'est tout à fait possible de faire votre propre cheminement dans la vie lorsque vous cessez de dépendre de lui et que vous utilisez tous les recours qui s'offrent à vous.

Vous épanouir consiste à vous consacrer aux activités qui vous intéressent. Si vous vous êtes exclusivement et depuis trop longtemps vouée à lui et que vous ne vous appartenez pas du tout, mettez-vous à la recherche de choses susceptibles de vous stimuler. Cela n'est pas chose facile pour la plupart des femmes qui aiment trop. Ayant fait de votre partenaire votre point de mire depuis longtemps, vous éprouvez une impression gênante à diriger cette attention sur vous-même et à explorer ce qui peut contribuer à votre croissance personnelle. Efforcez-vous d'essayer au moins une activité nouvelle chaque semaine. Comparez la vie à un magnifique buffet et goûtez à toutes sortes d'expériences différentes, afin de découvrir ce qui vous intéresse.

Vous épanouir signifie prendre des risques : faire de nouvelles rencontres, pénétrer dans une salle de cours pour la première fois depuis longtemps, faire un voyage seule, chercher un emploi... tout ce que vous trouvez nécessaire de faire, mais que vous n'avez pas eu le courage d'entreprendre. Le moment est venu de vous y lancer. Il n'y a pas d'erreurs dans la vie, seulement des leçons ; alors allez-y, exposez-vous aux enseignements qu'elle vous réserve. Servez-vous de votre groupe de soutien comme source d'encouragements et de feed-back. (Ne vous tournez pas du côté de votre partenaire ou de votre famille d'origine pour y chercher des encouragements. Ils ont besoin que vous restiez la même, afin de pouvoir eux-mêmes rester comme ils sont. Ne sabotez pas votre vie et votre épanouissement en vous appuyant sur eux.)

Ce qu'il vous faut pour cultiver ce qui cherche à s'épanouir en vous

Pour débuter, accomplissez chaque jour deux tâches que vous n'avez pas envie de faire, de manière à vous dépasser et à amplifier votre perception de vous-même et de ce dont vous êtes capable. Affirmez-vous lorsque vous préféreriez croire que cela n'a pas d'importance, ou retournez un article non satisfaisant même si vous aimeriez mieux tout simplement le jeter. Faites cet appel téléphonique que vous cherchez à éviter. Apprenez à mieux vous occuper de vous-même et à vous préoccuper moins des autres dans toutes vos interactions. Dites non pour vous faire plaisir au lieu de oui pour plaire à quelqu'un d'autre. Dites clairement ce que vous désirez et courez le risque d'un refus.

Ensuite, apprenez à vous faire plaisir. Accordez-vous du temps, de l'attention, des objets matériels. Le fait de se promettre d'acheter quelque chose chaque jour constitue parfois une véritable leçon d'amour de soi. Il n'est pas nécessaire de s'offrir des cadeaux qui coûtent cher ; et moins ils seront pratiques et plus ils seront fantaisistes, mieux cela vaudra. Cet exercice consiste à ne rien « vous » refuser. Il vous faut apprendre que vous êtes vous-même la source de bonnes choses dans votre vie, et cet exercice est une bonne façon de commencer à le faire. Cependant, si vous êtes dépensière et que vous achetez et dépensez compulsivement afin d'atténuer votre colère ou votre dépression, il convient de réorienter cette leçon. Ainsi, offrez-vous de nouvelles expériences au lieu d'accumuler des objets matériels (et des dettes supplémentaires). Promenez-vous dans le parc ou sur les collines, ou allez au zoo. Admirez le coucher du soleil. L'important est de penser à vous et à ce que vous aimeriez vous offrir ce jour-là, puis de goûter à une double satisfaction — donner et recevoir tout à la fois. Nous sommes d'habitude très bien exercées à donner aux autres, mais nous manquons beaucoup de pratique lorsqu'il s'agit de nous faire des dons à nous-mêmes. Mettons donc ce dernier exercice en pratique.

En parcourant ces étapes, vous aurez, de temps en temps, à subir quelque chose de pénible. Vous devrez affronter le vide terrible en vous qui se manifeste lorsque vous n'êtes pas occupée de quelqu'un d'autre. Ce vide sera parfois si intense que vous pourrez presque sentir le vent s'engouffrer à l'endroit où devrait se trouver votre cœur. Éprouvez-en la sensation, dans toute son intensité (sinon vous chercherez un autre moyen malsain pour y échapper). Étreignez ce vide et sachez que vous ne vous sentirez pas toujours aussi mal, et qu'en acceptant de le ressentir vous commencerez de le remplir avec la chaleur de l'acceptation de soi. Faites-vous aider en cela par votre groupe de soutien. Leur acceptation peut aussi contribuer à combler ce vide, tout comme vos « propres » activités et projets. Nous acquérons la conscience de nous-mêmes grâce à ce que nous faisons pour nous et à la manière dont nous développons nos propres activités. Si tous vos efforts ont servi au développement des autres, vous devez sûrement vous sentir vide. C'est à votre tour maintenant de grandir.

Pourquoi faut-il cultiver ce qui cherche à s'épanouir en vous ?

À moins de maximiser vos propres aptitudes, vous serez toujours frustrée. Et vous aurez tendance peut-être à blâmer votre partenaire pour cette frustration, alors qu'elle vient du fait que vous n'avancez pas dans votre propre vie. En développant votre potentiel, vous renoncez à le blâmer et vous placez carrément la responsabilité de votre vie là où elle appartient, sur vous-même.

Les projets et les activités auxquelles vous vous livrez vous occuperont trop pour que vous puissiez vous soucier de ce qu'il fait ou ne fait pas. Si vous n'êtes pas engagée présentement dans une relation, cela vous procurera une alternative salutaire et valable : soupirer après votre dernier amour ou attendre le prochain.

Ce qu'implique le fait de cultiver ce qui demande à s'épanouir en vous

D'une part, vous n'aurez pas à trouver un partenaire qui soit votre contraire, afin de mettre de l'équilibre dans votre vie. Cela veut dire que vous êtes probablement, comme presque toutes les femmes qui aiment trop, sérieuse et responsable à l'excès. À moins de cultiver le côté ludique de votre personnalité, vous resterez attirée envers des hommes qui incarnent ce qui vous manque. Un homme insouciant et irresponsable peut être une personne charmante à connaître, mais c'est un piètre choix pour établir une relation satisfaisante. Et cependant, aussi longtemps que vous vous refuserez la permission d'être plus libre et décontractée, vous aurez besoin de lui pour mettre du plaisir et de l'excitation dans votre existence.

D'autre part, en vous épanouissant, vous grandissez. En vous actualisant, vous prenez également la responsabilité de vos décisions, de vos choix et de votre vie, et vous devenez une adulte. Aussi longtemps qu'une personne repousse la responsabilité de son existence et de son bonheur, elle n'est pas un être humain à l'esprit complètement mature ; elle reste plutôt une enfant dépendante et effrayée, dans un corps d'adulte.

Enfin, votre épanouissement fait de vous une partenaire plus valable, parce que vous vous actualisez et que vous êtes en possession de tous vos moyens, au lieu d'être une femme qui ne peut pas être complète sans un homme (et qui est donc effrayée). Il est ironique de constater que moins vous avez besoin d'un compagnon plus vous devenez une partenaire acceptable — et plus le partenaire que vous attirez (et vers qui vous êtes attirée) sera acceptable.

9. Devenez « égoïste »

Signification

Tout comme l'expression « vie spirituelle » (voir l'étape n° 4), le mot « égoïsme » exige d'être expliqué soigneusement. Ce mot évoque probablement pour vous l'image de ce que précisément vous ne voulez pas être : indifférente, cruelle, insouciante, égocentrique. Pour certaines personnes, le mot égoïsme signifie tout cela, mais souvenez-vous que vous êtes une femme qui a longtemps trop aimé. Pour vous, devenir égoïste est un exercice nécessaire qui vous aidera à renoncer au martyr. Voyons ce qu'un égoïsme salutaire signifie pour des femmes qui aiment trop.

Votre bien-être, vos désirs, votre travail, vos plans et vos activités viennent en premier et non en dernier, avant et non après que les besoins de tout le monde soient satisfaits. Même si vous êtes mère de jeunes enfants, vous devez prévoir dans votre journée des activités pour votre seul bon plaisir.

Vous voulez et même vous exigez que les situations et les relations que vous vivez soient agréables. Vous n'essayez pas de vous y adapter lorsqu'elles sont désagréables.

Vous estimez que vos désirs et vos besoins sont très importants et que c'est à vous qu'il revient de les combler.

Par la même occasion, vous laissez aux autres le soin de satisfaire leurs propres désirs et besoins.

Ce qu'il faut pour devenir égoïste

En vous habituant à vous occuper de vous-même en premier, vous devrez apprendre à tolérer la colère et la désapprobation des autres. Ce sont là des réactions inévitables de la part de ceux dont vous avez jusqu'ici assuré en priorité le bien-être. Évitez de discuter, de vous excuser et d'essayer de vous justifier. Soyez autant que possible d'humeur égale et gaie et vaquez à vos occupations. Les changements que vous apportez à votre vie exigent que ceux qui vous entourent changent, eux aussi, et il est naturel qu'ils opposent une résistance. Mais à moins de prêter foi à leur indignation, cela ne durera pas. C'est simplement une tentative de vous ramener à votre ancien comportement désintéressé en faisant à leur place ce qu'ils peuvent et doivent faire pour eux-mêmes.

Vous devez prêter une grande attention à votre voix intérieure au sujet de ce qui est bon et approprié pour vous, et ensuite vous y conformer. C'est ainsi que vous développerez un intérêt légitime envers vous-même, en percevant les signaux qui émanent de vous. Jusqu'à présent, vous avez probablement déployé des dons extra-sensoriels pour saisir les signaux par lesquels les autres vous dictaient votre comportement. Cessez de capter ces signaux sans quoi ils noieront les vôtres.

Enfin, pour devenir égoïste, il vous faut reconnaître que vous êtes digne de beaucoup d'estime, que vos talents méritent d'être exprimés, que votre épanouissement est aussi important que celui de n'importe qui d'autre et que votre moi le plus accompli est votre plus belle contribution à la société et tout particulièrement à vos proches.

Pourquoi est-il nécessaire de devenir égoïste ?

Sans ce ferme engagement envers vous-même, vous aurez tendance à devenir passive, à vous développer non pas pour votre propre épanouissement, mais pour le bénéfice de quelqu'un d'autre. Bien qu'en devenant égoïste (ce qui signifie aussi devenir honnête) vous vous avérerez une meilleure partenaire, cela ne doit pas constituer l'essentiel de votre objectif. Votre but ultime doit être la réalisation de votre moi le plus élevé.

Vous élever au-dessus de toutes les difficultés que vous avez rencontrées ne suffit pas. Il reste encore à vivre « votre » vie, à explorer « votre » potentiel. C'est l'étape qui suit logiquement, maintenant que vous acquérez le respect de vous-même et que vous commencez à honorer vos besoins et vos désirs.

Assumer la responsabilité de vous-même et de votre bonheur libère vos enfants, qui se sont sentis coupables et responsables (c'est habituel chez eux) de votre détresse. Un enfant ne peut jamais espérer compenser ou rembourser sa mère pour avoir sacrifié à la famille ou à lui-même sa vie, son bonheur et son épanouissement. Le fait de voir sa maman mordre dans la vie à pleines dents donne à l'enfant la permission d'en faire autant, de même que la vue d'une mère qui souffre indique à l'enfant que la vie est faite pour souffrir.

Ce qu'implique le fait de devenir égoïste

Vos relations s'améliorent automatiquement. Personne ne se « sent obligé » d'être meilleur qu'il n'est, parce que vous avez cessé d'être pour eux quelqu'un que vous n'êtes pas.

Vous donnez à ceux qui vous entourent le loisir de s'occuper d'eux-mêmes sans avoir à s'inquiéter de vous. (Il est probable que vos enfants, par exemple, pensent avoir contribué à diminuer votre frustration et votre souffrance. Quand vous prenez mieux soin de vous, ils se sentent libres de prendre mieux soin d'eux-mêmes.)

Vous pouvez désormais dire oui ou non quand vous voulez.

Maintenant que vous en êtes au processus critique où vous échangez votre rôle de celle qui se soucie des autres pour le rôle de celle qui se soucie d'elle-même, il est probable que votre comportement dans vos relations oscillera continuellement entre les deux rôles. Si votre partenaire trouve ces va-et-vient trop difficiles à supporter, il est possible qu'il vous quitte pour aller à la recherche d'une personne semblable à celle que vous étiez. Il se peut donc que vous vous retrouviez sans votre compagnon du début.

Par contre, pendant que vous êtes occupée à mieux prendre soin de vous-même, vous aurez peut-être la surprise de voir que vous avez séduit un homme capable de prendre soin de vous. En acquérant un comportement plus salutaire et mieux équilibré, nous attirons des partenaires aux dispositions plus salutaires et mieux équilibrées. Alors que nous devenons moins nécessiteuses, un plus grand nombre de nos besoins sont satisfaits. En renonçant au rôle de supermère poule, nous donnons à quelqu'un d'autre la possibilité de nous prodiguer sa sollicitude.

10. Partagez avec les autres les expériences que vous avez vécues et ce qu'elles vous ont appris

Signification

Partagez avec les autres votre vécu consiste à vous rappeler que vous êtes arrivée à la dernière étape de votre rétablissement, non à la première. Être trop secourable et préoccupée des autres fait partie de votre maladie ; il importe donc de ne pas aborder cette étape avant d'avoir travaillé d'arrache-pied à votre rétablissement.

Cela consiste, dans votre groupe de soutien, à partager avec les nouvelles venues les conditions dans lesquelles vous viviez votre existence auparavant et les conditions présentes. Cela ne consiste pas à donner des conseils, mais seulement à décrire ce qui vous a permis de progresser. Cela ne consiste pas non plus à citer des noms ou à blâmer les autres. Lorsque vous avez atteint ce stade de votre rétablissement, vous savez que le fait de blâmer autrui ne vous est d'aucune utilité.

Partager avec les autres signifie également que, lorsque vous rencontrez quelqu'un dont les antécédents ou la situation présente sont semblables à ce que vous avez connu, vous vous contentez de parler de votre renaissance personnelle sans exhorter cette personne à suivre nécessairement votre cheminement. Il n'y a pas plus de raison ici de diriger et de contrôler qu'il y en avait dans votre relation.

Partager peut consister à donner quelques heures de son temps comme bénévole, pour venir en aide à d'autres femmes ; par exemple, en travaillant pour une ligne ouverte ou en ayant un tête-à-tête avec quelqu'un qui a sollicité de l'aide.

Enfin, cela peut prendre la forme d'un enseignement pour la médecine et pour les thérapeutes, en ce qui a trait au traitement approprié s'appliquant à vous et à des femmes comme vous.

Ce qu'il faut pour que vous partagiez avec les autres ce que vous avez vécu et appris

Vous devez en appeler à votre profonde gratitude pour être parvenue jusqu'ici et pour l'aide que les autres vous ont apportée en partageant avec vous leur propre vécu.

Il vous faut faire preuve d'honnêteté et avoir la volonté de renoncer à vos secrets et à votre besoin de « paraître bien ».

Enfin, il faut vous montrer capable de donner aux autres sans rien attendre de retour. Presque tout ce que nous « donnions » quand nous aimions trop était en réalité de la manipulation. Nous sommes maintenant assez soulagées pour être capables de donner de façon désintéressée. Nos propres besoins sont satisfaits et nous sommes comblées d'amour. Le moment est venu pour nous de partager cet amour sans attendre de récompense.

À quoi sert de partager ce que vous avez vécu et appris ?

Si vous vous savez atteinte d'une maladie, il importe aussi de prendre conscience que vous êtes sujette à la rechute, tout comme un alcoolique qui s'abstient. À moins d'une vigilance de tous les instants, vous êtes susceptible de retomber dans vos anciennes habitudes de penser, de ressentir et d'interagir. Le fait de travailler avec de nouvelles venues est pour vous un rappel du temps où vous étiez très malade et du cheminement positif que vous avez fait depuis. Cela contribue à ce que vous n'oubliiez pas votre terrible désarroi d'alors, parce que l'histoire d'une nouvelle arrivante ressemblera beaucoup à la vôtre ; et vous éprouverez de la compassion, pour elle et pour vous-même, en vous souvenant de cette époque douloureuse.

En parlant de ce que vous avez vécu, vous donnez de l'espoir aux autres et vous valorisez tout ce que vous avez enduré pendant votre lutte, en cours de rétablissement. Votre courage et votre vie acquièrent un sens positif.

Ce qu'implique le fait de partager ce que vous avez vécu et appris

Vous aiderez d'autres personnes à se rétablir et vous conserverez intacte votre santé rétablie.

En fin de compte, ce partage est un acte d'égoïsme salutaire, grâce auquel vous sauvegarderez votre bien-être en gardant présents à l'esprit les principes de guérison qui vous serviront toute votre vie.

Chapitre XI

GUÉRISON ET INTIMITÉ :
L'ÉCART EN VOIE DE DISPARITION

*Le mariage est pour nous un voyage
vers une destination inconnue... la
découverte que les partenaires doivent
partager non seulement ce qu'ils
ignorent l'un de l'autre, mais ce qu'ils
ignorent d'eux-mêmes.*

— *Ombres chinoises sur toile
de fond matrimoniale* (par
Michel Ventura)*

« J'aimerais savoir ce que sont devenues toutes mes sensations sexuelles. » dit Trudi en se dirigeant vers le divan, dans mon bureau. Elle lance cette question par-dessus son épaule, d'un air enjoué, mais je vois dans son regard une lueur d'accusation, au moment où elle passe devant moi. J'aperçois aussi une bague de fiançailles qui brille à sa main gauche et j'ai la vive intuition de ce qui l'a incitée à me demander ce rendez-vous. Huit mois se sont écoulés depuis sa dernière visite. Aujourd'hui, elle est plus belle que jamais ; ses yeux bruns brillent chaleureusement et ses beaux cheveux roux ondulent, plus longs et plus souples qu'avant. Elle a toujours son visage de chaton mutin, mais alors que son expression alternait jadis entre l'air d'une enfant triste et une affectation un peu crispée, elle rayonne maintenant de confiance. Elle a parcouru un long chemin depuis qu'elle a tenté de se suicider il y a trois ans, à la suite de la rupture de sa liaison avec Jim, le policier.

---

* Dans sa version originale, cette œuvre s'intitule *Shadows Dancing in the Marriage Zone*. (*N.d.T.*)

Je constate avec plaisir que sur la voie de la guérison elle continue de progresser. Trudi ignore encore que même ses problèmes d'ordre sexuel actuels font partie du processus inévitable de sa guérison.

Pendant qu'elle s'installe sur le divan, je l'invite à me raconter ce qui la tracasse.

« Voilà, dit-elle. J'ai fait la connaissance d'un homme merveilleux. Vous souvenez-vous de Hal ? Je sortais avec lui au moment où je suis venue vous voir la dernière fois. »

Je me souviens très bien du nom. C'était l'un des nombreux jeunes hommes que Trudi fréquentait lorsqu'elle cessa sa thérapie. « Il est gentil, mais un peu ennuyeux. » avait-elle dit alors. « Nous avons de longues conversations et il me donne l'impression d'être quelqu'un de solide et de fiable. Il est beau aussi. Mais il ne se passe rien de bien excitant entre nous ; donc, je ne crois pas qu'il soit l'homme de mes rêves. » Nous nous étions mises d'accord à cette époque sur la nécessité pour elle de s'habituer à être avec un homme comme celui-là, prévenant et fiable ; c'est pourquoi elle avait décidé de sortir quelque temps avec lui, « juste pour l'entraînement ».

Trudi poursuit fièrement : « Il est très différent des hommes avec qui j'étais habituée à sortir, heureusement, et nous allons nous marier en septembre... Seulement, nous avons quelques difficultés. Pas nous, il s'agit en réalité de moi. Je n'ai pas envie de faire l'amour, et comme je n'ai jamais connu ce problème auparavant, je voudrais savoir ce qui se passe. Vous savez comme j'étais. Je mendiais littéralemennt du sexe auprès de ces hommes qui ne m'aimaient pas ; mais, depuis que j'ai cessé de m'offrir à tout un chacun, je me sens comme une vieille fille, prude et inhibée. Et pourtant Hal est bien fait, il est responsable, fiable et vraiment amoureux de moi. Mais je suis de bois lorsque je couche avec lui. »

J'acquiesce de la tête, connaissant l'obstacle auquel se heurte Trudi et que beaucoup de femmes qui aiment trop doivent surmonter quand elles se rétablissent. Elles se sont servies de leur sexualité pour manipuler un homme difficile et impossible, mais une fois le défi écarté, elles ne savent pas comment se comporter sexuellement avec un partenaire aimant et généreux.

Le malaise de Trudi est évident. Elle tapote doucement son genou du poing, en détachant chaque mot qu'elle prononce. « *Pourquoi* ne m'excite-t-il pas ? » Elle s'arrête un instant et me regarde d'un air apeuré. « Est-ce parce que je ne l'aime pas vraiment ? Est-ce cela qui ne va pas entre nous ? »

Je lui demande : « Pensez-vous que vous l'aimez ? »

« Je crois que oui. » me dit-elle. « Mais je suis confuse parce que tout est différent de ce que j'ai connu auparavant. J'aime beaucoup sa compagnie. Nous pouvons parler de tout. Il connaît mon histoire et il n'y a ainsi aucun secret entre nous. Je ne cherche pas à faire semblant avec lui. Je suis tout à fait moi-même ; cela signifie donc que je suis plus détendue avec lui que je ne l'ai jamais été avec aucun autre homme. Je me livre moins souvent à de grandes démonstrations, et c'est tant mieux ; cependant il m'était plus facile de manifester ainsi que de me détendre et d'avoir confiance qu'en étant moi-même je reste suffisamment intéressante pour quelqu'un.

« Nous avons beaucoup de loisirs en commun : voile, bicyclette et randonnée pédestre. Nos valeurs sont sensiblement les mêmes, et lorsque nous nous disputons il se bat loyalement. En fait, se fâcher avec Hal est presque un plaisir. Mais au début j'étais effrayée, en dépit de l'ouverture et de la franchise avec lesquelles nous discutions nos désaccords. Je n'avais jamais connu une personne qui ait tant d'honnêteté et de candeur et qui en attende autant de moi. Hal m'a aidée à ne pas avoir peur de dire ce que je pensais et ce que j'exigeais de lui, parce qu'il ne m'a jamais punie d'être honnête. Nous finissons toujours par régler nos différends, et cela nous rapproche chaque fois davantage. Il est le meilleur ami que j'ai jamais eu et je suis fière de me montrer avec lui. Donc, c'est oui, je crois que je l'aime. Mais pourquoi est-ce que je ne peux pas jouir quand je suis au lit avec lui ? Il est très délicat et désire vraiment me contenter. Cela est tout nouveau pour moi. Il n'a pas l'agressivité de Jim, mais je ne pense pas que le problème soit là. Je sais qu'il me trouve séduisante et que je l'excite beaucoup ; malgré cela, il ne se passe pas grand-chose de mon côté. La plupart du temps je n'ai aucune réaction et je suis embarrassée. Cela n'a aucun sens, comparé à mon ancienne manière d'être, ou bien… ? »

Je suis contente de pouvoir la rassurer. « Au contraire, Trudi, cela se tient parfaitement. Vous traversez la même phase que bien des femmes dont l'histoire est semblable à la vôtre et qui ont réussi à guérir ; cela survient au moment où elles commencent à interagir avec un partenaire approprié. Tout ce qu'elles avaient l'habitude de prendre pour de l'amour — l'agitation, le défi, l'estomac noué — a disparu, et elles croient qu'il leur manque quelque chose de très important. Ce qui manque, en fait, c'est la folie, la douleur, la peur, l'attente et l'espoir.

« Pour la première fois, vous avez un homme gentil, stable et fiable qui vous adore, et vous n'avez pas besoin de le changer. Il possède déjà les qualités que vous recherchez chez un homme et il s'est engagé envers vous. La difficulté réside dans le fait que vous n'avez encore jamais obtenu ce que vous vouliez avant. La seule expérience que vous avez connue a été d'en être privée et de vous être épuisée à tenter de l'obtenir. Vous êtes habituée aux soupirs et à l'incertitude, ce qui provoque en vous beaucoup d'agitation. Vous vous demandez s'il veut ou s'il ne veut pas, s'il le fait ou ne le fait pas. Vous savez de quoi je parle, n'est-ce pas ? »

Trudi sourit. « Oui, je sais. » dit-elle. « Mais quelle relation y a-t-il entre cela et mes sensations sexuelles ? »

« Cela est relié au fait qu'il est beaucoup plus stimulant de ne pas avoir ce que vous désirez que de l'avoir. Un homme bon, aimant et dévoué ne fera jamais couler votre adrénaline comme le faisait Jim, par exemple. »

« Oui, c'est vrai ! Je remets continuellement en question notre relation, parce que je ne suis pas sans arrêt obsédée par Hal. Je me demande si je le prends trop pour acquis. » Trudi n'est plus en colère. La voilà maintenant toute animée, comme un détective en train de résoudre une importante énigme.

« C'est vrai que vous le prenez quelque peu pour acquis. » lui dis-je. « Vous savez qu'il est là, qu'il ne va pas vous abandonner et que vous pouvez compter sur lui. Il n'y a donc pas lieu d'être obsédée. L'obsession, ce n'est pas de l'amour, Trudi ; ce n'est que de l'obsession. »

Elle se souvient de ce dont nous avons déjà discuté et hoche la tête en signe d'assentiment. « Je sais ! Je sais ! » dit-elle.

Puis j'enchaîne : « Il arrive parfois que nous ayons une sexualité très active quand nous sommes obsédées. Toutes ces fortes émotions provoquées par l'agitation et l'anticipation, et même par l'appréhension, forment une puissante combinaison que l'on nomme parfois amour. En réalité, c'est tout sauf cela. Et pourtant, toutes les chansons nous disent que c'est cela, l'amour — le genre « Je ne peux pas vivre sans toi, mon petit. » Il n'y a presque pas de chansons qui décrivent l'aisance et l'aspect agréable d'une relation saine. Tous les auteurs décrivent la peur, la souffrance, la perte et la peine de cœur. C'est ainsi que nous en arrivons à nommer cela de l'amour et que nous ne savons pas comment réagir quand survient quelque chose qui n'est pas dramatique. Nous commençons par nous détendre, ensuite nous craignons qu'il ne s'agisse pas d'amour, parce que nous ne sommes pas obsédées. »

Trudi approuve. « Voilà. C'est précisément ce qui m'est arrivé. Je n'ai pas appelé cela de l'amour, au début, parce que c'était trop agréable — et je n'étais pas habituée à des situations agréables, comme vous le savez. » En souriant, elle ajoute : « Il a simplement pris de plus en plus de place dans ma vie pendant les premiers mois de notre relation. Je sentais que je pouvais me détendre et être tout à fait moi-même, sans qu'il me déserte pour autant. C'était incroyable. Nous avons attendu longtemps avant d'avoir des relations sexuelles ; nous voulions d'abord apprendre à bien nous connaître. Je m'entendais de mieux en mieux avec lui et j'avais beaucoup de plaisir à partager avec lui d'heureux moments. Quand enfin nous avons couché ensemble, ce fut très tendre et je me suis sentie « très » vulnérable. J'ai beaucoup pleuré. Il m'arrive encore de le faire, mais cela ne semble pas le déranger. » Trudi baisse les yeux. « Je pense que le sexe évoque encore en moi beaucoup de souvenirs douloureux d'être rejetée et blessée cruellement. » dit-elle. Et après un moment de silence, elle ajoute : « Pour le moment, c'est moi que ce problème de sexe affecte le plus. Hal aimerait bien que nous goûtions tous les deux une sexualité plus enflammée, mais il ne se plaint pas du tout. C'est moi qui me révolte, parce que je sais comment cela pourrait se passer. »

« Bon, d'accord. Dites-moi où vous en êtes avec Hal, maintenant. »

« Il m'aime. » dit-elle aussitôt. « Je m'en rends compte à sa manière d'agir avec moi. Chaque fois que je rencontre un de ses amis pour la première fois, je devine, à la façon dont je suis accueillie, que Hal a dit des choses très gentilles à mon sujet. Et lorsque nous sommes seuls, il se montre très affectueux et très désireux de me faire plaisir. Mais je deviens distante, froide, presque rigide. Je ne parviens pas à me montrer chaleureuse avec lui. Je ne sais pas ce qui m'en empêche... »

« Que ressentez-vous, Trudi, quand vous commencez à faire l'amour avec Hal ? »

Elle reste silencieuse un instant et réfléchit. Puis elle lève les yeux vers moi et dit : « De la peur peut-être ? » Puis, répondant à sa propre question, elle ajoute : « Oui, c'est cela. J'ai peur, très peur ! »

J'insiste pour qu'elle soit plus précise : « Peur de quoi ? »

Elle réfléchit, silencieuse, puis répond à ma question : « Je n'en suis pas certaine. C'est d'être découverte, connue, envahie. J'ai l'impression que si je me laissais aller complètement, Hal connaîtrait tout sur moi, non seulement physiquement, mais aussi autrement. Je n'arrive pas à me donner entièrement à lui. Cela me fait trop peur. »

Naturellement, je lui demande : « Et qu'arriverait-il si vous le faisiez ? »

« Oh, mon Dieu, je l'ignore. » dit-elle, en s'agitant sur son siège. « Je me sens vulnérable et toute nue quand j'y pense. Je dois avoir l'air ridicule de parler ainsi de sexe, après mes nombreux exploits. Ce n'est pas facile d'avoir un comportement sexuel avec quelqu'un qui veut se rapprocher de moi si intimement. Je me referme comme une huître, ou alors je fais les gestes machinalement pendant qu'une partie de moi est ailleurs. Je me conduis comme une vierge timide. »

Je la rassure : « Trudi, si vous comparez le genre d'intimité que vous avez déjà, vous et Hal, avec celle que vous pourriez partager à l'avenir, vous ressemblez effectivement à une vierge. Tout est neuf pour vous et vous êtes très peu expérimentée dans ce genre d'interaction avec un homme, ou avec n'importe qui d'autre. Vous avez vraiment peur. »

« Voilà exactement ce que je ressens — je suis sur la défensive, comme si j'allais perdre quelque chose de très important. » convient-elle.

« Oui, c'est votre armure que vous avez peur de perdre, votre protection contre les blessures. Même quand vous vous jetiez au cou des hommes, vous ne couriez pas le risque de vous rapprocher d'eux. Vous n'aviez jamais à redouter l'intimité, parce qu'ils en étaient incapables eux-mêmes. Par contre, avec Hal, qui voudrait bien partager avec vous la plus grande intimité possible, vous êtes prise de panique. Tout va bien tant que vous parlez et que vous prenez plaisir à vous voir, mais les choses changent dès qu'il s'agit de sexe, dès que toutes les barrières entre vous sont tombées. Avec vos autres partenaires, même le sexe ne réussissait pas à faire disparaître les obstacles. Au contraire, il contribuait à les garder intacts, parce que vous utilisiez le sexe pour dissimuler qui vous étiez et ce que vous ressentiez réellement. Ainsi, en dépit de tous vos ébats sexuels, vous ne vous êtes jamais rapprochés suffisamment, vous et vos hommes, pour mieux apprendre à vous connaître. Parce que vous vous serviez du sexe pour contrôler vos relations, je pense qu'il est devenu très difficile pour vous de renoncer à ce contrôle — au lieu d'être sensuelle, vous utilisez le sexe comme un outil.

« J'aime votre expression, Trudi, quand vous dites que vous craignez d'être « découverte, connue », car c'est ainsi que vous partagez votre sexualité maintenant. Vous avez déjà partagé tant de choses, vous et Hal, que le sexe ne doit plus être pour vous une dérobade, mais, bien au contraire, un moyen de vous connaître encore plus intimement. »

Trudi a les larmes aux yeux. « Pourquoi est-ce si compliqué ? » dit-elle. « Pourquoi est-ce que je ne peux pas tout simplement avoir du plaisir ? Je sais que cet homme ne me fera pas de mal délibérément. Du moins, je ne pense pas qu'il... » Elle change subitement de ton en s'apercevant qu'elle est en train de douter d'elle-même. « Bon, poursuit-elle aussitôt. Vous me dites que je suis sexuellement active seulement avec quelqu'un qui ne veut pas vraiment de moi, et que je ne suis pas stimulée par une personne comme Hal, qui est bon, gentil et qui me trouve merveilleuse, parce que j'ai peur d'être trop intime. Que dois-je faire, alors ? »

« Il faut en passer par là. Pour commencer, renoncez à être passionnée et contentez-vous d'exprimer votre sexualité. Être passionnée, c'est faire un numéro. Exprimer votre sexualité, c'est interagir intimement sur un plan physique. Il faudra que vous disiez à Hal exactement ce que vous ressentez pendant l'acte sexuel — toutes vos émotions, aussi irrationelles qu'elles soient. Dites-lui quand vous avez peur, quand vous éprouvez le besoin de vous arrêter et quand vous êtes de nouveau prête à accepter le contact intime. Si cela s'avère nécessaire, prenez davantage l'initiative des ébats et n'allez pas plus vite ni plus loin que vous le désirez. Hal comprendra et vous aidera à surmonter vos peurs, si vous le lui demandez. Et essayez de ne pas analyser ce qui vous arrive. Jusqu'ici, vous n'avez pas eu tellement l'occasion d'apprendre ce qu'est l'amour et la confiance. Soyez prête à être très patiente et habituez-vous à vous abandonner. Vous savez, Trudi, il n'y avait pas beaucoup d'abandon dans toute cette frénésie passionnée ; vous vous obstiniez, au contraire, à diriger et à contrôler votre amant, en le manipulant grâce au sexe. Vous faisiez votre numéro et vous attendiez des applaudissements enthousiastes. Comparez votre comportement d'alors et ce à quoi vous essayez maintenant de parvenir, au rôle d'amoureuse passionnée et à votre consentement à vous laisser aimer. Cela peut être un rôle très excitant, surtout quand il est joué devant un public attentif. Accepter de vous laisser aimer est beaucoup plus difficile, parce que cela doit émaner d'un endroit très secret en vous, cette partie de vous-même que vous aimez. Et comme il y a là déjà beaucoup d'amour, il vous est plus facile d'accepter le fait que vous êtes digne d'être aimée par un autre. Mais si vous avez peu d'estime pour vous-même, il vous est très difficile de laisser pénétrer de l'amour qui provient de l'extérieur. Vous avez fait beaucoup de progrès dans votre apprentissage de valorisation de vous-même. Vous voici maintenant rendue à l'étape suivante : avoir suffisamment confiance pour vous laisser aimer par cet homme. »

Trudi réfléchit. « En somme, dit-elle, l'abandon déchaîné auquel je me livrais était en réalité soigneusement calculé. Je comprends. Je ne me laissais pas vraiment aller, même si ma performance était électrisante. Il faut donc dorénavant que je cesse de prétendre et que je commence à être simplement moi-même. C'est curieux comme ce changement est difficile à faire. Être aimée... » Trudi médite un instant. « Je sais, dit-elle, qu'il me reste encore beaucoup de chemin à parcourir avant d'en arriver là. Parfois je regarde Hal et je me demande comment il peut être si épris de moi. Je ne suis pas certaine d'être aussi merveilleuse que cela quand je ne joue pas mon grand rôle de séductrice. » En écarquillant les yeux, elle ajoute : « C'est bien cela qui a rendu la chose si difficile, n'est-ce-pas ? Ne pas avoir à faire de numéro. Ne pas me sentir obligée de recourir à des recettes spéciales. Ne pas avoir à « essayer ». J'avais peur de me conduire en amoureuse avec Hal, parce que je croyais en être incapable. Je pensais qu'à moins de jouer la séductrice rien de ce que je pourrais faire serait suffisant et qu'il s'ennuierait. Je ne pouvais pas recourir à mon numéro d'allumeuse, parce que nous étions déjà trop bons amis avant de devenir amants, et il me semblait donc que ce serait tout à fait déplacé si je me mettais brusquement à haleter et à me jeter impétueusement à son cou. D'autant plus que cela n'était pas nécessaire. Il était déjà suffisamment intéressé sans que j'aie à faire mon manège.

« C'est exactement comme toutes les autres choses que nous partageons. Je n'aurais jamais cru que l'amour pouvait être aussi facile que cela. Il me « suffit » d'être moi-même ! » Trudi s'arrête, me regarde d'un air penaud et demande : « Êtes-vous souvent témoin d'une telle situation ? »

Je lui réponds : « Pas aussi souvent que je le voudrais. Ce qui vous arrive n'est qu'un épisode du rétablissement chez une femme qui aimait trop... Elles ne sont qu'une petite minorité, celles qui s'en remettent ; les autres consacrent leur temps, leur énergie et leur vie — utilisant leur sexualité comme un outil — à essayer de se faire aimer d'un partenaire qui en est incapable. Cela ne réussit jamais, mais elles sont à l'abri ; aussi longtemps qu'elles sont absorbées par cette lutte, elles n'ont jamais à se soucier d'une véritable intimité qui permettrait à un autre être humain de connaître leur moi intime. D'ailleurs, la plupart des gens redoutent beaucoup de s'exposer. Ainsi, alors que leur solitude les pousse vers des relations, leur peur d'être devinés les incite à choisir des partenaires qui s'avèrent toujours incompatibles. »

Trudi demande : « Est-ce pour cela que Hal m'a choisie ? Parce que je suis quelqu'un dont il ne peut pas se rapprocher ? »

Je réponds : « C'est possible. »

« Me voici donc dans le rôle opposé. » dit Trudi. « C'est moi maintenant qui résiste à l'intimité. Cela fait changement. »

« C'est fréquent. Nous avons tous l'aptitude à jouer les deux rôles : le poursuivant — ce que vous étiez — et le fuyard — ce qu'étaient vos anciens partenaires. Dans une certaine mesure, vous êtes maintenant la fuyarde, celle qui se dérobe à l'intimité, et Hal est le poursuivant. Il serait intéressant de voir ce qui se produirait si vous cessiez de fuir. Voyez-vous, il y a une chose qui tend à rester toujours constante : l'écart qui vous sépare d'une autre personne. Vous pouvez changer de rôle, cet écart restera le même.

« Somme toute, dit Trudi, que ce soit l'un ou l'autre qui pourchasse ou qui fuit, ni l'un ni l'autre ne s'expose à l'intimité. Ce n'est donc pas le sexe qui cause tant de frayeur, ajoute-t-elle doucement, prudemment. C'est le rapprochement intime, n'est-ce pas ? Pourtant, je veux me faire violence et laisser Hal approcher mon moi intime. Cela me fait peur et je me sens affreusement menacée ; mais je suis résolue à éliminer l'écart qui nous sépare. »

Trudi évoque ici un mode d'interaction privilégié auquel très peu de gens parviennent. Le besoin d'éviter l'intimité est présent dans tous les combats que livrent les femmes qui aiment trop et les hommes qui n'aiment pas assez. Les rôles de poursuivant et de fuyard sont interchangeables, mais il faut un courage exceptionnel pour que deux personnes réussissent à les éliminer complètement. Je n'ai qu'un conseil à leur donner, celui que j'ai donné à Trudi :

« Voilà, je suggère que vous discutiez de tout cela avec Hal. Et parlez aussi, lorsque vous faites l'amour. Dites-lui ce que vous ressentez ; c'est un aspect très important de l'intimité, voyez-vous. Soyez très, très franche, et le reste se fera tout seul. »

Trudi a l'air grandement soulagée. « Cela m'aide tant à comprendre ce qui n'allait pas. » dit-elle. « Je sais que vous avez raison, que tout ceci est nouveau pour moi et que je ne sais pas encore comment m'y prendre. Et de penser que je devrais peut-être revenir à mon comportement passionné d'avant n'a pas facilité les choses. Cela n'a fait que les empirer. Mais je fais déjà confiance à Hal avec mon cœur et avec mes émotions ; il ne me reste plus qu'à lui faire confiance avec mon corps. Il n'y a rien de facile dans tout cela, n'est-ce pas ? poursuit-elle, en souriant et en secouant la tête. Mais je comprends que les choses doivent se passer ainsi. Je vous tiendrai au courant... et mille fois merci ! »

« Je suis heureuse d'avoir pu vous aider, Trudi. » lui dis-je sincèrement. Et nous nous disons au revoir en nous embrassant.

Pour connaître le degré de rétablissement que Trudi a atteint, nous pouvons comparer ses convictions et son style d'interaction dans une relation intime, avec les traits distinctifs d'une femme qui s'est guérie de trop aimer. Souvenez-vous que le processus de guérison dure toute une vie, que la guérison est un but que nous nous efforçons d'atteindre plutôt qu'un résultat acquis une fois pour toutes.

Voici les traits caractéristiques d'une femme qui s'est guérie de trop aimer :

1. Elle s'accepte totalement, même pendant qu'elle cherche à changer. Elle a un amour et un respect d'elle-même qu'elle cultive soigneusement et développe à dessein.

2. Elle accepte les autres tels qu'ils sont et n'essaie pas de les changer afin qu'ils répondent à ses besoins.

3. Elle est consciente de ses émotions et de ses attitudes correspondant à chaque aspect de sa vie, y compris sa sexualité.

4. Elle aime tout en elle : sa personnalité, son apparence, ses convictions et ses valeurs, son corps, les choses qui l'intéressent et ses réalisations. Elle se valorise elle-même plutôt que de dépendre d'une relation qui la valorise.

5. Elle a suffisamment d'estime d'elle-même pour jouir de la compagnie des autres, spécialement celle d'hommes qu'elle estime adéquats tels qu'ils sont. Elle n'a pas besoin de se croire indispensable pour se sentir quelqu'un.

6. Elle se permet d'être ouverte et confiante en présence de gens « convenables ». Elle ne craint pas de montrer

des aspects très personnels d'elle-même, mais elle ne se laisse pas exploiter par ceux qui se désintéressent de son bien-être.

7. Elle réfléchit et se demande si telle relation est bonne pour elle, si elle est susceptible de contribuer à l'épanouissement de toutes ses potentialités.

8. Lorsqu'une relation est destructive, elle est capable d'y renoncer, sans tomber dans une dépression incapacitante. Elle a un groupe d'amis sur qui elle peut s'appuyer et des activités valables pour l'aider à traverser les crises.

9. Elle tient avant tout à sa sérénité. Les combats, le drame et le chaos sont désormais dénués de tout intérêt. Elle protège sa personne, sa santé et son bien-être.

10. Elle sait qu'une relation n'est viable que si les deux partenaires partagent des valeurs, des intérêts et des objectifs semblables ; encore faut-il qu'ils soient tous les deux capables d'intimité. Elle sait également qu'elle mérite tout ce que la vie a de mieux à offrir.

Le rétablissement des femmes qui aiment trop évolue en plusieurs phases. La première commence au moment où nous prenons conscience de notre comportement et aimerions pouvoir nous arrêter. Vient ensuite notre volonté de nous faire aider, suivi par notre recherche d'aide proprement dite. Nous entrons après cela dans la phase du rétablissement qui exige notre engagement à guérir et notre volonté de poursuivre notre programme de rétablissement. Durant cette période, nous commençons à changer nos façons d'agir, de penser et de ressentir. Ce qui passait auparavant pour normal et habituel commence à devenir désagréable et malsain. Nous entrons dans la phase suivante du rétablissement lorsque nous commençons à faire des choix qui ne correspondent plus à nos anciennes habitudes, mais contribuent plutôt à rehausser notre qualité de vie et à favoriser notre bien-être. Notre amour de nous-mêmes grandit lentement et régulièrement tout au long des diverses phases du rétablissement. Nous commençons par ne plus nous détester, après quoi nous devenons davantage tolérantes envers nous-mêmes. Par la suite, nous découvrons nos bonnes qualités et nous apprenons alors à nous accepter. Finalement, le véritable amour de soi s'installe à demeure.

À moins de parvenir à nous accepter et à nous aimer nous-mêmes, nous ne pouvons tolérer d'être « découvertes, connues », comme l'a si bien dit Trudi, car en l'absence de ces sentiments nous ne nous croyons pas dignes d'être aimées telles que nous sommes. Au lieu de cela, nous essayons d'obtenir de l'amour en en donnant à un autre, en montrant de la sollicitude et en étant patiente, en souffrant et en nous sacrifiant, en offrant une sexualité passionnée, ou des petits plats mitonnés, ou n'importe quoi d'autre.

Quand l'acceptation et l'amour de nous-mêmes commencent à se développer et à s'installer pour de bon, nous sommes prêtes à agir consciemment en étant nous-mêmes, sans essayer de plaire, sans recourir à des comportements destinés à gagner l'approbation et l'amour de l'autre. Mais bien que renoncer à « faire son numéro » soit soulageant, cela peut aussi s'avérer très apeurant. Nous nous sentons gênées et très vulnérables lorsque nous nous contentons de simplement être au lieu d'agir. Pendant que nous nous efforçons de nous croire dignes — telles que nous sommes — de l'amour d'une personne à qui nous tenons, nous aurons toujours la tentation de faire au moins un peu de cinéma à son intention et nous aurons également, si nous avons atteint une étape avancée du processus de rétablissement, une répugnance à revenir aux anciens comportements et manipulations. C'est à ce carrefour que se trouve présentement Trudi ; elle ne peut plus retourner à son ancien style d'interaction sexuelle, mais elle a peur de s'aventurer dans des rapports sexuels plus authentiques et moins contrôlés (tous ses ébats passionnés étaient un manège soigneusement contrôlé). Renoncer à faire notre numéro est très déconcertant, au début, car, lorsque nous ne faisons plus les gestes destinés à produire un effet calculé, nous éprouvons un très grand malaise pendant ce temps d'inaction qui précède le moment où nos impulsions amoureuses « véritables » parviennent à se manifester, à se faire sentir et à s'affirmer.

Abandonner nos anciens stratagèmes ne signifie pas que nous devons pour autant renoncer à aborder, à aimer, à cajoler, à aider, à calmer, à stimuler ou à séduire notre partenaire. Cependant, lorsque nous nous rétablissons, notre interaction avec une autre personne devient une expression de notre essence même ; nous n'interagissons plus avec l'intention de susciter une réaction, de créer un effet ou de produire un changement chez cette personne. À la place, nous offrons ce que nous sommes véritablement quand nous ne nous dissimulons pas ou que nous ne calculons pas, quand nous ne portons pas de masque et que nous sommes à visage découvert.

Premièrement, nous devons surmonter notre peur d'être rejetées si nous nous montrons à quelqu'un telles que nous sommes véritablement. Ensuite, nous devons apprendre à ne pas nous affoler lorsque nos protections émotives tombent. Sur le plan sexuel, cette nouvelle aptitude à interagir exige que nous soyons nues et vulnérables non seulement physiquement, mais aussi au niveau des émotions.

Il n'est pas étonnant qu'un tel degré de communion entre deux individus soit si rare. Nous sommes terrorisées, car nous croyons que sans nos protections émotives nous allons nous désintégrer.

Pourquoi est-ce un risque qu'il vaut la peine de prendre ? Ce n'est qu'en nous révélant franchement que nous pouvons être aimées véritablement. Lorsque nous sommes authentiques dans une relation et que nous sommes aimées, nous sommes aimées pour ce que nous sommes véritablement. Cela est très valorisant sur le plan personnel et contribue beaucoup à faire disparaître les inhibitions dans une relation. Il est toutefois important de savoir que nous ne pouvons nous comporter ainsi que dans un climat exempt de toute peur ; il faut donc non seulement que nous dominions notre crainte d'être authentiques, mais aussi que nous évitions les gens dont les attitudes et les comportements à notre égard inspirent la peur. Quelle que soit notre volonté d'être sincèrement nous-mêmes, en cours de rétablissement, il se trouvera encore des individus dont la hargne, l'hostilité et l'agression inhiberont notre spontanéité. Nous sommes des masochistes si nous exposons notre vulnérabilité à ces gens-là. Il ne faut donc baisser nos barrières, et éventuellement les éliminer, qu'en présence de personnes — amis, membres de la famille ou amoureux — avec qui nous avons une relation imprégnée de confiance, d'amour et de respect pour cette communion si chaleureusement humaine.

Il arrive souvent, en cours de rétablissement, alors que nos modes d'interaction subissent des modifications, que le cercle de nos amis change aussi, de même que nos relations intimes. Notre manière d'agir avec nos parents et nos enfants se transforme. Vis-à-vis de nos parents, nous devenons moins nécessiteuses, moins irritées et souvent aussi moins patelines. Nous devenons plus franches, souvent plus tolérantes et parfois plus authentiquement affectueuses. Nous cherchons moins à contrôler nos enfants, nous avons moins de remords et nous nous faisons moins de soucis pour eux. Nous relâchons notre emprise sur eux et nous les apprécions davantage, parce nous pouvons nous décontracter et jouir de la vie davantage. Nous nous accordons une plus grande liberté pour satisfaire nos propres besoins, et nos enfants se sentent de ce fait libres d'en faire autant.

Les amis pour qui nous avions une commisération sans borne peuvent maintenant nous sembler obsédés et malsains ; tout en étant disposées à partager avec eux ce qui nous a été salutaire, nous n'accepterons pas de prendre sur nos épaules le poids de leurs soucis. La détresse mutuelle en tant que critère d'amitié est remplacée par des intérêts mutuels plus productifs.

En bref, votre rétablissement apportera dans votre vie plus de changements que je ne peux en décrire dans ces pages, et cela s'avérera parfois désagréable. Ne reculez pas devant le désagrément. La peur de changer, de renoncer à tout ce que nous avons toujours connu, fait et été nous empêche de nous métamorphoser, de devenir des personnes plus saines, plus authentiquement amoureuses.

Ce n'est pas la douleur qui nous retient. Nous endurons déjà des niveaux de souffrance alarmants, et il n'y a aucun espoir de guérison si nous ne changeons pas. C'est la peur qui nous retient, la peur de l'inconnu. Le meilleur moyen que je connaisse pour combattre la peur est de se joindre à d'autres voyageuses qui ont parcouru le même chemin. Trouvez un groupe de soutien parmi celles qui ont été là où vous êtes et qui se dirigent vers (ou qui ont déjà atteint) la destination à laquelle vous désirez parvenir. Faites route avec elles vers un nouveau mode de vie.

Appendice I

COMMENT METTRE SUR PIED
VOTRE PROPRE GROUPE DE SOUTIEN

En premier, essayez de savoir quelles sont les ressources déjà existantes là où vous habitez. Les municipalités ont souvent un annuaire indiquant tous les services d'assistance communautaires et autres sources d'entraide. Pour savoir si une telle publication est disponible et comment se la procurer, appelez la bibliothèque ou le numéro d'urgence de votre localité. Même si un tel annuaire n'existe pas, vous devriez être à même d'obtenir le nom de divers organismes d'assistance et de groupes d'entraide susceptibles de vous convenir, en composant le numéro d'urgence. De plus, la plupart des annuaires téléphoniques indiquent des numéros d'urgence sociale ou de centres de détresse.

Cependant, ne croyez pas qu'un seul appel à un organisme ou à un professionnel vous fournira tous les renseignements dont vous avez besoin. Il n'est pas aisé, même pour un professionnel, de toujours être au courant de toutes les ressources disponibles dans une grande ville ; et il y a malheureusement aussi des professionnels qui sont très mal renseignés sur les services existants.

Investissez le temps qu'il faut. Faites tous les appels nécessaires, dans l'anonymat, si vous le désirez. Essayez de savoir si le groupe qui répond à vos besoins existe. Il n'y a pas intérêt à réinventer la roue ou à faire de la concurrence à un groupe qui fonctionne déjà et qui pourrait accueillir utilement votre participation. Que vous cherchiez à vous joindre aux Filles Unies (voir Parents Anonymes), aux Outre-mangeurs Anonymes (ou Boulimiques Anonymes), à Al-Anon, ou que vous cherchiez des services d'accueil pour femmes battues ou pour victimes de viol, soyez prête à y consacrer du temps et à faire des efforts, peut-être même parfois à vous déplacer pour assister aux assemblées. Cela en vaut la peine.

Lorsque vos recherches se seront avérées vaines, quand vous serez certaine que le groupe dont vous avez besoin n'existe pas, mettez-en un sur pied vous-même.

La meilleure manière de vous y prendre consiste probablement à faire paraître une petite annonce à la rubrique des services personnels de votre journal. Elle pourrait être rédigée de la façon suivante :

FEMME : Est-ce que pour vous le fait de devenir amoureuse se transforme tôt ou tard en une douloureuse expérience émotive ? Un groupe d'entraide gratuite est en train de se former pour les femmes dont les relations avec les hommes se sont toujours avérées jusqu'ici conflictuelles. Si vous désirez trouver une solution à ce problème, appelez (donnez ici vos nom et numéro de téléphone) pour obtenir des renseignements et connaître le lieu des rencontres.

En plaçant une annonce de ce genre dans le journal, quelques fois seulement, vous devriez avoir suffisamment de candidates pour former un groupe. Le nombre idéal serait d'environ sept à douze, mais commencez avec un plus petit groupe, si cela est nécessaire.

Souvenez-vous que les femmes qui assisteront à la première réunion seront là pour deux raisons : elles ont un sérieux problème et elles cherchent de l'aide. Ne passez pas trop de temps à discuter de l'organisation des prochaines rencontres, bien que cela aussi soit important. La meilleure façon de commencer est de raconter votre histoire, car ce faisant vous créez immédiatement un lien entre ces femmes et vous, ainsi qu'un sentiment d'appartenance. Les femmes qui aiment trop se ressemblent beaucoup plus qu'elles ne diffèrent, et vous en prendrez toutes conscience. Donc, racontez votre histoire d'abord.

Pour votre première assemblée, qui ne devrait pas durer plus d'une heure, essayez de suivre l'ordre du jour que voici :

1. Commencez la réunion à l'heure. Ainsi, toutes celles qui sont présentes savent qu'elles devront être ponctuelles lors des futures réunions.

2. Présentez vous comme l'auteure de l'annonce que vous avez fait paraître dans le journal et expliquez que vous aimeriez que le groupe devienne une source de soutien continue pour vous-même et pour toutes celles qui sont présentes.

3. Insistez bien sur le fait que tout ce qui se dit au cours de la rencontre ne doit pas sortir du lieu d'assemblée, que toute personne entrevue là ou toute chose qui s'y est dite ne doit pas être discutée ailleurs, « jamais ». Suggérez à toutes celles qui sont là de n'utiliser que leur prénom pour se présenter.

4. Expliquez qu'il serait profitable et réconfortant pour toutes les personnes présentes qu'elles prennent la parole à tour de rôle pendant environ cinq minutes pour donner les raisons qui les ont incitées à venir à cette assemblée. Insistez sur le fait que personne n'est obligé de parler aussi longtemps et qu'il revient à chacune d'utiliser entièrement ou partiellement son temps de parole. Offrez-leur de raconter votre histoire la première, ce soir-là (n'oubliez pas de mentionner votre prénom).

5. Lorsque toutes celles qui y sont disposées auront raconté leur histoire, adressez-vous aux autres qui n'ont pas voulu prendre la parole quand c'était leur tour et demandez-leur gentiment si elles sont maintenant prêtes à le faire. Ne forcez personne à parler. Faites bien clairement comprendre à chacune des femmes qu'elle est la bienvenue, qu'elle soit ou non prête à discuter de sa situation.

6. Abordez ensuite quelques-unes des règles que vous aimeriez voir adoptées par le groupe. Voici celles que je recommande ; une liste de ces règles devrait être distribuée à chacune des participantes :

— Personne ne doit donner de conseils aux autres. Toutes sont invitées à partager leurs expériences et à parler de ce qui les a aidées à se sentir mieux, mais aucune ne devrait conseiller à une autre ce qu'elle devrait faire. Si l'une ou l'autre cède à l'envie de donner des conseils, on lui en fera gentiment la remarque.

— Chaque membre devrait présider l'assemblée à tour de rôle, de façon à ce que le groupe soit dirigé chaque semaine par une participante différente. La présidente sera responsable de l'horaire de la réunion ; elle choisira le sujet à discuter, ménagera quelques minutes vers la fin pour régler les affaires courantes et pour choisir la présidente de la semaine suivante.

— Les rencontres devraient avoir une durée spécifique. Je recommande qu'elles soient d'une heure. Personne ne résoudra tous ses problèmes en une seule fois, et il importe de ne pas essayer de le faire. Les réunions devraient commencer et se terminer à l'heure prévue. (Il vaut mieux qu'elles soient plus courtes que d'excéder la durée prévue. Les participantes pourront, plus tard, décider de prolonger l'assemblée, au besoin.)

— Les rencontres devraient avoir lieu dans un endroit neutre plutôt que dans la maison d'une participante où les distractions sont trop nombreuses ; les enfants, les appels téléphoniques et l'absence d'une totale discrétion dérangent les membres du groupe, la directrice des débats surtout. Cette dernière, d'ailleurs, doit bien se garder de jouer le rôle d'une animatrice sociale. Le but de vos rencontres n'est pas de vous retrouver en société. Vous vous réunissez en tant que personnes semblables pour travailler à résoudre votre problème commun. Certaines banques, établissements commerciaux ou églises mettent gratuitement à la disposition des groupes quelques locaux, le soir, pour qu'ils y tiennent leurs assemblées.

— Il ne faut ni manger, ni fumer, ni prendre de consommations « pendant » les séances : ce sont autant de sources de distraction. Ces choses-là peuvent se faire avant ou après l'assemblée, si le groupe les juge importantes. Aucun alcool ne doit être toléré sur les lieux ; il altère les émotions et les réactions et gêne ainsi le travail en cours.

— Il est très important d'éviter de parler de « lui ». Les participantes doivent apprendre à se concentrer sur elles-mêmes et sur leurs pensées, leurs émotions et leurs comportements plutôt que sur l'homme qui les obsède. Au début, il leur sera difficile d'éviter d'en parler, mais chacune devrait s'efforcer de le faire le moins souvent possible pendant qu'elle se raconte.

— Aucune ne devrait être critiquée à propos de ce qu'elle fait ou ne fait pas, qu'elle soit présente ou non à la réunion. Même si les membres peuvent demander à connaître la réaction réciproque de chacune, ce feed-back ne devrait jamais être offert à moins d'être sollicité. La critique n'a pas sa place dans un groupe de soutien, pas plus que les conseils.

— Tenez-vous-en au thème qui est à l'ordre du jour. En principe, tout sujet qu'une présidente d'assemblée veut introduire est acceptable, sauf s'il touche à la religion, à la politique ou à des questions qui dépassent les intentions du groupe : l'actualité ou les gens qui la font, les causes, les programmes de traitement ou les modalités thérapeutiques. Il n'y a pas de place pour le débat ou la spéculation dans un groupe de soutien. Et souvenez-vous que vous ne vous réunissez pas pour médire des hommes. Vous voulez vous épanouir, guérir et partager avec les autres les outils nouveaux que vous forgez pour affronter des problèmes anciens. Voici quelques suggestions de thèmes :

• Pourquoi j'ai besoin de ce groupe

• Remords et ressentiment

• Mes pires appréhensions

• Ce que j'aime le plus en moi et ce que j'aime le moins

• Comment je prends soin de moi-même et comment je satisfais mes propres besoins

• La solitude

• Ce que je fais en cas de dépression

• Mes attitudes sexuelles : leur nature et leur origine

• La colère : comment je réagis à la mienne et à celle des autres

• Comment j'agis dans mes relations avec les hommes

• Ce que je crois que les gens pensent de moi

• En examinant mes raisons

- Mes responsabilités envers moi-même et envers les autres
- Mon épanouissement spirituel (ceci n'est pas une discussion sur les convictions religieuses, mais sur la façon dont chaque membre vit ou ne vit pas sa propre dimension spirituelle)
- Renoncer au blâme, y compris le blâme de soi
- Mes attitudes existentielles

Il est recommandé que les membres du groupe lisent *Ces femmes qui aiment trop,* mais cela « n'est pas » une exigence, c'est une suggestion.

Une fois par mois, le groupe peut prolonger la rencontre de quinze minutes pour permettre de voir aux affaires courantes ou à des changements éventuels dans la tenue des assemblées, pour discuter de l'efficacité des règles adoptées ou de tout autre problème.

Revenons maintenant à l'ordre du jour suggéré pour la première réunion :

7. Discutez toutes ensemble la liste des règles proposées.

8. Demandez si quelqu'un veut présider la prochaine séance.

9. Déterminez l'endroit où le groupe se réunira la semaine suivante et décidez si les consommations seront servies avant ou après la rencontre.

10. Discutez s'il serait opportun d'inciter davantage de femmes à se joindre à votre groupe, de faire passer l'annonce encore une autre semaine ou si celles qui sont présentes devraient inviter elles-mêmes d'autres femmes.

11. Levez l'assemblée en restant debout quelques instants, silencieuses, les yeux fermés et en vous tenant par la main.

Un dernier mot au sujet de ces règles : pour assurer l'harmonie et la cohésion du groupe, il est essentiel d'être discret, de changer régulièrement de présidente, de ne pas critiquer, de ne pas donner de conseils, de ne pas aborder des sujets controversés ou inappropriés, de ne pas se livrer à des débats, etc. Ne violez pas ces principes pour plaire à un membre du groupe. L'intérêt de l'ensemble du groupe doit toujours passer en premier.

Vous possédez maintenant tous les éléments nécessaires pour mettre sur pied un groupe de soutien à l'intention de femmes qui aiment trop. Ne sous-estimez pas l'effet très curatif qu'exercera sur votre vie à toutes cette simple rencontre au cours de laquelle vous partagez votre vécu. Ensemble, vous vous donnez réciproquement la possibilité de guérir. Bonne chance !

Appendice II

AFFIRMATIONS

Je vais commencer par une affirmation qui concerne un objectif à la fois très important et extrêmement difficile à réaliser pour certaines femmes qui aiment trop. Deux fois par jour, et pendant trois minutes chaque fois, regardez-vous dans un miroir et dites à haute voix : « (votre nom), je t'aime et je t'accepte telle que tu es. »

Vous pouvez répéter cette affirmation à voix haute lorsque vous êtes seule en voiture, ou en silence chaque fois que vous avez tendance à vous critiquer. Vous ne pouvez pas avoir deux pensées en même temps ; il vaut donc mieux que vous remplaciez vos réflexions négatives envers vous-mêmes (telles que « Comment puis-je être aussi bête ? » ou « Je ne parviendrai jamais à le faire. ») par des affirmations positives. Répétées avec assiduité, les affirmations positives ont en fait le pouvoir de supprimer les pensées et les émotions destructives, même si vous êtes habituée à cette attitude négative depuis des années.

Voici quelques autres affirmations ; elles sont courtes, faciles à retenir et peuvent être utilisées pendant que vous conduisez, faites de la gymnastique, attendez ou simplement lorsque vous êtes tranquille :

- Je ne souffre pas, je ne suis pas en colère et je n'ai pas peur.
- Je jouis d'une paix et d'un bien-être parfaits.
- Tous les aspects de ma vie concourent à me rapprocher de mon bonheur et de mon épanouissement.
- Tous les problèmes et les conflits disparaissent maintenant ; je suis sereine.

- La solution idéale à chaque problème m'apparaît maintenant clairement.
- Je suis libre et la lumière m'habite.

Si vous croyez en Dieu ou en une puissance supérieure, faites de cette foi une composante importante de vos affirmations :

- Dieu m'aime.
- Dieu me bénit.
- Dieu est présent dans ma vie.

La prière suivante pour obtenir la sérénité est l'une des meilleures affirmations qui soient :

- Mon Dieu, donnez-moi la sérénité d'accepter les choses que je ne puis changer, le courage de changer celles que je peux et la sagesse d'en connaître la différence.

(N'oubliez pas, vous ne pouvez pas changer les autres ; mais vous pouvez vous changer vous-même.)

Si vous ne croyez pas en Dieu, peut-être vous sentirez-vous plus à l'aise avec une affirmation comme celle-ci :

- L'amour peut tout. Il est en moi pour me guérir et me rendre forte, pour me calmer et me conduire vers la paix.

Il importe aussi pour vous de créer vos propres affirmations. Celles qui vous inspirent tout particulièrement et qui sonnent bien à vos orielles sont celles qui vous seront le plus profitable ; exercez-vous avec quelques-unes parmi celles qui sont indiquées ici, jusqu'à ce que vous soyez à même de former vos propres affirmations, positives et valorisantes à cent pour cent, inconditionnelles et faites sur mesure par vous, pour vous. N'inventez pas d'affirmations dans le genre « Tout va très bien entre Thomas et moi et nous nous marions. » Le « et nous nous marions » ne répond peut-être pas parfaitement à la nature de votre relation avec Thomas. Contentez-vous d'un « Tout va très bien » en ajoutant peut-être « pour mon plus grand bien. » N'exigez pas de résultats précis. Il suffit de vous affirmer, d'affirmer votre vie, vos mérites et votre futur merveilleux. Lorsque vous concevez des affirmations, vous programmez votre inconscient à vouloir renoncer aux anciens comportements et à s'habituer à des attitudes nouvelles, salutaires, joyeuses et prospères. En fait, ceci n'est pas mal du tout comme affirmation :

- Je prends congé de toute la souffrance du passé et je fais place à la santé, à la joie et à la prospérité qui s'offrent à moi.

Vous voyez comment il faut vous y prendre ? Alors allez-y. Composez vos propres déclarations et notez-les ci-après !

Achevé   Imprimerie
d'imprimer Gagné Ltée
au Canada Louiseville